# HELP YOURSELF TO FRENCH GRAMMAR

A grammar reference and workbook
Post-GCSE/Advanced Level

Thalia Marriott
and
Mireille Ribière

*Rachèle Hu*

*8/97*

Longman

# Contents

# Introduction

**Aims**

*Help Yourself to French Grammar* is a French grammar reference and workbook which will enable the student to reach A-level standard and is designed for both self-study and class-based learning. It is intended in particular for the new A-level non-literary syllabuses and for all other post-GCSE work, such as BTEC language options and Institute of Linguists, LCCI and RSA examinations. Chapters 1–10 may also be used by advanced GCSE students, while chapters 11–25 are suitable as a revision course for first-year undergraduates.

The book presents in plain language the grammatical rules and explanations needed to write correct modern French of a discursive and topical nature. Grammatical terms are kept to a minimum and always explained. The exercises introduce vocabulary of immediate relevance to contemporary French studies: each chapter tackles a different theme.

**Contents**

The grammar points presented in each chapter follow a carefully worked out progression. Chapters 1–9 reinforce points learned at GCSE; Chapter 10 offers a transition: the emphasis is on producing more sophisticated language; Chapters 11–25 introduce the more complex points required to raise language to advanced standard.

In Chapters 1–9 and 11–24, the preliminary set of exercises (*Diagnostic*) is designed to identify problem areas and assess the needs of the student. Another set of exercises (*Renforcement*) follows the grammar explanations: its function is to apply and test newly-acquired knowledge. A test (*Révision*) is found at the end of every third or fourth chapter.

In Chapters 10 and 25, there is only one set of exercises (*Travaux pratiques*), which follows the grammar explanations.

The key to all the exercises, advice on when to use accents, verb tables, a list of common verbs and their constructions, a list of adjectives and their constructions, an English–French vocabulary list and a grammar index are to be found at the end of the book.

**Advice to students**

As explained above, the grammar points are progressively introduced. Before reading the grammar explanations included in each chapter, tackle the *Diagnostic* exercises. These are designed to give you an idea of how much you know about the grammar points presented in the next few pages. After correcting your work, read carefully through the grammar explanations. Once you feel that you have understood them, do the *Renforcement* section at the end of the chapter to see how much you have learned. Use the revision tests as an opportunity to revise work done in previous chapters.

The key to the *Renforcement* and *Révision* sections contains grammar references which refer you back to the relevant grammar explanations so that you can reread them if necessary: for example, 5.8b refers to Chapter 5, Section 8, subsection b; 16.5 *note* refers to the note at the end of Section 5 in Chapter 16.

You can also use *Help Yourself to French Grammar* as a reference book by using the grammar index to guide you to the sections you need to consult.

When doing the exercises, remember the following points:

1   You will need a good up-to-date dictionary to understand the exercises and tackle the translations into English. The vocabulary needed to do the translations into French is listed alphabetically in the vocabulary list at the end of the book.

2   Before starting each exercise, read through it carefully until you understand the point of the exercise and the meaning of the sentences. Make sure that you always write out the sentences or text rather than list the items to be inserted or changed, and that you make all the necessary changes to each sentence.

3   The suggested answers are the most appropriate for learning purposes as the exercises are aimed at testing the knowledge you have acquired.

4   Note and learn all new words, as the vocabulary tends to be used again in subsequent exercises. If you have any doubt about the construction of a particular verb or adjective, check it in the lists at the end of the book.

# Chapitre 1 ............... La vie urbaine

## ■ Diagnostic ■

Before looking at the explanations in this chapter, find out what you know by doing the following exercises:

**A** Insert **du, de la, de l', des,** or **au, à la, à l', aux:**

**Les déménagements des Santini**

Monsieur et Madame Santini sont arrivés à Lyon . . . fin des années 50.
. . . début ils vivaient . . . centre-ville, dans un deux-pièces cuisine situé . . . coin . . . rue Grenette et . . . quai St Antoine. Mais . . . naissance . . . jumeaux, ils ont déménagé pour prendre un appartement dans un grand ensemble . . . périphérie . . . ville. Leur nouvelle installation présentait . . . avantages certains: ils avaient . . . place et ne pouvaient pas se plaindre[1] . . . loyer. Pourtant, ils ne sont jamais parvenus à s'habituer . . . quartier. Ils sont restés . . . Minguettes[2] tant que les enfants allaient . . . lycée. Mais, par la suite, comme ils rêvaient toujours de vivre . . . campagne, ils sont allés s'installer dans une petite maison . . . entrée d'un village, . . . environs de Nice.

**B** Write the verbs in brackets in the present tense:

**La vie en banlieue**

◆ Martine, vous (être) mère célibataire et vous (assurer) un emploi de comptable, dites-moi, vous (devoir) avoir une journée chargée?
— Oui, plutôt. Je (se lever) à 7 heures moins le quart. Je (préparer) le petit déjeuner des enfants et je (essayer) de faire un peu de ménage avant de partir, vers 7 heures et demie. La durée du trajet (varier) entre une heure et une heure et demie, ça (dépendre) des jours. Le bureau (ouvrir) à 9 heures et nous (finir) rarement avant 6 heures. Les enfants (aller) à l'école avec les petits voisins et (prendre) leur repas de midi à la cantine. Le soir, ils (se rendre) chez leur grand-mère. Elle les (faire) manger si elle (s'apercevoir) que je (avoir) du retard. L'été, quand elle (savoir) à quelle heure je (devoir) rentrer, ils (venir) m'attendre tous ensemble à la gare. Heureusement que je (pouvoir) compter sur elle, ça me (permettre) d'avoir l'esprit tranquille, surtout pendant les vacances.

◆ Et le week-end, vous (sortir)?
— Rarement. Je (avouer) que ça ne me (dire) rien. D'abord, je (être) fatiguée et puis je ne (conduire) pas. Alors, sans voiture . . . !

---

[1] *se plaindre de* to complain about; [2] *Les Minguettes*: housing estate in the suburbs of Lyons

# How to use nouns: articles, genders, plurals

**1** The French DEFINITE ARTICLES are:

|           | singular | plural |
|-----------|----------|--------|
| masculine | le, l'   | les    |
| feminine  | la, l'   |        |

**2** The article **l'** replaces **le** and **la** before nouns beginning with a vowel (**a, e, i, o, u, y**):

l'ambition (*feminine*)   l'obstacle (*masculine*)

or with an unaspirated **h**, which in French is treated like a vowel:

| UNASPIRATED **h**:       | l'heure     | l'histoire | l'hygiène |
|--------------------------|-------------|------------|-----------|
| *but* ASPIRATED **h**:   | le handicap | le hasard  | la hausse |

**3** You will already have noticed that the use of the definite article in French is often different from the use of *the* in English. Notice in particular that **le, la, l'** and **les** are used:

**a.** in general statements:

**Le** sport est bon pour **la** santé    *Exercise is good for the health*

**b.** before the names of most countries, which may be either masculine or feminine:

**La** France est plus industrialisée que **le** Maroc
   *France is more industrialised than Morocco*
**Les** Etats-Unis et **le** Brésil sont immenses
   *The United States and Brazil are vast*

> For the use of the definite article, see Chapter 11 Sections 1–12

**4** The other articles in French are:

|           | singular           | plural |
|-----------|--------------------|--------|
| masculine | un, du, de l'      | des    |
| feminine  | une, de la, de l'  |        |

**a.** **un, une** translate both *a/an* and *one*:

J'aimerais faire **une** réservation    *I would like to make a booking*
Pour **un** mois?    *For one month?*

**b.** **du, de la, de l', des** translate *any* and *some*:

Tu as **de la** monnaie?    *Do you have any change?*
Nous gardons toujours **du** vin à la cave
   *We always keep some wine in the cellar*

Note that **du, de la, de l', des** must be used in French when *any* or *some* may be omitted in English:

N'oubliez pas d'apporter **des** vêtements chauds
*Don't forget to bring warm clothes*
Vous avez oublié de commander **du** champagne
*You have forgotten to order champagne*

and in expressions such as:

Vous avez **de la** chance        *You are lucky*
J'ai **de l'**ambition        *I am ambitious*

c. Remember that the forms **du, de la, de l', des** consist of the preposition **de** plus **le, la, l', les** and therefore can mean *from* or *from the* and *of* or *of the* (often *'s* in English):

Il rentre **de l'**aéroport
*He is coming back from the airport*
Elle redige les discours **du** président
*She writes the president's speeches*
L'attitude des gens envers l'alcool change
*People's attitude towards drinking is changing*

**5** The preposition **à** combines with **le, la, l', les** in the following way:

|  | singular | plural |
|---|---|---|
| *masculine* | au, à l' | aux |
| *feminine* | à la, à l' | |

Tu devrais retourner **à l'**hôtel      *You should go back to the hotel*
Ce film passe **au** cinéma du coin      *This film is on at the local cinema*

**6** Nouns are either masculine or feminine. It is essential to learn the gender of nouns when you acquire new vocabulary. With some nouns, the end of the word is the clue to the gender:

MASCULINE word endings:      Feminine exceptions:

| | | |
|---|---|---|
| **-acle** | un obst**acle** | |
| **-age** | le chôm**age** | la cage, l'image, la page, la plage, la rage |
| **-eau** | le fard**eau** | l'eau, la peau |
| **-ège** | le coll**ège** | |
| **-ème** | le probl**ème**, le syst**ème** | |
| **-tère** | le mys**tère** | |
| **-et** | le rej**et** | |
| **-asme** | le sarc**asme** | |
| **-isme** | le social**isme** | |
| **-ment** | un argu**ment** | |

| FEMININE word endings: | Masculine exceptions: |
|---|---|
| **-aison** la combin**aison** | |
| **-sion** la ten**sion**, la mis**sion** | |
| **-tion** la fonc**tion** | |
| **-xion** la réfle**xion** | |
| **-ance** la tend**ance** | |
| **-anse** la d**anse** | |
| **-ence** la pati**ence**, la prud**ence** | le silence |
| **-ense** la déf**ense** | |
| **-ée** la journ**ée**, l'arm**ée** | le musée, le lycée |
| **-ière** la lum**ière** | le cimetière |
| **-ude** une habit**ude** | |
| **-ure** la cul**ture** | |

**7** Remember that the following words are masculine:

| | | | | |
|---|---|---|---|---|
| le commerce | un échange | le mélange | le régime | le salaire |
| le contrôle | un ensemble | le mérite | le remède | le scandale |
| le crime | un espace | le modèle | le reproche | le siècle |
| le divorce | un groupe | le nombre | le rêve | le signe |
| le domaine | le luxe | le phénomène | le risque | le style |
| le doute | le manque | le principe | le rôle | le vote |

**8** Some nouns always retain their gender whether they refer to men or women:

**le** médecin  Le médecin du village est une jeune femme sympathique
**la** personne  La personne avec qui je travaille s'appelle Marc
**le** professeur  Mon professeur est enceinte
**le** témoin  Le témoin, une étudiante, est parti tout de suite
**la** vedette  La vedette de ce spectacle, Charles Aznavour, chantait en anglais
**la** victime  Monsieur Blanc, la victime de l'accident, est à l'hôpital

**9** The plural of a noun is formed by adding **-s** to the singular, but note the following exceptions:

**a.** nouns in **-s**, **-x**, **-z** remain unchanged in the plural:

le temps → les temps   la voix → les voix   le gaz → les gaz

**b.** nouns in **-au** and **-eu** take **-x**:

le tuyau → les tuyaux   le drapeau → les drapeaux
le jeu → les jeux   le vœu → les vœux

**c.** the ending of most nouns in **-al** and **-ail** becomes **-aux**:

le journal → les journ**aux**   le travail → les trav**aux**
*but* le festival → les festiv**als**   le détail → les dét**ails**

# The present tense

**10** Regular forms of the present tense

| -er verbs: ces**ser** | -ir verbs: établ**ir** | -re verbs: ren**dre** |
|---|---|---|
| je cess**e** | j' établ**is** | je rend**s** |
| tu cess**es** | tu établ**is** | tu rend**s** |
| il/elle cess**e** | il/elle établ**it** | il/elle rend |
| nous cess**ons** | nous établ**issons** | nous rend**ons** |
| vous cess**ez** | vous établ**issez** | vous rend**ez** |
| ils/elles cess**ent** | ils/elles établ**issent** | ils/elles rend**ent** |

**11** Reflexive verbs beginning with

| an unaspirated **h** or a vowel: | | an aspirated **h** or a consonant: | |
|---|---|---|---|
| s'**h**abituer | s'evanouir | se **h**eurter | se **d**étendre |
| je **m'**habitue | évanouis | je **me** heurte | **d**étends |
| tu **t'**habitues | évanouis | tu **te** heurtes | **d**étends |
| il/elle **s'**habitue | évanouit | il/elle **se** heurte | **d**étend |
| nous **nous** habituons | évanouissons | nous **nous** heurtons | **d**étendons |
| vous **vous** habituez | évanouissez | vous **vous** heurtez | **d**étendez |
| ils/elles **s'**habituent | évanouissent | ils/elles **se** heurtent | **d**étendent |

**12** Irregular verb groups

| cond**uire** | cra**indre** |
|---|---|
| je cond**uis** | je cra**ins** |
| tu cond**uis** | tu cra**ins** |
| il/elle cond**uit** | il/elle cra**int** |
| nous cond**uisons** | nous cra**ignons** |
| vous cond**uisez** | vous cra**ignez** |
| ils/elles cond**uisent** | ils/elles cra**ignent** |

*also* construire, détruire, produire, traduire, réduire

*also* atteindre, contraindre, éteindre, joindre, peindre, plaindre, restreindre

| ouv**rir** | part**ir** | re**cevoir** |
|---|---|---|
| j' ouv**re** | je par**s** | je re**çois** |
| tu ouv**res** | tu par**s** | tu re**çois** |
| il/elle ouv**re** | il/elle par**t** | il/elle re**çoit** |
| nous ouv**rons** | nous par**tons** | nous re**cevons** |
| vous ouv**rez** | vous par**tez** | vous re**cevez** |
| ils/elles ouv**rent** | ils/elles par**tent** | ils/elles re**çoivent** |

*also* couvrir, découvrir, offrir, souffrir

*also* dormir, mentir, se repentir, sentir, servir, sortir

*also* (s')apercevoir, concevoir, décevoir, percevoir

> For all other irregular verbs, see Verb Tables.

[11]

Now that you have studied the explanations on the previous pages, check that you have understood them by doing the following exercises:

**A** In the following definitions, insert **un** or **une**. Remember that the ending is often the clue to the gender of a word:

1 . . . ville est . . . agglomération urbaine.
2 . . . appartement est . . . logement.
3 . . . immeuble est . . . bâtiment à plusieurs étages.
4 . . . résidence est . . . groupe d'immeubles luxueux.
5 . . . HLM est . . . habitation à loyer modéré.
6 . . . embouteillage est . . . encombrement de la circulation.
7 . . . complexe commercial est . . . ensemble de magasins.

**B** Write in the verbs in the present tense:

1 chercher    Nous . . . . . un appartement en ville.
2 finir    Les gens . . . . . par déménager à cause de la circulation.
3 perdre    Tu . . . . . du temps à faire le trajet entre chez toi et le bureau.
4 construire    Les architectes . . . . . des logements mieux conçus.
5 se plaindre    Vous . . . . . toujours du bruit.
6 promettre    On . . . . . d'aménager des espaces verts.
7 offrir    Les villes nouvelles . . . . . un cadre de vie agréable.
8 surprendre    Le manque de parkings me . . . . .
9 s'apercevoir    Maintenant, tu . . . . . des inconvénients de la vie urbaine.
10 faire    Est-ce que vous . . . . . vos courses au centre commercial?
11 voir    Nous . . . . . bien que les transports en commun fonctionnent mal.
12 vivre    Elle . . . . . dans une grande agglomération de province.
13 vouloir    Je ne . . . . . pas aller m'installer en banlieue.
14 dire    Vous . . . . . que vous n'êtes pas satisfait, mais pourquoi?
15 savoir    On . . . . . que cette maison individuelle est à louer.

**C** Translate the following sentences. Where there is a difference in the use of articles between French and English, indicate which rule applies:

1 La circulation au centre-ville est intense.
2 En général, la vie dans les grandes agglomérations plaît aux jeunes.
3 Le rêve des banlieusards, c'est une villa à la campagne.
4 Les petits logements bien conçus sont difficiles à trouver.
5 La France et la Grande Bretagne reconnaissent les erreurs des urbanistes.
6 J'ai des problèmes de stationnement depuis que j'ai déménagé.

# Chapitre 2 ............................ L'alimentation

## Diagnostic

**A** Write the verbs in brackets in the future tense:

**Pour retrouver la forme**

1 Au lieu de grignoter[1] toute la journée, vous (faire) des repas réguliers.
2 Il vous (falloir) remplacer le beurre par la margarine.
3 Vous (éviter) de manger trop de sucre.
4 Plus de[2] coca-cola! Vous (boire) de l'eau minérale à la place.
5 Et plus de petits gâteaux! Vous (s'habituer) à manger des fruits frais.
6 Au lieu de prendre la voiture ou l'autobus pour faire un kilomètre, vous (aller) à pied.
7 Et quand vous (se sentir) en meilleure forme, vous (pouvoir) peut-être retourner au restaurant une fois de temps en temps.

**B** In the following recipe, make the adjectives in brackets agree:

**Salade (composé)**

Eléments de base* pour une (seul) personne:
*2 œufs, 1 (gros) tomate (ferme), 1 (petit) laitue, 1 tranche (épais) de jambon, 100 g de gruyère, 1 (bon) cuillerée de mayonnaise, herbes (aromatique), sel et poivre.*

Faites cuire 2 œufs (dur). Mettez-les ensuite dans une cuvette d'eau (froid) pour les faire refroidir: ils seront ainsi plus (facile) à écaler[3]. Prenez 4 (beau) feuilles de laitue, placez-les au fond du saladier après les avoir lavées. Coupez les tomates et les œufs en rondelles (fin). Coupez le jambon et le gruyère en (petit) dés[4]. Ajoutez la mayonnaise, salez et poivrez avant de mélanger le tout. Placez le mélange dans le saladier et garnissez-le d'herbes (haché).

* Pour varier un peu, remplacez le jambon par des lardons (frit), le gruyère par du fromage (bleu), la mayonnaise par un yaourt (bulgare) ou de la crème (frais); ajoutez également, selon la saison, des carottes (râpé), une betterave (rouge), une poignée de radis, etc.

---

[1] *grignoter* to nibble; [2] *plus de* . . . no more . . .; [3] *écaler* to shell eggs;
[4] *couper en dés* to cut into dice-shaped pieces, to dice

## Make your adjectives agree

1  All French adjectives agree with the noun they refer to.
   Regular adjectives:

|           | singular   | plural      |
|-----------|------------|-------------|
| masculine | important  | importants  |
| feminine  | importante | importantes |

Note that if two nouns are of different gender, the adjective is MASCULINE plural:

Les explications et les exemples sont importants
   *Explanations and examples are important*

2  Remember, however, that adjectives with the following word endings are different:

| adjectives ending in: | masculine singular | plural | feminine singular | plural |
|-----------|-----------|-----------|-----------|-----------|
| **-al**   | national  | nation**aux** | nationa**le** | nationa**les** |
| **-e**    | sale      | sale**s** | sal**e** | sal**es** |
| **-el**   | naturel   | naturel**s** | nature**lle** | nature**lles** |
| **-eil**  | pareil    | pareil**s** | pare**ille** | pare**illes** |
| **-er**   | premier   | premier**s** | premi**ère** | premi**ères** |
| **-eur**  | trompeur  | trompeur**s** | tromp**euse** | tromp**euses** |
| **-f**    | actif     | actif**s** | acti**ve** | acti**ves** |
| **-ien**  | italien   | italien**s** | itali**enne** | itali**ennes** |
| **-x**    | heureux   | heureu**x** | heureu**se** | heureu**ses** |

3  The following adjectives have irregular feminine forms:

| | | |
|---|---|---|
| bas      | **basse**    | *also* gras, **grasse**; gros, **grosse**; las, **lasse**; épais, **épaisse** |
| blanc    | **blanche**  | *also* franc, **franche** |
| bon      | **bonne**    | |
| bref     | **brève**    | |
| complet  | **complète** | *also* discret, **discrète**; inquiet, **inquiète**; secret, **secrète** |
| doux     | **douce**    | |
| faux     | **fausse**   | |
| favori   | **favorite** | |
| frais    | **fraîche**  | |
| gentil   | **gentille** | |
| long     | **longue**   | |
| meilleur | **meilleure** | *also* inférieur, **inférieure**; supérieur, **supérieure** |
| public   | **publique** | |
| sec      | **sèche**    | |

**4** The adjectives below are irregular; they also have special masculine forms in -**l** for use before nouns beginning with a vowel or unaspirated **h**:

|  | singular | plural |
|---|---|---|
| *masculine* | beau/**bel** | beaux |
| *feminine* | belle | belles |
| *masculine* | nouveau/**nouvel** | nouveaux |
| *feminine* | nouvelle | nouvelles |
| *masculine* | fou/**fol** | fous |
| *feminine* | folle | folles |
| *masculine* | vieux/**vieil** | vieux |
| *feminine* | vieille | vieilles |

| | | |
|---|---|---|
| un **nouveau** magasin | *but* | un **nouvel** hôtel |
| mon **vieux** copain | *but* | mon **vieil** ami |

**5** Remember that most adjectives are placed *after* the noun:
Un livre **ennuyeux**   un problème **national**

But the following commonly used adjectives generally go *before* the noun:

| | | |
|---|---|---|
| autre | grand | meilleur |
| beau | gros | nouveau |
| bon | haut | petit |
| chaque | jeune | plusieurs |
| court | joli | quelque |
| excellent | long | tel |
| fou | mauvais | vieux |
| gentil | méchant | vilain |

d'**excellentes** idées
une **mauvaise** expérience
une **longue** journée

Note that a number of adjectives have *one meaning* when they are placed *before* the noun and a very *different meaning* when they are placed *after* the noun:

See Chapter 14 Section 2.

**6** The spellings of **tout** (*all, every, any*) and **ce** (*this, that*) often cause problems:

|  | singular | plural | singular | plural |
|---|---|---|---|---|
| *masculine* | tout | tous | ce/cet | ces |
| *feminine* | toute | toutes | cette | ces |

| | |
|---|---|
| tout le monde | *everybody* |
| toute la journée | *all day long/the whole day* |
| toutes les heures | *every hour* |
| tous les deux jours | *every other day* |
| ce monsieur | *this/that gentleman* |
| cet athlète | *this/that athlete* |
| cette moto | *this/that motorbike* |
| ces voitures | *these/those cars* |

Note that **cet** is used before a noun or another adjective beginning with a vowel or an unaspirated **h**:

|  | | |
|---|---|---|
| | ce nouvel acteur | *this/that new actor* |
| *but* | cet excellent acteur | *this/that excellent actor* |
| | ce grand homme | *this/that great man* |
| *but* | cet homme célèbre | *this/that famous man* |

**-ci** and **-là** can be added to nouns used with **ce, cet, cette, ces** but only when it is necessary to distinguish between *this/these* and *that/those*:

Il ne seront pas chez eux à cette heure-ci
*They won't be at home at this time*
A ce moment-là, la police est intervenue
*At that point the police intervened*

## Expressing the future

**7** The future tense is formed by adding **-ai, -as, -a, -ons, -ez, -ont** to the infinitive. The final **-e** of the infinitive of **-re** verbs is dropped before adding the future ending:

| **-er** verbs | **-ir** verbs | **-re** verbs |
|---|---|---|
| je cesser**ai** | j' établir**ai** | je rendr**ai** |
| tu cesser**as** | tu établir**as** | tu rendr**as** |
| il/elle cesser**a** | il/elle établir**a** | il/elle rendr**a** |
| nous cesser**ons** | nous établir**ons** | nous rendr**ons** |
| vous cesser**ez** | vous établir**ez** | vous rendr**ez** |
| ils/elles cesser**ont** | ils/elles établir**ont** | ils/elles rendr**ont** |

See Chapter 11 Sections 13–17 for **-er** verbs with spelling changes.

**8**  The following verbs are *irregular* (but note that the future endings are the same for all verbs):

**aller:**
j' **ir**ai
tu **ir**as
il/elle **ir**a
nous **ir**ons
vous **ir**ez
ils/elles **ir**ont

acquérir: j'**acquerr**ai, tu **acquerr**as, etc.
s'asseoir: je m'**assiér**ai, tu t'**assiér**as
avoir: j'**aur**ai, tu **aur**as
courir: je **courr**ai, tu **courr**as
devoir: je **devr**ai, tu **devr**as
envoyer: j'**enverr**ai, tu **enverr**as
être: je **ser**ai, tu **ser**as
faire: je **fer**ai, tu **fer**as
falloir: il **faudr**a
mourir: je **mourr**ai, tu **mourr**as
pleuvoir: il **pleuvr**a
pouvoir: je **pourr**ai, tu **pourr**as
recevoir: je **recevr**ai, tu **recevr**as
savoir: je **saur**ai, tu **saur**as
tenir: je **tiendr**ai, tu **tiendr**as
valoir: je **vaudr**ai, tu **vaudr**as
venir: je **viendr**ai, tu **viendr**as
voir: je **verr**ai, tu **verr**as
vouloir: je **voudr**ai, tu **voudr**as

**9**  The future tense is used in much the same way as the English future:
Il **recevra** ma lettre demain     He **will receive** my letter tomorrow
Nous **finirons** avant mardi     We **shall finish** by Tuesday

**10**  The immediate future is formed with the present tense of **aller** and the infinitive. It is used like the immediate future in English:
On **va fêter** ton arrivée     We **are going to** celebrate your arrival
Je **vais** leur **téléphoner** ce soir     I'm **going to** call them tonight
Note that in the past, the IMPERFECT of **aller** is used:
Ils **allaient** réfléchir à la question
*They were going to think about the matter*

# Renforcement

**A** Make the adjectives in brackets agree with the nouns they refer to:

**Les (nouveau) habitudes (alimentaire) des Français**

L'image (traditionnel) des Français ne correspond plus à la réalité (quotidien). Les boulangers vendent moins de baguettes (croustillant) et plus de pain (complet). Le plat (national) reste, bien sûr, le «steack-frites» mais si la tranche de viande est aussi (gros) qu'avant, les portions de frites sont moins (copieux). Les Français mangent davantage de poulet, de porc et d'agneau; par contre, la viande de cheval se vend moins bien et les boucheries (chevalin) sont maintenant (rare). On note également une baisse de la consommation de légumes et de fruits (frais). Les plats et les produits (surgelé), peu (apprécié) pendant longtemps, connaissent maintenant un succès (considérable) auprès de la ménagère (moyen). La consommation de vins (courant) diminue régulièrement mais le Français manifeste un goût (croissant) pour les eaux (minéral) et pour les boissons (gazeux).

**B** Write the verbs in the future tense:

1 apprécier   Je suis sûr qu'elle . . . . . la cuisine vietnamienne.
2 se mettre   Mangez bien ce soir, vous . . . . . au régime demain!
3 faire       Dimanche, je te . . . . . un coq au vin.
4 être        Tu . . . . . surpris par la qualité de ces produits.
5 avoir       Cet été, on . . . . . l'occasion de goûter des spécialités régionales.
6 falloir     Il . . . . . réserver une table à l'avance.
7 se perdre   Je pense que les traditions gastronomiques . . . . .
8 pouvoir     Nous . . . . . sans doute trouver une brasserie ouverte tard le soir.
9 garnir      Vous . . . . . le plat avec des haricots verts.
10 savoir     Tu . . . . . bien ouvrir les huîtres?

**C** Translate, using the vocabulary above whenever possible:

1 Every year I say that I am going to go on a diet. But this year, it's true.
2 You won't be able to find a supermarket open this evening.
3 All our frozen meals and all our ice creams are guaranteed.
4 I hope that the average housewife is going to buy this new dessert[1].
5 Everybody enjoyed those fresh strawberries.
6 Why do you nibble all day long?
7 This interest in[2] exotic cooking will not last long.
8 Thank you for[3] that excellent meal.

[1] use *un entremets*; [2] an interest in . . . *un intérêt pour* . . .; [3] Thank you for . . . *merci de* . . .

# Chapitre 3 ........................... La vie familiale

## ■ Diagnostic ■

**A** Insert **le, la, les, lui, leur**:

### Des relations familiales sans problèmes

CATHERINE Mes parents travaillent tous les deux: je ne *le* . vois pas beaucoup pendant la semaine. Après une journée de travail, ils ne sont pas très disponibles et je *les*. comprends. Il faut dire que le soir, moi non plus, je n'ai pas le temps de *leur* parler. J'ai beaucoup de devoirs et j'essaie de *les*. faire la semaine pour avoir le week-end de libre. En général, je sors avec des copines le vendredi soir pendant qu'ils regardent la télévision. Moi je *la* . regarde rarement. Le samedi et le dimanche, nous essayons de *les*. passer ensemble. Leurs amis ont des enfants de mon âge, alors souvent ils *nous* invitent. On s'entend bien, dans l'ensemble.

SON PERE Ce que dit Catherine est vrai. On essaie bien de *lui*. consacrer[1] le plus de temps possible, et de . .*l'.* encourager dans son travail mais ce n'est pas toujours facile. Elle ne nous donne pas beaucoup de soucis. Elle est très raisonnable et on .*lui* fait confiance[2]. On .*lui* donne la permission de sortir mais à une condition: on .*lui*. demande, sa mère et moi, de nous dire où elle va et de téléphoner quand elle a du retard. Elle *le* . fait.

**B** Write the verbs in brackets in the perfect tense (*passé composé*):

> Perpignan, le 8 août

Ma chère Corinne,

Je (ne pas avoir) le temps de t'écrire, excuse-moi. Quelles vacances!

Mes parents (se disputer) en arrivant et ma mère (bouder) pendant deux jours. Si bien que le premier soir nous (aller) au restaurant sans elle et que le lendemain, elle (ne pas vouloir) venir à la piscine avec nous. Tout ça parce que mon père (oublier) d'apporter la table de camping. Mais c'est ma faute aussi, je (intervenir) pour dire que c'était ridicule de se fâcher pour si peu. Et évidemment, ça (ne pas arranger) la situation.

Ça va mieux depuis, mais je commence à perdre patience. Mardi, par exemple, mon cousin nous (faire) attendre pour partir au cinéma et nous (manquer) le début du film. Il (ne pas y avoir) un jour où nous (être) d'accord pour décider où passer l'après-midi. Finalement, hier, je (partir) me promener tout seul à pied, mais je (s'ennuyer).

L'an prochain, je pars avec toi! En attendant je t'embrasse,
Christian

[1] *consacrer du temps à quelqu'un*  to devote time to someone; [2] *faire confiance à quelqu'un*  to trust someone

## Direct and indirect object pronouns

**1** How do you tell whether the object of a verb is DIRECT? Look at the sentences below. In each of them, there is NO PREPOSITION between the verb and the noun. Therefore **le bureau, la Bretagne** and **Thierry et Anne** are direct objects:

| | |
|---|---|
| Ils ferment **le bureau** à 17 h | *They close the office at 5 o'clock* |
| Tu connais **la Bretagne?** | *Do you know Brittany?* |
| J'ai invité **Thierry et Anne** | *I have invited Thierry and Anne* |

The direct objects, **le bureau, la Bretagne** and **Thierry et Anne**, can be replaced by the direct object pronouns **le, la** and **les**:

| | |
|---|---|
| Ils ferment **le bureau** à 17 h | Ils **le** ferment à 17 h |
| Tu connais **la Bretagne?** | Tu **la** connais? |
| J'ai invité **Thierry et Anne** | Je **les** ai invités |

**2** The examples below list all the DIRECT OBJECT PRONOUNS and show how they are used with the present and perfect tenses:

| Present tense | | Perfect tense | |
|---|---|---|---|
| Il **me** voit | *He sees **me*** | Il **m'**a vu(e) | *He saw **me*** |
| Il **te** voit | *He sees **you*** | Il **t'**a vu(e) | *He saw **you*** |
| Il **le** voit | *He sees **him**/**it*** | Il **l'**a vu | *He saw **him**/**it*** |
| Il **la** voit | *He sees **her**/**it*** | Il **l'**a vue | *He saw **her**/**it*** |
| Il **nous** voit | *He sees **us*** | Il **nous** a vu(e)s | *He saw **us*** |
| Il **vous** voit | *He sees **you*** | Il **vous** a vu(e)(s) | *He saw **you*** |
| Il **les** voit | *He sees **them*** | Il **les** a vu(e)s | *He saw **them*** |

Note that past participles agree with direct object pronouns.

**3** Some verbs take a DIRECT OBJECT while their English equivalents do not:

| | | | |
|---|---|---|---|
| attendre | *to wait **for*** | écouter | *to listen **to*** |
| chasser | *to chase **away*** | payer | *to pay **for*** |
| chercher | *to look **for*** | regarder | *to look **at*** |
| demander | *to ask **for*** | soigner | *to look **after*** |

| | |
|---|---|
| J'attends une réponse | *I am waiting for an answer* |
| Elle cherche un studio | *She is looking for a one-room flat* |

Note: **Le** voilà! *There he/it is!* **Nous** voici! *Here we are!*

Oui, je **le** sais *Yes, I know* Oui, je **le** crois *Yes, I think so*

**4** How do you tell whether the object of a verb is INDIRECT? Look at the sentences below. In each of them there is a PREPOSITION between the verb and the noun. Therefore **Serge** and **mes clients** are indirect objects:

| | |
|---|---|
| Tu as donné le disque **à Serge?** | *Did you give the record to Serge?* |
| J'expliquerai tout **à mes clients** | *I'll explain everything to my customers* |

[20]

The indirect objects, **Serge** and **mes clients** can be replaced by the indirect object pronouns **lui** and **leur**:

Tu as donné le disque **à Serge**?    Tu **lui** as donné le disque?

J'expliquerai tout **à mes clients**    Je **leur** expliquerai tout

**5**  The examples below list the indirect object pronouns which replace nouns referring to **people**. They show how these pronouns are used with the present and perfect tenses:

| *Present tense* | | *Perfect tense* | |
|---|---|---|---|
| Il **me** parle | *He speaks to me* | Il **m'**a parlé | *He spoke to me* |
| Il **te** parle | *He speaks to you* | Il **t'**a parlé | *He spoke to you* |
| Il **lui** parle | *He speaks to him/her* | Il **lui** a parlé | *He spoke to him/her* |
| Il **nous** parle | *He speaks to us* | Il **nous** a parlé | *He spoke to us* |
| Il **vous** parle | *He speaks to you* | Il **vous** a parlé | *He spoke to you* |
| Il **leur** parle | *He speaks to them* | Il **leur** a parlé | *He spoke to them* |

Note that past participles do *not* agree with indirect object pronouns.

**6**  Some verbs take an INDIRECT OBJECT while their English equivalents do not:

| | |
|---|---|
| demander quelque chose **à** quelqu'un | *to ask someone [for] something* |
| dire quelque chose **à** quelqu'un | *to tell someone something* |
| donner quelque chose **à** quelqu'un | *to give someone something* |
| faire confiance **à** quelqu'un | *to trust someone* |
| obéir **à** quelqu'un | *to obey someone* |
| plaire **à** quelqu'un | *to be liked by someone** |
| raconter quelque chose **à** quelqu'un | *to tell someone something* |
| ressembler **à** quelqu'un | *to resemble or look like someone* |
| téléphoner **à** quelqu'un | *to telephone or call someone* |
| s'apercevoir **de** quelque chose | *to notice something* |
| avoir besoin **de** quelque chose | *to need something* |
| se servir **de** quelque chose | *to use something* |

* Note how **plaire** is used:

Notre voisin plaît à tous    *Everybody likes our neighbour*

Cette pièce a plu **au** public    *The audience enjoyed that play*

> For an exhaustive list of the verbs taking an indirect object, see pages 218–224.

**7**  The indirect object pronoun **y** replaces **à, au, à la, à l', aux** before a noun referring to a **place** or **thing**:

On va **à Marseille**    → On **y** va

*We're going to Marseilles*    *We're going there*

Je pense **à l'avenir**    → J'**y** pense

*I am thinking about the future*    *I am thinking about it*

*article indéfini*
*and quantity*

**8** The indirect object pronoun **en** replaces **des, du, de la, de l', des** followed by a noun referring to a **place** or **thing**:

Elle vient __de la banque__ → Elle **en** vient
*She's just back from the bank*     *She's just back from there*

Nous avons **de l'argent** → Nous **en** avons
*We have some money*     *We have some*

Il n'a pas parlé **de ses projets?** → Il n'**en** a pas parlé?
*Didn't he talk about his plans?*     *Didn't he talk about them?*

**9** The indirect object pronoun **en** also replaces a noun referring to a **thing** or a **person** after an expression of quantity:

Il donne **beaucoup de réceptions** → Il **en** donne **beaucoup**
*He gives many parties*     *He gives many*

Elle a reçu **une carte d'invitation?** → Elle **en** a reçu **une?**
*Has she received an invitation?*     *Has she received one?*

Il voulait inviter **douze personnes** → Il voulait **en** inviter **douze**
*He wanted to invite twelve people*     *He wanted to invite twelve (of them)*

✗ Note that where there are two verbs, the object pronouns go before the infinitive.


## The perfect tense

**10** The perfect tense, or *passé composé*, is used to describe completed actions in the past. It is the equivalent of two tenses in English:

Elle **a garé** sa voiture     *She has parked her car/She parked her car*
Ils **sont arrivés**     *They have arrived/They arrived*

**11** The perfect tense consists of the present tense of **avoir** or **être** followed by the PAST PARTICIPLE of the verb.

| **cesser:** | j' **ai** cessé | **venir:** | je **suis** venu(e) |
|---|---|---|---|
| | tu **as** cessé | | tu **es** venu(e) |
| | il/elle **a** cessé | | il/elle **est** venu(e) |
| | nous **avons** cessé | | nous **sommes** venu(e)s |
| | vous **avez** cessé | | vous **êtes** venu(e)(s) |
| | ils/elles **ont** cessé | | ils/elles **sont** venu(e)s |

**se détendre:**     je **me suis** détendu(e)
tu **t'es** détendu(e)
il/elle **s'est** détendu(e)
nous **nous sommes** détendu(e)s
vous **vous êtes** détendu(e)(s)
ils/elles **se sont** détendu(e)s

**12** Most verbs in French take **avoir**, but the following take **être**:

    **a.** *all* reflexive verbs, such as **se demander, se fâcher, s'habituer, s'installer, s'occuper, se réjouir, se reposer** etc.

    **b.** the following verbs: **arriver/partir, revenir/retourner, descendre/monter, venir/aller, entrer/sortir, naître/mourir, tomber, rester, passer;** and their compound forms: **devenir, repartir, redescendre, rentrer** etc.

> See Chapter 13 Section 7a for verbs which take both **avoir** and **être**.

**13** The past participles of verbs are formed in the following way:
**-er** verbs (e.g. cesser) remove **er** and add **é**: elles ont **cessé**
**-ir** verbs (e.g. établir) remove **ir** and add **i**: tu as **établi**
**-re** verbs (e.g. rendre) remove **re** and add **u**: nous avons **rendu**

**14** The following past participles are irregular:

| | | |
|---|---|---|
| s'asseoir – assis | être – été | recevoir* – reçu |
| acquérir – acquis | s'enfuir – enfui | résoudre – résolu |
| avoir – eu | faire – fait | rire – ri |
| boire – bu | falloir – fallu | savoir – su |
| conduire* – conduit | lire – lu | suffire – suffi |
| connaître – connu | mettre – mis | suivre – suivi |
| courir – couru | mourir – mort | tenir – tenu |
| craindre* – craint | naitre – né | valoir – valu |
| croire – cru | ouvrir* – ouvert | venir – venu |
| croître – crû | plaire – plu | vivre –vécu |
| devoir – dû | pleuvoir – plu | voir – vu |
| dire – dit | pouvoir – pu | vouloir – voulu |
| écrire – écrit | prendre – pris | |

> \* See Chapter 1 Section 12 for other examples of verbs belonging to this group.

**15** The past participle sometimes has to agree:

    **a.** With verbs taking **avoir**, the past participle agrees only with a DIRECT OBJECT which comes *before* the verb:
    Elle *les* a vus        J'ai perdu *la lettre* que j'ai écrite

    **b.** With verbs taking **être**, the past participle agrees with the subject:
    *Elle* est partie        *Les invités* se sont levés

> See Chapter 13 for more about past participle agreements.

**A** Write the verbs in the perfect tense:

1 s'améliorer    Le climat familial . . . . . après les vacances de Pâques.
2 vivre    Nous . . . . . chez mes beaux-parents pendant un mois.
3 divorcer    Ses grands-parents . . . . . il y a quelques années.
4 venir    Nous . . . . . passer les fêtes de fin d'année en famille.
5 résoudre    Vos conflits familiaux, vous les . . . . .?
6 plaire    Ta copine . . . . . à tes parents?
7 se confier    Elle . . . . . à son frère aîné.
8 prendre    Il fallait prendre une décision, nous la . . . . . en commun.
9 se conduire    Ils . . . . . comme des enfants gâtés.

**B** Replace the words in italics by a direct or indirect object pronoun:

**Les parents protecteurs**

1 Ils adorent leur enfant mais ne traitent pas *leur enfant* comme un adulte.
2 Ils ne se disputent jamais en famille car ils veulent donner *à leur enfant* une bonne image du couple.
3 Ils veulent préparer *leur enfant* à la vie en société et privilégient les qualités qui facilitent *la vie en société*, notamment la politesse.
4 Bien qu'ils s'intéressent à la politique, ils ne parlent jamais *de politique* devant lui; quant aux sujets comme la sexualité, ils évitent *ces sujets*.
5 A l'adolescence, l'enfant n'est pas toujours sûr de recevoir l'autorisation de sortir lorsqu'il demande *l'autorisation de sortir* à ses parents.
6 Ils demandent *à leur enfant* d'être studieux car c'est à l'école que l'on construit son avenir et ils pensent *à son avenir* dès son plus jeune âge.

**Les parents permissifs**

7 Ils rejettent les principes d'éducation de leurs propres parents parce qu'ils ne veulent pas ressembler *à leurs parents*.
8 Le rôle d'éducateur ne leur semble pas redoutable et ils assument *leur rôle d'éducateur* avec facilité.
9 Les qualités importantes pour eux sont la confiance en soi, l'indépendance et l'enthousiasme, c'est pourquoi ils encouragent *ces qualités*.
10 Ils racontent *à leur enfant* ce qui leur arrive et la politique n'est pas un sujet tabou: ils parlent librement *de politique* avec lui.
11 Ils font confiance *à leur enfant* et ils n'empêchent pas *leur enfant* de sortir.
12 Comme ils sont convaincus que les activitiés artistiques lui sont bénéfiques, ils l'obligent à exercer deux ou trois *activités artistiques*.

**C** Translate:
1 They gave him advice but he didn't want to follow it.
2 Why do you phone them every week? Because they asked me to do so.
3 My godmother paid for my trip.
4 When he died, his grandchildren looked after his wife.

## Révision 1–3

**A** Write in the appropriate article and make the relevant changes to **à** and **de** where necessary:

1 Dans . . . immeuble, . . . vandalisme est . . . problème grave. . . . cage d'escalier est sale, . . . lumière ne marche pas et . . . ascenseur est en panne.
2 . . . propriétaire ne fait pas attention à . . . plaintes de . . . locataires.
3 Dans . . . domaine de . . . urbanisme, il y a eu . . . amélioration nette depuis . . . années soixante.
4 . . . rôle et . . . influence de . . . jeunesse dans . . . vie politique devraient gagner en importance étant donné que . . . jeunes ont . . . droit de vote à dix-huit ans.
5 . . . phénomène de . . . cuisine minceur a changé . . . habitudes alimentaires de . . . Français.
6 Il faut que . . . restaurateurs pensent non seulement à . . . plaisir mais aussi à . . . santé de . . . clientèle.

**B** Put the nouns in italics into the plural and alter the rest of the sentence accordingly:

1 Ce *jeu* électronique a connu beaucoup de succès.
2 Ce *festival* international de musique attirera les touristes.
3 Vous avez oublié un *détail* essentiel.
4 Le *travail* de la commission sera rendu public au cours du *mois* prochain.
5 Le *journal* a publié un *article* explosif.
6 Le gouvernement a respecté le *vœu* de la majorité.

**C** Replace the words in italics by a direct or indirect object pronoun and make the past participle agree whenever necessary.

Lorsque Delphine a épousé Gérard, un père divorcé, elle ne se doutait pas qu'elle allait avoir des difficultés à la fois avec les enfants et les parents de son mari. Les enfants ont mal accepté qu'une étrangère prenne la place de leur mère: au début, ils ne faisaient pas confiance *à Delphine* et refusaient d'obéir *à Delphine*. Ses beaux-parents, qui gardaient un bon souvenir de la première femme de Gérard, ont mal accueilli *Delphine*, eux aussi: Delphine ne plaisait pas *à ses beaux-parents* parce qu'elle ne ressemblait pas *à cette femme*. En fait, les problèmes qu'elle avait avec ses beaux-parent aggravaient la situation avec les enfants: elle n'avait aucun soutien alors qu'elle avait bien besoin *de soutien*.

Une amie de Delphine a conseillé *à Delphine* d'être patiente: «L'attitude de tes beaux-parents est tout à fait normale, ne t'inquiète pas *de leur attitude*. L'important, c'est avant tout de conquérir la confiance et l'affection des enfants de Gérard». Et elle avait raison: lorsque Delphine y est parvenue, ses beaux-parents ont adopté *Delphine*. Elle a maintenant avec eux d'excellentes relations: si elle a besoin de conseils, elle téléphone *à ses beaux-parents* ou va voir *ses beaux-parents*.

**D** Write the following verbs in the present tense:

1 se demander      Tu . . . . . ce qui se passe.
2 investir      Ils . . . . . dans l'immobilier.
3 se rendre compte      Vous . . . . . de la situation?
4 soumettre      Nous . . . . . ce plan à l'architecte.
5 surprendre      Cela . . . . . les gens.
6 s'apercevoir      Je . . . . . de son absence.
7 atteindre      Elles . . . . . leur objectif.
8 traduire      Vous . . . . . un roman policier?
9 offrir      Je . . . . . l'apéritif à tout le monde!
10 voir      Vous . . . . . le résultat.

**E** Write the following verbs in the future tense:

1 commettre      Je . . . . . peut-être une erreur.
2 entreprendre      Elles . . . . . un long voyage.
3 décevoir      Ce disque . . . . . le public.
4 venir      Tu . . . . . tout à l'heure?
5 se rétablir      Nous . . . . . avant la fin de l'année.
6 envoyer      Vous leur . . . . . une carte de vœux.
7 pouvoir      Elle . . . . . partir.
8 acquérir      Ils . . . . . un immeuble.
9 s'asseoir      Tu . . . . . devant le micro.
10 savoir      On . . . . . tout!

**F** Write the following verbs in the perfect tense:

1 concevoir      Il . . . . . un nouveau modèle.
2 arriver      Je . . . . . à les persuader.
3 souffrir      Tu . . . . . du froid?
4 repeindre      Nous . . . . . la façade.
5 reconstruire      Ils . . . . . le village.
6 naître      Elle . . . . . le 30 juin.
7 se détendre      Je . . . . . en jouant aux boules.
8 résoudre      Vous . . . . . le problème?
9 témoigner      Elles . . . . . au tribunal.
10 admettre      On . . . . . ce candidat.
11 mourir      Vous . . . . . de faim, Catherine!
12 comprendre      Tu . . . . . le système.
13 s'attendrir      Vous . . . . . sur ses malheurs.
14 entrer      Les socialistes . . . . . au gouvernement.

# Chapitre 4 ................... Les jeunes

## Diagnostic

**A** Use the information in brackets to fill the gaps. Do not forget the agreements.

**Les dix commandements de l'amitié dans une bande de jeunes**

1 Montrez-vous toujours aimable envers *vos* copains et *vos* copines et ménagez *votre* sensibilité[1]. (*your, your, their*)
2 Si l'un d'entre . . . ou l'une d'entre . . . vous met en boîte[2], surtout ne boudez pas. (*them* masc. *them* fem.)
3 Si, au cours d'une boum mouvementée, quelqu'un abîme . . . affaires, ne saccagez pas . . . pour vous venger. (*your, his/hers*)
4 N'essayez jamais de sortir avec le flirt de . . . meilleur(e) ami(e). (*your*)
5 On doit apprendre à partager et à prêter . . . affaires. Il ne faut pas toujours tout garder pour . . . (*one's, oneself*)
6 Prenez la résolution suivante: «Je mettrai . . . argent en commun avec celui des autres pour payer . . . activités communes». (*my, our*)
7 Ne refusez jamais d'accompagner les autres dans une sortie même si . . . choix ne vous plaît pas. (*their*)
8 Chacun a . . . opinion, cessez de critiquer les idées des autres. . . . ne sont pas infaillibles! Acceptez . . . (*his/her/one's, yours, theirs*)
9 Apprenez la discrétion: vos copains ne vous confieront pas . . . problèmes s'ils savent que vous répétez . . . histoires. (*their, their*)
10 Sachez combiner l'amitié et l'amour: ne laissez pas tomber . . . copains et ne demandez à personne d'abandonner . . . (*your, his/hers*)

**B** Write the verbs in brackets in the imperfect tense:

**Courrier du cœur**

Je suis tombée amoureuse mais il n'a pas fait attention à moi. C'était à la surprise-partie de mon cousin. Je l'ai remarqué tout de suite. Il (être) plus grand que les autres et il (avoir) l'air de s'ennuyer: tout le monde (danser) sauf lui. Je me suis dit qu'il (devoir) être plutôt timide. Moi, par contre, je (connaître) presque tout le monde. La soirée (s'annoncer) bien. Tout en dansant, je (surveiller) discrètement l'inconnu: il (ne pas bouger) de son coin et vraiment il me (intriguer). Je me (demander) s'il (falloir) que je l'invite quand, tout à coup, il a disparu. Depuis, je le cherche. Je me ridiculiserais en demandant à mon cousin d'organiser une rencontre? Conseille-moi.                                    **Anne, Villefranche**

[1] *ménager la sensibilité de quelqu'un* to treat someone tactfully; [2] *mettre quelqu'un en boîte* to pull someone's leg

# Possessive adjectives and pronouns

**1** POSSESSIVE ADJECTIVES must agree with the noun to which they refer:

|  | singular | | plural |
|---|---|---|---|
|  | *masculine* | *feminine* | *masculine and feminine* |
| *my* | **mon** salaire | **ma** nationalité | **mes** excuses |
|  |  | **mon** erreur |  |
| *your* | **ton** avenir | **ta** génération | **tes** reproches |
|  |  | **ton** habitude |  |
| *his/her* | **son** problème | **sa** visite | **ses** préoccupations |
|  |  | **son** arrogance |  |
|  | *masculine and feminine* | | *masculine and feminine* |
| *our* | **notre** époque | | **nos** projets |
| *your* | **votre** appartement | | **vos** loisirs |
| *their* | **leur** profession | | **leurs** collègues |

Note that the forms **mon, ton** and **son** are used before a feminine singular noun or adjective beginning with a vowel or an unaspirated **h**:

      **mon** erreur    **ton** habitude    **son** arrogance    **son** autre fille

**2** **Son, sa, ses** are the forms which are used with the pronoun **on**:

    **On** est obligé de déclarer **ses** revenus

        *You are obliged to declare your income*
        *One is obliged to declare one's income*

> For more information about **on**, see Chapter 25 Section 4.

**3** To emphasise possession, use the preposition **à** with the EMPHATIC pronouns:

    C'est l'avis du comité qu'il a exprimé?

| | |
|---|---|
| Non, c'est mon avis **à moi** | *No, it's **my** opinion* |
| Non, c'est ton avis **à toi** | *No, it's **your** opinion* |
| Non, c'est son avis **à lui** | *No, it's **his** opinion* |
| Non, c'est son avis **à elle** | *No, it's **her** opinion* |
| Non, c'est notre avis **à nous** | *No, it's **our** opinion* |
| Non, c'est votre avis **à vous** | *No, it's **your** opinion* |
| Non, c'est leur avis **à eux** | *No, it's **their** (masc.) opinion* |
| Non, c'est leur avis **à elles** | *No, it's **their** (fem.) opinion* |

*also*    C'est bien d'avoir un appartement **à soi**
        *It's good to have **one's/your own** flat*

Note that, because **son avis** means both **his** and **her opinion**, you would sometimes need to use the emphatic pronoun to avoid confusion.

[28]

Note also that the emphatic pronouns are the forms that are used after any preposition:

| | |
|---|---|
| Ne partez pas **sans moi** | *Don't go without me* |
| Je l'ai acheté **pour lui** | *I bought it for him* |
| Je l'ai fait **à cause de toi** | *I did it because of you* |
| Rentrons **chez nous** | *Let's go home* |

**4**  The POSSESSIVE PRONOUNS are:

| | singular | | plural | |
|---|---|---|---|---|
| | *masculine* | *feminine* | *masculine* | *feminine* |
| **mine** | le mien | la mienne | les miens | les miennes |
| **yours** | le tien | la tienne | les tiens | les tiennes |
| **his/hers** | le sien | la sienne | les siens | les siennes |
| **ours** | le nôtre | la nôtre | les nôtres | |
| **yours** | le vôtre | la vôtre | les vôtres | |
| **theirs** | le leur | la leur | les leurs | |

These forms agree with the nouns to which they refer and are always used with the definite articles **le, la** and **les**:

C'est sa voiture, pas **la mienne**
*It's his car, not **mine***
Ces affaires? Ce sont **les nôtres**
*Those things? They're **ours***
Mon plan est plus précis que **le sien**
*My map is more accurate than **his/hers***

## The imperfect tense

**5**  The imperfect tense is formed by taking the **nous** form of the present, removing the **-ons** ending and replacing it by the imperfect endings. For example:

prendre → nous pren**ons**:     je pren**ais**
tu pren**ais**
il/elle pren**ait**
nous pren**ions**
vous pren**iez**
ils/elles pren**aient**

The only exception to this rule is the verb **être**:     j'**étais**, tu **étais**, etc.

> See Chapter 11 Section 14 for the imperfect tense of verbs ending in **-cer** and **-ger**.

**6** The imperfect tense is translated into English in many different ways. While the perfect tense is the past tense describing completed actions, the imperfect tense is used for:

**a.** DESCRIPTION, including state of mind and state of affairs:
Les bâtiments **étaient** délabrés
*The buildings were dilapidated*
Lorsqu'il **était** célibataire, il ne **pensait** jamais au lendemain
*When he was single he never thought of the future*
A cette époque-là, l'agriculture **était** en déclin
*At that time agriculture was declining*

**b.** INTERRUPTED ACTION, where in English the construction WAS/WERE . . . ING is often used:
Le président **s'adressait** aux délégués quand la bombe a explosé
*The President was addressing the delegates when the bomb exploded*

**c.** HABITUAL ACTION, where in English the construction USED TO or WOULD is often used:
Le ministre **consultait** son équipe à huit heures du matin
*The minister consulted his/her team at eight o'clock in the morning*
*The minister **used to** consult his/her team at eight o'clock in the morning*
*The minister **would** consult his/her team at eight o'clock in the morning*

Lorsque je vivais à Moscou, j'**allais** souvent à l'opéra
*When I lived in Moscow, I often went to the opera*
*When I lived in Moscow, I often **used to** go to the opera*
*When I lived in Moscow, I **would** often go to the opera*

Note that whenever you mention that the action took place on a number of distinct occasions, you must use the perfect tense:
Elle **a téléphoné** à plusieurs reprises    *She called several times*
Ils **sont tombés** en panne deux fois    *They broke down twice*


## *Depuis, pendant* and *venir de*

**7** **Depuis** can be used to express a CONTINUING ACTION.

If the action *is* still going on the PRESENT TENSE is used:
Il **travaille** à la SNCF depuis Noël
*He has been working for the French Railways since Christmas*
(and he is still working there)
Nous **connaissons** Malika depuis un an
*We have known Malika for a year* (and we still see her)

If the action *was* still going on at the time, the IMPERFECT TENSE is used:
Elle **assistait** aux cours depuis octobre
*She had been attending the lessons since October*
(and she was still attending)
**J'étais** à Paris depuis un mois
*I had been in Paris for a month* (and I was still there)

Note the differences in tense:

*French:*                    *English:*
Present tense    + **depuis** = Perfect    + FOR or SINCE
Imperfect tense + **depuis** = Pluperfect + FOR or SINCE

**Il y a . . . que** and (in conversation) **ça fait . . . que** can also be used instead of **depuis**. The tenses remain the same.

Il y a un an que nous la connaissons    *We have known her for a year*
Il y avait un mois que j'y étais    *I had been there for a month*
Ça fait longtemps qu'il pleut?    *Has it been raining for long?*

**8**  If the sentence is negative because the action did not take place, then the tenses used are the same as in English:

On ne l'a pas vu depuis Pâques    *We haven't seen him since Easter*
Je n'avais rien fait depuis un an    *I hadn't done anything for a year*

**9**  When COMPLETED ACTION is being expressed, use **pendant**:

Elle a travaillé aux PTT pendant six mois
    *She worked for the Post Office for six months*
            (but she is no longer working there)
J'ai habité chez des amis pendant un mois
    *I lived with friends for one month*
            (but I no longer live there)

Note that **pendant** is omitted if the expression of time comes straight after the verb:

Elle a travaillé six mois aux PTT
J'ai habité un mois chez des amis

**10**  The expression **venir de** + infinitive means *to have just* and is used only with the PRESENT and IMPERFECT tenses:

*Present tense:*
Elle **vient de** partir    *She has just left*
Qu'est-ce qu'il **vient de** dire?    *What has he just said?*
*Imperfect tense:*
Nous **venions d**'acheter la maison    *We had just bought the house*
Vous **veniez d**'appeler    *You had just phoned*

Note the differences in tense:

*French:*                    *English:*
Present tense    + **venir de** = Perfect    + HAVE/HAS JUST
Imperfect tense + **venir de** = Pluperfect + HAD JUST

**A** Write the verbs in the imperfect tense:

1 rêver       A seize ans, il . . . . . de faire carrière dans la chanson.
2 écrire      Je . . . . . mon journal, le soir, avant de me coucher.
3 être        Je . . . . . tout à fait inconscient(e) des dangers de la drogue.
4 sortir      Vous . . . . . ensemble, l'an dernier?
5 éblouir     Elles . . . . . leurs camarades en prenant des risques.
6 découvrir   A ce moment-là, tu . . . . . tes possibilités.
7 feindre     Ils . . . . . l'innocence quand ils avaient tort.
8 se reproduire   La même situation . . . . . toutes les semaines.
9 payer      Nous . . . . . nos places de cinéma au tarif étudiant.
10 skier      Vous . . . . . des jours entiers? Vous deviez tenir la forme!

**B** Change the subject of the main verb from the plural to the singular as indicated and alter the rest of the sentence accordingly:

1 Nous sommes des filles dynamiques qui tenons à notre indépendance. Nous respectons la liberté des autres et exigeons qu'ils respectent la nôtre. *Je . . .*
2 Vous vous ennuyiez pendant vos vacances. Vous ne compreniez pas pourquoi certains de vos camarades n'avaient jamais de temps libre alors que vous ne saviez pas quoi faire du vôtre. *Tu . . .*
3 Quand ils sont allés se présenter à leur premier emploi, ils n'avaient pas confiance en eux. *Quand il . . .*

**C** Translate:

1 At that time, I belonged to[1] a group of young people which met[2] every weekend.
2 She used to take her mother's make-up and on two occasions she left it at a friend's house.
3 When he sat his first paper[3], he was very nervous.
4 Our two elder sons wanted their own flat but we could not pay their rent and ours.
5 When he told[4] me about his childhood I didn't believe him. It was so different from mine.
6 We were drinking his brandy when he walked in.
7 When you were depressed, you would refuse to go out.
8 I have just received a letter from Benjamin but his sister hasn't written to me for a fortnight.
9 She won her first medal six months ago. She had been skiing for five years.

---

[1] to belong to *faire partie de*; [2] use *se réunir*; [3] a paper *une épreuve d'examen*; [4] use *parler de*

# Chapitre 5 ......................... Les déplacements

## ■ Diagnostic ■

**A** Verbs take the prepositions **à, de** or nothing when they introduce an infinitive. Fill in the gaps or leave blank where appropriate:

**Patrice repart**

◆ Patrice, vous venez . . . gagner le concours du meilleur slogan publicitaire. Comment est-ce que vous comptez . . . dépenser la somme d'argent que vous offre Assurtours?

— J'ai l'intention . . . passer trois mois . . . voyager à travers toute l'Europe. J'ai déjà essayé . . . le faire, il y a quelques années, mais je n'ai réussi qu' . . . voir l'Italie.

◆ Ah bon? Vous voulez bien . . . nous raconter ce qui vous est arrivé?

— J'avais décidé . . . partir en autostop. L'aventure a bien commencé puisque le premier automobiliste à s'arrêter m'a proposé . . . m'emmener jusqu'à Gênes. C'était au mois d'août, et il nous a fallu . . . attendre trois heures avant . . . pouvoir . . . franchir le Tunnel du Mont Blanc. Il commençait . . . faire très chaud et nous mourions de soif! J'ai donc invité mon compagnon . . . prendre quelque chose. De retour à la voiture, nous avons été stupéfaits de voir que mon sac à dos et toutes mes affaires de camping avaient disparu. On avait oublié . . . fermer la malle à clé.

◆ Et vous étiez assuré pour le vol?

— Non, malheureusement pas, et la police n'est parvenue . . . rien retrouver. Mon compagnon a accepté . . . me conduire à la gare de Turin et, découragé, je suis rentré par le train. Depuis, je rêve . . . repartir. Cette aventure m'a appris . . . être plus prudent. Cette fois-ci, j'espère bien . . . ne pas rentrer le lendemain de mon départ. Je tiens . . . remercier Assurtours . . . m' avoir offert ce prix ainsi qu'une assurance gratuite.

◆ Alors bon voyage.

**B** Read the following statements about driving. Then make each sentence or part of the sentence in italics negative so that the whole statement makes sense:

1 *Tout le monde est fier du bilan des accidents routiers*: 1.500 morts en un an sur la route. (NOBODY . . .)
2 *Le feu vert donne au conducteur le droit de renverser les piétons.*
3 *Les compagnies d'assurance ont affirmé* que les hommes conduisaient mieux que les femmes. (. . . NEVER . . .)
4 *Tout vous donne* le droit de stationner sur les passages cloutés. (NOTHING . . .)
5 Si vous dépassez le limite de vitesse, *vous éviterez de payer une amende* en disant que vous étiez pressé.

## Negative sentences

1 To form a negative sentence, use both the negative particle **ne** and a negative adverb such as **pas, jamais, rien, plus**, etc.:

| | |
|---|---|
| Il **ne** comprend **pas** | *He doesn't understand* |
| Il **n**'a **pas** de patience* | *He doesn't have any patience*<br>*He has no patience* |
| Il **ne** comprend **jamais** | *He never understands* |
| Il **n**'a **jamais** d'initiative* | *He never shows any initiative* |
| Il **ne** comprend **rien** | *He doesn't understand anything*<br>*He understands nothing* |
| Il **ne** fait **rien** de ce qu'on lui dit | *He doesn't do anything we tell him* |
| Il **ne** comprend **plus** | *He doesn't understand any more*<br>*He no longer understands* |
| Il **ne** reçoit **plus** de lettres* | *He no longer receives any letters* |
| Il **ne** réfléchit **guère** | *He doesn't think much* |
| Il **n**'a **guère** d'ambition* | *He has hardly any ambition* |
| Il **ne** va **nulle part** | *He is not going anywhere* |
| Il **ne** travaille **que** quand il veut | *He only works when he wants to* |
| Il **n**'a **ni** humour **ni** bon sens | *He doesn't have either humour or common sense*<br>*He has neither humour nor common sense* |
| Il **ne** comprend **personne** | *He doesn't understand anyone*<br>*He understands nobody* |
| Il **n**'a **aucune** idée originale | *He doesn't have any original ideas*<br>*He has no original ideas* |
| Je **ne** crois **nullement** en lui | *I don't believe in him at all* |

* Note that **de** and **d'** replaces **du, de la, de l', des** AFTER A NEGATIVE ADVERB:

| | | |
|---|---|---|
| Il a **de la** patience | *but* | Il **n**'a **pas de** patience |
| Il a **de** l'initiative | *but* | Il **n**'a **jamais** d'initiative |
| Il reçoit **des** lettres | *but* | Il **ne** reçoit **plus de** lettres |
| Il a **de** l'ambition | *but* | Il **n**'a **guère d**'ambition |

This *does not apply* to **ne . . . que** which is not negative in meaning:
Ils **n**'achètent **que des** vêtements en solde
*They only buy clothes in the sales*

**2**  The position of **ne** and the negative adverbs with compound tenses, such as the perfect tense, and infinitives is as follows:

| *Before the past participle* | *After the past participle* |
|---|---|
| Je n'ai **pas vu** cette exposition | Je n'ai **vu personne** |
| Je n'ai **rien vu** | Je n'ai **vu que** le début |
| Je n'ai **jamais vu** ce feuilleton | Je n'ai **vu ni** lui **ni** elle |
| Je n'ai **plus vu** mon patron | Je n'ai **vu aucun** film |
| Je n'ai **guère vu** ma famille | |

| *Before the infinitive* | *After the infinitive* |
|---|---|
| Il préfère ne **pas voir** cela | Il préfère ne **voir personne** |
| Il préfère ne **rien voir** | Il préfère ne **voir que** le début |
| Il préfère ne **jamais voir** de film | Il préfère ne **voir ni** lui **ni** elle |
| Il préfère ne **plus voir** son patron | Il préfère ne **voir aucun** feuilleton |
| Il préfère ne **guère voir** sa famille | |

**3**  When object pronouns are used in a negative sentence, they always come after **ne**:

| | |
|---|---|
| Nous ne **les** invitons plus | *We don't invite them any more* |
| Je ne **vous** ai jamais vu si fâché | *I have never seen you so angry* |

**4**  **Ne** must not be omitted when the negative word is the subject of the verb:

| | |
|---|---|
| **Personne ne** m'a contacté | *Nobody has contacted me* |
| **Rien ne** me surprend | *Nothing surprises me* |
| **Aucun** de mes rêves **n'**a été réalisé | *None of my dreams has come true* |
| **Pas** un **ne** réussira | *Not one will succeed* |

## Use of the infinitive

**5**  Verbs have a PRESENT INFINITIVE and a PAST INFINITIVE. The past infinitive consists of the present infinitive of **avoir** or **être** followed by the past participle of the verb:

| *Present infinitive* | *Past infinitive* |
|---|---|
| comprendre | avoir compris |
| partir | être parti |
| s'allonger | s'être allongé |

**6** The past infinitive is used as follows:

Après **m'être allongé(e)**, je me suis senti(e) mieux
*After lying down, I felt better*
La lettre? Oui, je crois l'**avoir comprise**
*The letter? Yes, I think I understood it*
Ils ont regretté d'**être partis** si tôt
*They regretted leaving so early*

Note that **après** is followed by the past infinitive and *not* the present infinitive (see next section for more examples).

Note also that the past participle agreement rules are the same as for the perfect tense:

> See Chapter 3 Section 15 for the rules of past participle agreement.

**7** When you use the past infinitive of reflexive verbs, the **reflexive pronoun** changes according to the subject:

Après **m'**être endormi(e), **je** n'ai rien entendu
*After falling asleep, I didn't hear anything*
Après **t'**être excusé(e), **tu** l'as invité au restaurant
*After apologising, you invited him to the restaurant*
Après **s'**être évadée de prison, **elle** a franchi la frontière
*After escaping from prison, she crossed the border*
Après **s'**être maquillé, **il** est monté sur scène
*After putting on his make-up, he went on stage*
Après **nous** être disputé(e)s, **nous** nous sommes réconcilié(e)s
*After quarrelling, we made it up*
Après **vous** être levé(e), **vous** avez pris un café? (polite singular **vous**)
*After getting up, did you have a cup of coffee?*
Après **vous** être aperçu(e)s du danger, **vous** avez appelé la police?
*After becoming aware of the danger, did you call the police?*
Après **s'**être embrassés, **ils** se sont quittés
*After kissing each other, they parted*
Après **s'**être baignées, **elles** sont rentrées à l'hôtel
*After going for a swim, they went back to the hotel*

**8** Where two verbs are used together, the second one will be an infinitive. It is important to know what construction the first verb takes:

**a.** the preposition **à** follows certain verbs:

| | | | |
|---|---|---|---|
| commencer à | *to begin, to start to* | persister à | *to persist in* |
| se mettre à | *to begin, to start to* | réussir à | *to succeed in* |
| hésiter à | *to hesitate to* | etc. | |

Vous **avez réussi à** le **trouver**          *You succeeded in finding him*
J'**hésite à** vous **déranger**          *I hesitate to disturb you*
Ils se **sont mis à sortir** ensemble          *They have started to go out together*

**b.** the preposition **de** follows certain verbs:

| | | | |
|---|---|---|---|
| s'arrêter de | *to stop* | remercier de | *to thank for* |
| décider de | *to decide to* | regretter de | *to regret* |
| essayer de | *to try to* | etc. | |

**Arrêtez de fumer** tout de suite — *Stop smoking immediately*

Elle **a décidé de quitter** son emploi — *She decided to leave her job*

Nous vous **remercions d'être venus** — *Thank you for coming*

**c.** NO PREPOSITION is used after other verbs:

| | | | |
|---|---|---|---|
| devoir | *must, to have to* | penser | *to think of/about* |
| espérer | *to hope to* | sembler | *to seem to etc.* |
| pouvoir | *can, may, to able to* | | |

Nous **espérons partir** avant minuit — *We hope to leave by midnight*

Tu **sembles avoir oublié** l'heure — *You seem to have forgotten the time*

Elle **pense déménager** bientôt — *She is thinking of moving soon*

> See p. 218 for a list of the most common verbs and the construction they use before an infinitive.

**9** ALL PREPOSITIONS except **en** (see Chapter 6 Sections 8 and 9) are followed by the infinitive. Here are some more examples:

Réfléchissez *avant de* **prendre** une décision
> *Think before making a decision*

*Au lieu de* **discuter**, on ferait mieux *de* **se dépêcher**
> *Instead of talking we'd better hurry up*

*Après* **avoir fini** sa bière, le client est parti
> *After finishing his beer, the customer left*

Ne sonne pas. Elle est *en train de* **se reposer**
> *Don't ring the bell. She is having a rest*

Commence *par* tout nous **raconter**
> *Start by telling us everything*

Nous finirons *par* **réussir**
> *We shall succeed in the end*

Je disais cela *pour* les **impressionnner**
> *I was saying that to impress them*

Ils se sont mariés *sans* le **dire** à personne
> *They got married without telling anybody*

Nous étions *sur le point de* **signer** le contrat
> *We were about to sign the contract*

**A** Insert the prepositions **à** or **de** in the gaps or leave blank:

C'est le moment du grand départ! Depuis longtemps vous rêvez . . . partir à la recherche du soleil et de la détente. Vous avez choisi . . . passer quinze jours aux Antilles où vous espérez . . . trouver un ciel toujours bleu et une plage de sable blanc. Si c'est la première fois que vous prenez l'avion, suivez les conseils suivants:

– arrivez à l'aéroport à l'avance si vous préférez . . . choisir votre place;
– résignez-vous . . . avoir . . . faire la queue avant . . . passer par le contrôle de sécurité et n'oubliez pas que votre sécurité en dépend;
– évitez surtout . . . prendre une boisson alcoolisée si vous souffrez du mal des transports;
– soyez rassuré car les compagnies aériennes sont obligées . . . prendre de strictes mesures de sécurité. Votre commandant de bord et son équipage ont dû . . . se soumettre à une formation rigoureuse;
– attachez votre ceinture de sécurité, et BON VOYAGE!

**B** Put the verbs in italics into the perfect tense:

1 La compagnie d'autocars n'*est* plus en mesure d'assurer des services réguliers en dehors des heures de pointe.
2 Les Français achètent de plus en plus de voitures particulières; la hausse du prix de l'essence ne les en *décourage* pas.
3 Je ne *me déplace* jamais en voiture. Les transports en commun sont bien trop pratiques!

**C** Combine the following pairs of sentences by using **après** followed by the past infinitive:
e.g. Elle a composté son billet. Elle est montée dans le train.
→ **Après avoir composté** son billet, elle est montée dans le train.

1 Nous sommes arrivés à Paris. Nous sommes allés à la station de métro la plus proche pour obtenir un plan du métro.
2 Je me suis renseigné sur les horaires des trains. J'ai réservé ma place au moyen du système électronique.
3 Il a pris l'avion de Paris à Lyon. Il s'est rendu compte que le TGV (train à grande vitesse) était plus pratique et qu'il l'aurait déposé au centre-ville.

**D** Translate:

1 Nobody likes traffic jams or parking tickets.
2 Instead of taking the train, I travelled by coach – it's cheaper.
3 None of my friends has a driving licence, so we get about by train.
4 We managed to check in our luggage without losing the children.
5 Before landing, the pilot and his crew tried to calm the passengers.

# Chapitre 6 ........................... Les vacances

**A** Insert **qui, que, qu', dont** or **où**:

**Les villages de vacances**

1 Les parents . . . nous avons interrogés disent préférer partir en vacances avec leurs enfants.
2 Pourtant, les adolescents . . . nous avons rencontrés pensent différemment: ils préfèrent la compagnie des jeunes de leur âge.
3 Ce sont ces attitudes contradictoires . . . expliquent le succès des villages de vacances.
4 Le village est un endroit . . . chacun peut jouir d'une certaine indépendance.
5 Les activités . . . on propose aux vacanciers, jeunes et moins jeunes, sont variées.
6 Les familles . . . veulent se séparer pendant la journée peuvent le faire.
7 Le repas du soir est le moment . . . on peut raconter ses exploits de la journée.
8 Les parents peuvent jouir de la tranquillité . . . ils rêvent toute l'année, sans être séparés de leurs enfants.
9 Les enfants ont l'indépendance . . . ils souhaitent.
10 C'est donc une formule . . . satisfait tout le monde.

**B** Write in the present participle of each verb:

1 rejoindre    En . . . . . l'hôtel à pied, j'ai traversé un quartier très vivant.
2 rentrer      Nous avons fait escale à Rome en . . . . . du Kenya.
3 avoir        Tout en . . . . . une voiture, ils vont en Italie par le train.
4 agrandir     La municipalité a voulu développer le tourisme en . . . . . les terrains de camping.
5 être         . . . . . donné que je n'ai que huit jours de congés payés, je ne pourrai pas partir à l'étranger.

**C** Translate:

1 En me faisant bronzer sur la plage, j'ai pris une insolation.
2 Tout en sachant que c'est une solution de facilité, je pars toujours en voyage organisé.
3 Vous obtiendrez satisfaction en vous plaignant au gérant de l'hôtel.
4 Nous avons pris une douche en rentrant à l'auberge de jeunesse.
5 Perfectionnez votre technique en effectuant un stage de voile cet été.

# Relative pronouns

**1** RELATIVE PRONOUNS link two sentences and avoid repetition. The following pairs of sentences can be linked by the relative pronouns **qui, que, dont** and **où** to become one sentence:

Le médecin vous soigne. Le médecin est absent aujourd'hui
> → Le médecin **qui vous soigne** est absent aujourd'hui

La cliente est partie. Vous détestez la cliente
> → La cliente **que vous détestez** est partie

Les documents ont disparu. Nous avons besoin des documents
> → Les documents **dont nous avons besoin** ont disparu

Le cinéma est au centre-ville. Nous avons rendez-vous au cinéma
> → Le cinéma **où nous avons rendez-vous** est au centre-ville

**2** **Qui** is used for both **people** and **things** and is always the SUBJECT of the next verb.

In the sentence
> Le médecin qui vous soigne est absent aujourd'hui

*qui* refers to **le médecin**, which is subject of the verb *soigne*:
> **le médecin** vous soigne

More examples:
> L'employé **qui** a répondu n'était pas au courant
> **L'employé** *qui* is subject of the verb *a répondu*:
> **L'employé** a répondu

> Il a emprunté le journal **qui** était sur la table
> **le journal** *qui* is subject of the verb *était*:
> **le journal** était sur la table

> J'ai regardé le film **qui** est passé hier à la télévision
> **le film** *qui* is subject of the verb *est passé*:
> **le film** est passé

**Qui** is translated by *who, whom, that,* or *which*:
> L'employé **qui** a répondu n'était pas au courant
> *The clerk who answered did not know anything about it*
> Il a emprunté le journal **qui** était sur la table
> *He borrowed the newspaper that was on the table*
> J'ai regardé le film **qui** est passé hier à la télévision
> *I watched the film which was on television yesterday*

Note that **qui** can never be shortened.

**3** **Que** is used for both **people** and **things** and is always the DIRECT OBJECT of the next verb.

In the sentence
> La cliente **que** vous détestez est partie

*que* refers to **la cliente**, which is direct object of the verb *détestez*:
vous détestez *la cliente*

More examples:

Les gens **qu'**on a vus étaient mécontents
**Les gens** *qu'* is direct object of the verb *a vus*:
on a vu *les gens*

La décision **que** tu as prise m'étonne
**La décision** *que* is direct object of the verb *as prise*:
tu as pris *la décision*

Le pull **qu'**Henri m'a offert n'est pas de ma taille
**Le pull** *que* is direct object of the verb *a offert*:
Henri m'a offert *le pull*

**Que**, which is translated by *who, whom, which* or *that*, is never omitted in French:

Les gens **qu'**on a vus étaient mécontents
*The people (whom) we saw were dissatisfied*

La décision **que** tu as prise m'étonne
*The decision (which) you took surprises me*

Le pull **qu'**Henri m'a offert n'est pas de ma taille
*The jumper (that) Henri bought me is not my size*

Note that before vowels and unaspirated **h, que** is always shortened to **qu'**

Past participles after **que** agree with the direct object because it comes before the verb:

**Les gens** qu'on a vus
**La décision** que tu as prise

**4** **Dont** is used for both **people** and **things** and always replaces a phrase beginning with **de**.

In the sentence

Les documents **dont** nous avons besoin ont disparu
*dont* replaces *des* **documents**:
nous avons besoin *des documents*

More examples:

Voici la comédienne **dont** on vous a parlé
*dont* replaces *de la* **comédienne**:
on vous a parlé *de la comédienne*

Le service **dont** elle est responsable est au premier étage
*dont* replaces *du* **service**:
elle est responsable *du service*

Note that **dont** is translated in various ways:

Voici la comédienne **dont** on vous a parlé
*Here is the actress we told you about*

Le service **dont** elle est responsable est au premier étage
*The department she is responsible for is on the first floor*

**5** **Dont** can express **possession**:

> Rémi, **dont** j'utilise la voiture, est à l'étranger
>> *Rémi, whose car I am using, is abroad*
> *dont* replaces *de* **Rémi**: la voiture *de Rémi*

> La ville **dont** le nom m'échappe n'est pas loin de Lille
>> *The town whose name escapes me is not far from Lille*
> *dont* replaces *de la* **ville**: le nom *de la ville*

Note that the word order is different in French and that the definite article is needed before the noun:

> Rémi, dont j'utilise **la voiture**, . . .
>> *Rémi, whose car I am using, . . .*
> La ville dont **le nom** m'échappe . . .
>> *The town whose name escapes me . . .*

**6** **Où** can refer to both **place** and **time**:

> L'endroit **où** je suis allé est magnifique
>> *The place I went to is wonderful*
> Mais le jour **où** je suis arrivé, il pleuvait
>> *But on the day when I arrived it was raining*

## The present participle

**7** The present participle is formed by taking the **nous** form of the present, removing the **-ons** ending and replacing it by **-ant**, for example:

> prendre: nous pren**ons** → pren**ant**

*Exceptions:*

- (*i*) avoir – **ayant**    être – **étant**    savoir – **sachant**
- (*ii*) verbs ending in **-cer** and **-ger**
  - e.g. annoncer – **annonçant**    partager – **partageant**

**8** The preposition **en** followed by the PRESENT PARTICIPLE is used to describe an action which is closely followed by another or which overlaps with another:

> **En apprenant** la nouvelle, il était fou de joie
>> ***When** he heard the news, he was overjoyed*
>> ***On** hearing the news, he was overjoyed*
> Tu trouveras du travail **en allant** à l'Agence Nationale pour l'Emploi
>> *You will find work **by** going to the Job Centre*
> Elle consultait la carte **en conduisant**
>> *She read the map **while** driving*

Note that in each sentence the subject of both the verb and the present participle is the same.

**9** **Tout en** is used for **emphasis**:

   **a.** when **two actions** take place at the **same time**:
   Tout en répondant au téléphone, il décachetait le courrier
   *While answering the telephone he was opening the mail*

   **b.** when making a **concession**:
   Tout en comprenant vos motifs, je ne peux pas les approuver
   *While understanding your motives I cannot approve of them*
   *Although I understand your motives I cannot approve of them*

**10** The use of the French present participle is not the same as that of the English present participle. Whereas in English, the present participle is used in sentences like:
   *They attacked the inspector **checking** the tickets*
in French **qui** in a relative clause (see Section 2 above) would normally be used:
   Ils ont attaqué le contrôleur **qui vérifiait** les billets

> See Chapter 5 Sections 6–9 for examples of how the infinitive translates **-ing** forms of English verbs.

## Renforcement

**A** Insert **qui, que, qu', dont** or **où**:

**Le sud-ouest: une véritable découverte**

Je garde un souvenir émerveillé des quinze jours . . . nous avons passés dans le sud-ouest de la France. Grâce à des amis . . . viennent de cette région, nous avions pu préparer notre itinéraire à l'avance. Nous avons pris l'avion jusqu'à Limoges . . . nous avons loué une voiture en arrivant. Selon le temps . . . il faisait, nous campions ou descendions à l'hôtel.

Nous avons, pour commencer, traversé une partie du Massif Central, une région . . . je ne connaissais pas du tout. Les routes . . . nous avons empruntées étaient peu fréquentées et le trajet entre Limoges et Albi a été particulièrement agréable. Etant donné que la distance . . . sépare les deux villes est d'environ 300 kilomètres, nous avons fait escale, à mi-chemin, dans un village . . . l'on pouvait camper près des ruines d'un château. Albi, . . . la cathédrale est en brique rouge, m'a charmée. L'hôtel . . . nous avons choisi était situé en bordure de la ville, et la chambre . . . nous occupions donnait sur la rivière. Il a fait un orage dans la nuit et, au matin, l'eau . . . était verte la veille, avait, elle aussi, pris une couleur rouge.

C'est la seule nuit . . . nous ayons passée dans une grande agglomération. Ensuite, nous avons continué par des petites routes . . . traversaient des vignobles ou des pâturages. Une fois arrivés près des Pyrénées, nous avons fait de longues randonnées . . . nous ont permis de découvrir des paysages magnifiques; le soir, nous étions affamés et je me rappelle encore les excellents repas . . . on nous a servis.

**B** Translate:

1 While admitting that camping[1] can be fun, I don't like it[2].
2 By working for TransEurop last year, I could visit places I did not know.
3 The girl wearing a black swimming costume? It's Michelle, who I fell in love with last summer.
4 On thinking about[3] it, I can remember where I took this photo: it was on the way to Vienna.
5 On the day we went to Giens, I lost my chain while swimming.
6 The travel agency she is responsible for organises cruises.
7 The exhibition we[4] saw was[5] at the Musée d'Orsay.
8 This is a holiday combining cultural activities and the discovery of magnificent landscapes.
9 People travelling out of season are entitled to a discount.
10 We've[4] had to cancel the booking we made last January.

[1] use the infinitive; [2] use *plaire*; [3] use *réfléchir à*; [4] use *on*; [5] use *se dérouler*

# Révision 4–6

**A** Insert **qui, que, qu', dont** or **où**:

**Les centres de vacances**

Les centres de vacances, . . . on appelait autrefois les «colonies de vacances», accueillent des centaines de milliers de jeunes. On distingue au moins trois catégories de centres: les centres maternels, . . . s'occupent des petits de 4 à 6 ans; les centres pour mineurs, . . . accueillent les mineurs de 6 à 18 ans et les camps d'adolescents, . . . s'adressent aux plus de 14 ans. Les activités . . . ils offrent aux jeunes sont multiples: du sport à la vidéo, des séjours linguistiques aux stages informatiques, Dans les camps d'adolescents ce sont les activités physiques et sportives . . . dominent: camps de voile . . . les jeunes peuvent s'initier à la navigation à voile, camps d'équitation . . . ils apprennent à monter à cheval, etc. Les jeunes . . . s'occupent les animateurs viennent en général de familles modestes vivant en milieu urbain. Ce sont, en majorité, des enfants . . . la mère travaille. Tous ceux . . . nous avons interrogés se sont déclarés enchantés de la formule.

**B** Say the opposite of the following sentences by rewriting them in the negative:

1 Tout le monde a regretté d'avoir entrepris ce voyage en Chine. (*Nobody . . .*)
2 Un des passagers a été malade pendant la traversée de l'Atlantique. (*Not one . . .*)
3 Tout paraît le surprendre. (*Nothing . . .*)
4 La plupart des jeunes interrogés veulent passer l'été en famille. (*None . . .*)

**C** Write the verb in the imperfect and ensure that the resulting negative sentence is correct:

1  Ne pas être            Elles . . . . . au courant.
2  Ne jamais conduire     Je . . . . . la nuit.
3  Ne guère se plaindre    Vous . . . . . de votre travail.
4  Ne rien promettre      Nous . . . . .
5  Ne décevoir personne   Tu . . . . . à ce moment-là.
6  Ne plus comprendre     Nous . . . . . les motifs de sa conduite.
7  Ne pas avoir           Tu . . . . . le courage de lui annoncer ton départ?
8  Se souvenir            On . . . . . de rien.
9  Voir                   Je . . . . . aucune difficulté insurmontable.
10 S'appeler              Il . . . . . ni Renaud ni Roland.
11 Souffrir               Elle . . . . . nullement de la chaleur.
12 Pouvoir                On . . . . . le joindre nulle part.

**D**  Translate:

1  After checking in their luggage, they helped me carry mine.
2  The plane was about to take off when one of the engines exploded. There were no casualties.
3  She has decided not to go away this year in order to save some money.
4  After obtaining information from a travel agent, they booked a flight on Air Inter.
5  When I met her she was thinking of leaving school at 16 to look for a job.
6  While admitting that they were wrong, they refused to change their plans.
7  When we finally arrived at the airport, the coach that was supposed to take us to the hotel had just left.
8  In the rush hour, we used to avoid taking the train which stopped at all stations.
9  The Spaniard whose flat we rented last winter would come every other week to check that everything was all right.
10  He has been learning to drive since Easter, but he has not yet taken his test.

**E**  **Careful**: the following passage contains some mistakes. Read and reread it carefully until you have corrected the 20 mistakes it contains.

**Extraits du guide du voyageur Suntours**

La veille du départ

*Il est possible que les horaires que nous vous avons donné au moment de votre réservation subissent de modifications par la suite. Le veille de votre départ, prenez la précaution de vérifiez ces horaires auprès de votre agent de voyages.*

Bagages

*Essayez, si possible, de voyager léger. Pour cela réfléchissez à votre style de vacance et ne vous encombrez pas de choses que vous risquez de pas avoir besoin. Evitez emporter des bijou de valeur.*

Au retour

*Nous avons effectué des enquêtes que nous permettent de connaître l'évolution des besoins en matière de tourisme ainsi que les problèmes que surgissent au cours des sejours organisés. Cependant, aucun information n'est aussi précis que celle que vous pouvez nous faire parvenir personellement, aussi nous vous recommandez de bien vouloir remplire, dès votre retour, les questionnaires qui vous aurons été remis.*

*Nous vous remercions votre aimable coopération et espérons d'avoir le plaisir de vous cómpter à nouveau parmi notre clientèle.*

# Chapitre 7 ........................ Le corps et la santé

## Diagnostic

**A** Replace the expression in italics by an adverb with the same meaning and insert it in the right place so that each sentence makes sense:
e.g. *D'une façon saine*: Bien vivre, c'est vivre **sainement**
*En ce moment*: Notre club est **actuellement** en plein essor

**Ils courent, ils courent . . .**

1 *d'une façon considérable* Le nombre de coureurs de fond a augmenté.
2 *en partie* Cela est dû aux campagnes d'information sur les maladies cardio-vasculaires.
3 *d'une manière physique* La plupart de ces «joggers» disent, en effet, qu'ils ont besoin de se dépenser pour éviter le stress.
4 *d'habitude; d'une manière fréquente* Ils font partie d'un groupe ou d'un club et s'entraînent.
5 *en général; d'une façon régulière* Agés de trente-cinq à quarante-cinq ans, ils se soumettent à un contrôle médical.
6 *d'une façon obsessive; tout à fait* Ils cherchent à garder leur jeunesse et sont convaincus que courir est la meilleure façon d'y parvenir.
7 *d'une façon rapide* Mais ils savent bien que les meilleurs résultats ne s'obtiennent pas . . .

**B** Write the verbs in brackets in the conditional:

**De bonnes résolutions**

Après avoir regardé à la télévision une émission intitulée «Bien vivre», je me suis dit que je (se sentir) mieux dans ma peau si je menais une vie plus équilibrée. Comme j'étais en congé j'ai donc décidé que dès le lendemain je (arrêter) de fumer, je (sauter) du lit à sept heures et qu'avant de déjeuner je (faire) quelques exercices d'assouplissement. Le reste de la matinée (être) consacré à de menus travaux dans l'appartement, et au lieu d'aller acheter des plats tout prêts, je (prendre) la peine de préparer des légumes et une grillade pour midi. Je (avoir) le temps en début d'après-midi de lire un peu, et je (aller) ensuite à la piscine. Après un repas léger, je (rejoindre) les copains mais plutôt que de traîner toute la soirée d'un endroit à l'autre je (proposer) toute une série d'activités culturelles. J'étais sûr que ce nouveau rythme de vie me (convenir) et que je (pouvoir), ainsi, mieux profiter de mes vacances.

Malheureusement, le lendemain matin je n'ai pas entendu mon réveil sonner: lorsque je me suis réveillé à dix heures et demie, il était déjà trop tard pour mettre mes premières résolutions en pratique.

# Adverbs

1 ADVERBS are used to describe VERBS, ADJECTIVES and other ADVERBS:

Nous soutenons **activement** vos efforts
*We actively support your efforts*
Leurs articles sont **généralement** bons
*Their articles are usually good*
Leur proposition a été **assez** bien reçue
*Their proposal was quite well received*

Note that adverbs are INVARIABLE – they do *not* agree with a noun.

2 Most adverbs are formed by adding **-ment** to the FEMININE FORM of the ADJECTIVE:

| masc. | fem. | adverb |
|-------|------|--------|
| général | générale | **généralement** |
| entier | entière | **entièrement** |
| actif | active | **activement** |

3 If the masculine form of an adjective ends in a vowel, the adverb is formed by adding **-ment** to the MASCULINE FORM of the adjective:

| masc. | adverb | |
|-------|--------|--|
| absolu | **absolument** | *absolutely, completely* |
| forcé | **forcément** | *necessarily, inevitably* |
| infini | **infiniment** | *extremely, infinitely* |
| résolu | **résolument** | *resolutely, determinedly* |
| terrible | **terriblement** | *terribly* |
| vrai | **vraiment** | *really, truly* |

*Exception*: **gai** is irregular and follows the rule in Section 2:

| gai | **gaiement** | *gaily, cheerfully* |
|-----|----------|-------|

4 To form adverbs from adjectives ending in **-ant** and **-ent**, replace these endings by **-amment** and **-emment**:

| masc. | adverb | |
|-------|--------|--|
| abondant | **abondamment** | *abundantly, plentifully* |
| constant | **constamment** | *constantly, perseveringly* |
| courant | **couramment** | *fluently, usually, generally* |
| évident | **évidemment** | *obviously, evidently* |
| récent | **récemment** | *recently* |
| violent | **violemment** | *violently* |

*Exception*: **lent** is irregular and follows the rule in Section 2 above:

| lent | **lentement** | *slowly* |
|------|-----------|--------|

Note that the adjectives **important, intéressant** and **charmant** do not have adverbial forms.

> See Section 6 below for adverbial phrases.

**5** The following adverbs are *irregular*:

| adjective | adverb | |
|---|---|---|
| aveugle | **aveuglément** | *blindly* |
| commun | **communément** | *commonly, generally* |
| énorme | **énormément** | *enormously, tremendously* |
| précis | **précisément** | *precisely* |
| profond | **profondément** | *profoundly, deeply* |
| gentil | **gentiment** | *nicely, pleasantly* |
| bref | **brièvement** | *briefly* |
| bon | **bien** | *well* |
| meilleur | **mieux** | *better, best* |
| mauvais | **mal** | *badly* |
| rapide | **vite** | *fast, quickly* |

*franchement*

Note that **vite** is an ADVERB and cannot be used as an adjective. The adjective **rapide** is generally used to translate the English adjective *fast*:

Ils roulent trop **vite** — *They drive too **fast***
*but* Ils ont des voitures **rapides** — *They have **fast** cars*

**6** Some adjectives do not have an adverbial form but can be used in an ADVERBIAL PHRASE:

| **charmant** | Il s'est excusé **d'une manière charmante** |
|---|---|
| | *He apologised charmingly/in a charming way* |
| **enthousiaste** | Elle a accepté ma proposition **avec enthousiasme** |
| | *She accepted my suggestion enthusiastically* |
| **intéressant** | Tu as présenté le thème **d'une façon intéressante** |
| | *You presented the topic in an interesting manner* |
| **irrité** | Elle a répondu **d'un ton irrité** |
| | *She replied angrily* |

Note that **une manière** and **une façon** are preceded by **de.**

**7** Some ADJECTIVES are used with certain verbs as ADVERBS:

| aller **(tout) droit** | *to go straight on* | parler **fort** | *to speak loudly* |
|---|---|---|---|
| coûter **cher** | *to be expensive* | travailler **dur** | *to work hard* |
| parler **bas** | *to speak quietly* | voir **clair** | *to see clearly* |

Cette moto coûte trop **cher** — *This motorbike is too expensive*
Parlez plus **fort** — *Speak up*

*travailler dur*

Note that these adjectives when used as ADVERBS do *not* agree with the noun.

**8** Adverbs usually come AFTER THE VERB:
    J'accepte **entièrement** ses conseils        *I entirely accept his advice*
    Nous refusons **absolument** de signer        *We absolutely refuse to sign*

Note that the position of adverbs in English is often different.

**9** Where there is a PAST PARTICIPLE, adverbs usually come *before* it:
    Elle a **complètement** oublié de m'appeler
        *She completely forgot to call me*
    J'ai **toujours** eu du mal à me réveiller
        *I have always had trouble waking up*
    Nous sommes **souvent** allés en Allemagne
        *We have often been to Germany*

**10** However, certain adverbs do come *after* the past participle:
    **a.** all adverbs of place:
    Cela s'est passé **ici**                      *It happened here*
    Je t'ai cherché **partout**                   *I looked for you everywhere*
    **b.** the following adverbs of time: **hier, aujourd'hui, demain, tôt, tard**:
    Il l'a publié **hier**                        *He published it yesterday*
    Le film est passé **tard**                    *The film was on late*

## The conditional and the conditional perfect

**11** The conditional is formed by adding **-ais, -ais, -ait, -ions, -iez, -aient** to the infinitive form, but, as with the future, the final **-e** of the infinitive of **-re** verbs is dropped before adding the conditional endings:

| **-er** verbs: **cesser** | **ir** verbs: **établir** | **-re** verbs: **rendre** |
|---|---|---|
| je cesser**ais** | j' établir**ais** | je rendr**ais** |
| tu cesser**ais** | tu établir**ais** | tu rendr**ais** |
| il/elle cesser**ait** | il/elle établir**ait** | il/elle rendr**ait** |
| nous cesser**ions** | nous établir**ions** | nous rendr**ions** |
| vous cesser**iez** | vous établir**iez** | vous rendr**iez** |
| ils/elles cesser**aient** | ils/elles établir**aient** | ils/elles rendr**aient** |

**12** Verbs which are IRREGULAR in the future are also irregular in the conditional. For example, the future of **venir** is **je viendrai** and the conditional is:

| je viendrais | nous viendrions |
|---|---|
| tu viendrais | vous viendriez |
| il/elle viendrait | ils/elles viendraient |

> See Chapter 2 Section 8 for verbs which have irregular futures.

**13** The conditional is used to express:

    **a.** an action which is subject to a **condition**:
        Ils **voyageraient** s'ils en avaient les moyens
            *They would travel if they could afford it*
        Si tu avais un lave-vaisselle, tu **gagnerais** du temps
            *If you had a dishwasher, you would save time*

    **b.** the **future** in the **past**:
        Elle a promis qu'on nous **rembourserait**
            *She promised that we would get a refund*

    **c.** a **need** or **preference**:
        Je **voudrais** présenter ma candidature
            *I would like to apply*
        Nous **aimerions** la voir plus souvent
            *We would like to see her more often*

    **d.** after **au cas où**:
        J'apporterai un parapluie **au cas où** il pleuvrait
            *I shall bring an umbrella in case it rains*

**14** The CONDITIONAL PERFECT consists of the CONDITIONAL of **avoir** or **être** and the PAST PARTICIPLE:

| **cesser:** | | **venir:** | |
|---|---|---|---|
| | j' aurais cessé | | je serais venu(e) |
| | tu aurais cessé | | tu serais venu(e) |
| | il/elle aurait cessé | | il/elle serait venu(e) |
| | nous aurions cessé | | nous serions venu(e)s |
| | vous auriez cessé | | vous seriez venu(e)(s) |
| | ils/elles auraient cessé | | ils/elles seraient venu (e)s |

| **se reposer:** | |
|---|---|
| | je me serais reposé(e) |
| | tu te serais reposé(e) |
| | il/elle se serait reposé(e) |
| | nous nous serions reposé(e)s |
| | vous vous seriez reposé(e)(s) |
| | ils/elles se seraient reposé(e)s |

The conditional perfect has its equivalent in English:

| Nous **aurions démissionné** | *We would have resigned* |
|---|---|
| Elle **serait partie** | *She would have left* |

> See Chapter 12 Section 13 for use of the conditional perfect in sentences with **si**.

**A** Write the verbs in the conditional:

1 falloir     Il . . . . . se préoccuper plus de son corps et de sa santé.
2 être        Vous . . . . . moins essoufflé si vous fumiez moins.
3 prescrire   Le médecin a déclaré qu'elle ne lui . . . . . plus de somnifères.
4 faire      L'alcool ne . . . . . de mal à personne, si les gens en buvaient modérément.
5 souffrir    Les gens . . . . . moins du dos s'ils se tenaient correctement.

**B** Write the verbs in the conditional perfect:

1 vouloir     Nous . . . . . organiser une randonnée pédestre dans les Alpes.
2 prendre    Il . . . . . plus d'exercice physique s'il en avait eu le temps.
3 devoir      Tu . . . . . faire du yoga au lieu de te morfondre.
4 préférer    Je . . . . . me faire soigner par un homéopathe.
5 courir       On . . . . . plus vite si on s'était mieux entraînés.

**C** Replace the adjectives in italics by adverbs or, if necessary, by adverbial phrases, and then insert them into the sentences so that they make sense:

**Les médecines douces**

1 *récent* Les médecines «douces» ou «naturelles» ont connu un grand essor.
2 *enthousiaste* Les Français qui ont eu recours à ces techniques de diagnostic et de guérison en parlent.
3 *commun; relatif* Parmi celles-ci, on compte la phytothérapie, pratique fort ancienne appelée «médecine par les plantes», et l'acuponcture, bien acceptée de nos jours.
4 *particulier* Les gens se tournent vers les médecines douces lorsque la médecine traditionnelle s'est révélée inefficace.
5 *forcé; sérieux* Il y aura des sceptiques, mais le nombre des médecins généralistes qui croient aux bienfaits des médecines naturelles est en augmentation croissante.
6 *net* Il semble donc que ces moyens thérapeutiques aient à l'avenir un rôle plus important à jouer.

**D** Translate:

1 Obviously, if he went on a diet and ate in a sensible way, he would quickly lose weight.
2 I would definitely have gone to a homeopath if traditional medicine had really proved ineffectual.

# Chapitre 8

## ■ Diagnostic ■

**A** Read the following letter and write the questions to the answers provided. Choose from this list the appropriate question words and phrases: **Comment . . .?, Est-ce que . . .?, Qu'est-ce qui . . .?, Pourquoi . . .?, Quel . . .?, Qu'est-ce que . . .?, Pour qui . . .?, Qui est-ce qui . . .?**

**Qu'est-ce qu'un bon prof? La réponse d'un de nos lecteurs**
Je peux aisément répondre à cette question parce que j'ai la chance d'avoir un excellent professeur d'histoire.

Un bon prof, c'est d'abord quelqu'un qui aime son métier. Notre professeur est heureuse d'enseigner parce que nous sommes heureux d'apprendre (enfin, c'est l'impression que j'ai!) et nous sommes heureux d'apprendre parce qu'elle aime enseigner. Pour les élèves comme pour elle, c'est donc un véritable plaisir d'entrer en cours.

Elle est généreuse, disponible et sait donner à chacun d'entre nous le sentiment d'être important. C'est en nous prenant au sérieux qu'elle nous incite à produire un travail personnel. L'histoire me passionne maintenant. Plus que tout autre professeur, elle m'a donné envie de découvrir des choses nouvelles et de comprendre le monde extérieur.

Omar Latelli, 19 ans (Nancy)

1 Parce qu'il a la chance d'avoir un excellent professeur d'histoire.
2 C'est d'abord quelqu'un qui aime son métier.
3 Oui, elle est heureuse d'enseigner.
4 Pour les élèves comme pour elle.
5 En les prenant au sérieux.
6 L'histoire.
7 C'est elle qui lui en a donné envie.
8 Dix-neuf ans.

**B** Write the verbs in brackets in the pluperfect tense:

**Déçus par la vie d'étudiant**

JEAN-MAURICE  La fac, ce n'est pas ce que je (imaginer) avant de venir. Jusque-là, je (vivre) dans une petite ville pas très marrante. Je (se dire) que la fac, ce serait pour moi l'occasion de découvrir des tas de choses. Je (ne pas se rendre compte) de ce que serait la vie sur un campus complètement coupé de tout, à plusieurs kilomètres du centre. Personne ne me (prévenir). Même quand on s'intéresse à ses études, on a besoin d'autre chose. Non vraiment si je (savoir), j'aurais fait des études différentes.

SYLVIE  Moi, je (ne pas se faire) d'illusions. Mais c'est vrai qu'on est isolé.

# Asking questions

1 Questions requiring a **yes** or **no** answer are formed in three ways:
   (*i*)  by using a normal sentence with a questioning tone of voice:
          Vous aimez la musique?
   (*ii*) by using the phrase **est-ce que** before a normal sentence:
          Est-ce que vous aimėz la musique?
   (*iii*) by INVERSION of subject and verb:
          Aimez-vous la musique?

Note that the first question construction is restricted to conversation and that inversion is used in formal language.

2 INVERSION means changing the order of the subject and the verb.
   **a.** Inversion with SIMPLE tenses such as the present or the future:
   **Allez-vous** souvent à Limoges?  *Do you often go to Limoges?*
   **Parle-t-elle** de ses difficultés?  *Does she talk about her problems?*
   **Puis-je** vous voir?  *May I see you?*

Note the use of **-t-** to separate two vowels.

Note also that **puis** is used instead of **peux** in inversion.

   **b.** Inversion with COMPOUND tenses such as the perfect:
   **Etes-vous partis** de bonne heure?  *Did you leave early?*
   **N'a-t-elle pas laissé** son adresse?  *Didn't she leave her address?*

Note that it is **avoir** or **être** which is inverted and not the past participle.

   **c.** Position of OBJECT and REFLEXIVE PRONOUNS with inversion:
   **Le** finiras-tu demain?  *Will you finish it tomorrow?*
   **Se** sont-ils parlé?  *Did they talk to each other?*
   Ne **vous** a-t-il pas dit la vérité?  *Hasn't he told you the truth?*

   **d.** Inversion when the subject is a NOUN:
   **Le président annoncera-t-il** sa décision ce soir?
      *Will the president announce his decision this evening?*
   **L'assemblée était-elle** en séance à ce moment-là?
      *Was the assembly in session at that time?*

Note that the subject of the verb is repeated in the personal pronoun:
   **Le président** annoncera-t-**il** . . .
   **L'assemblée** était-**elle** . . .

3 INVERSION is used in formal French. In the questions above you can avoid inversion by using **est-ce que**:
   **Est-ce que** vous êtes partis de bonne heure?
   **Est-ce qu'**il vous a dit la vérité?
   **Est-ce que** le président annoncera sa décision ce soir?

**4**  It is important to know the difference between

**qui** est-ce qui . .?
**qui** est-ce que . .?  } which mean *who . . .?* and always begin with **qui**

and

**qu'**est-ce qui . .?
**qu'**est-ce que . .?  } which mean *what . .?* and always begin with **qu'**

**a.**  The SUBJECT of the verb ends with **. . . est-ce qui**:

Qui **est-ce qui** fait ce bruit?               ***Who is making that noise?***
***Charlotte*** fait ce bruit                    *Charlotte is making that noise*
  **Charlotte** is the subject of the verb **fait**

Qu'est ce qui fait ce bruit?                 ***What is making that noise?***
***Le moteur*** fait ce bruit                    *The engine is making that noise*
  **Le moteur** is the subject of the verb **fait**

**b.**  The DIRECT OBJECT of the verb ends with **. . . est-ce que**:

Qui **est-ce qu'**il regarde?                    ***Who is he looking at?***
Il regarde ***le chanteur***                     *He is looking at the singer*
  **Le chanteur** is the direct object of the verb **regarde**

Qu'est-ce qu'il regarde?                     ***What is he looking at?***
Il regarde ***le compteur***                     *He is looking at the speedometer*
  **Le compteur** is the direct object of the verb **regarde**

Note that **qui** cannot be shortened, while **que** is shortened to **qu'** before a vowel or unaspirated **h**.

**c.**  The following forms are used in formal language:

**Qui** instead of **qui est-ce qui**:
  **Qui** a fait cette erreur?                   *Who made this mistake?*
  (Qui est-ce qui a fait cette erreur?)

**Qui** instead of **qui est-ce que**:
  **Qui** avez-vous vu?                          *Who (whom) did you see?*
  (Qui est-ce que vous avez vu?)

**Que** instead of **qu'est-ce que**:
  **Qu'**a-t-elle fait ensuite?                  *What did she do next?*
  (Qu'est-ce qu'elle a fait ensuite?)
  **Que** font les joueurs?                      *What are the players doing?*
  (Qu'est-ce que les joueurs font?)

Note that with **que** the subject of the verb is *not* repeated in the personal pronoun.
Note also that **qu'est-ce qui** cannot be shortened.

**5** Other QUESTION WORDS:

| | |
|---|---|
| **Comment** a-t-elle fait cela? | *How did she do that?* |
| **Pourquoi** a-t-elle fait cela? | *Why did she do that?* |
| **Où** a-t-elle fait cela? | *Where did she do that?* |
| **Quand** a-t-elle fait cela? | *When did she do that?* |
| **Combien** de fois a-t-elle fait cela? | *How often did she do that?* |

In less formal language, use **est-ce que** and avoid inversion:
Comment **est-ce qu'**elle a fait cela?
Pourquoi **est-ce qu'**elle a fait cela? etc.

**6** Questions with a PREPOSITION (**avec, de, pour, sans**, etc.).

   **a.** Use **qui . . .?** for **people**:

| | |
|---|---|
| Avec **qui** êtes-vous sorti? | *Who did you go out with?* |
| | *With **whom** did you go out?* |
| De **qui** as-tu peur? | *Who are you afraid of?* |
| | *Of **whom** are you afraid?* |
| A **qui** pensez-vous? | *Who are you thinking about?* |

   **b.** Use **quoi . .?** for **things**:

| | |
|---|---|
| Avec **quoi** l'a-t-il effacé? | *What did he erase it with?* |
| | *With **what** did he erase it?* |
| De **quoi** as-tu peur? | *What are you afraid of?* |
| | *Of **what** are you afraid?* |
| A **quoi** pensez-vous? | *What are you thinking about?* |

Note that the French question is closer to the formal English equivalent (*With whom did you go out?*, etc.) because in French you cannot leave prepositions 'hanging' at the end of the sentence.

   **c.** In less formal language, use **est-ce que** and avoid inversion:
Avec qui **est-ce que** vous êtes sorti hier soir?
Avec quoi **est-ce qu'**il a effacé le graffiti?

**7** There is also a question ADJECTIVE and a question PRONOUN.

   **a.** **Quel**, the ADJECTIVE, is always used before a NOUN, with which it agrees:

| | *singular* | *plural* |
|---|---|---|
| *masculine* | quel | quels |
| *feminine* | quelle | quelles |

| | |
|---|---|
| **Quels** conseils vous a-t-elle donnés? | *What advice did she give you?* |
| De **quels** renseignements avez-vous besoin? | *Which information do you need?* |

**b.** **Lequel**, the PRONOUN, is used alone, and agrees with the noun it refers to:

|  | singular | plural |
|---|---|---|
| masculine | lequel | lesquels |
| feminine | laquelle | lesquelles |

Je cherche mes affaires. **Lesquelles?**
> *I am looking for my things. Which ones?*

Nous avons deux modèles. **Lequel** préférez-vous?
> *We have two styles. Which do you prefer?*

**c.** In less formal language, use **est-ce que** and avoid inversion:
Quels conseils **est-ce qu'**elle vous a donnés?
Lequel **est-ce que** vous préférez?

## The pluperfect tense

**8**  The pluperfect tense is formed by using the IMPERFECT tense of **avoir** or **être** with the PAST PARTICIPLE:

| **cesser:** | j' avais cessé | **venir:** | j' étais venu(e) |
|---|---|---|---|
| | tu avais cessé | | tu étais venu(e) |
| | il/elle avait cessé | | il/elle était venu(e) |
| | nous avions cessé | | nous étions venu(e)s |
| | vous aviez cessé | | vous étiez venu(e)(s) |
| | ils/elles avaient cessé | | ils/elles étaient venu(e)s |

**se renseigner:**  je m'étais renseigné(e)
tu t'étais renseigné(e)
il/elle s'était renseigné(e)
nous nous étions renseigné(e)s
vous vous étiez renseigné(e)(s)
ils/elles s'étaient renseigné(e)s

> For past participle agreement rules, see Chapter 3 Section 15.

**9**  The pluperfect tense has its equivalent in English:
Elle **avait terminé** son mémoire avant de partir pour la France
> *She **had finished** her report before leaving for France*

Je **m'étais reposé** avant le dîner, mais j'avais toujours sommeil
> *I **had rested** before dinner, but I was still sleepy*

**A** Rewrite the following interrogative sentences in a very formal style:

**Pourquoi met-on ses enfants dans une école privée?**

1 Les enfants sont plus suivis dans leurs études? Oui, dans certains cas.
2 Les classes sont souvent moins chargées? Non, ce n'est pas le cas.
3 On obtient un meilleur pourcentage de reçus au bac que dans le public[1]? Pas vraiment.
4 Il y a un effort d'innovation pédagogique? Cela dépend des établissements scolaires.
5 Le niveau universitaire des maîtres est plus élevé? Certainement pas.
6 C'est pour des raisons religieuses? Pas nécessairement.
7 C'est lié à la position sociale des parents? Oui, mais il faudrait nuancer.

**B** Read the following passage. The parts of the sentences in italics could be the answers to a series of eight questions. Write out the eight questions.

Les terminales du soir offrent une seconde chance *à ceux qui ont quitté le lycée et décidé par la suite de reprendre leurs études.* Elles s'adressent à ces élèves dont personne ne veut *parce qu'ils sont trop âgés ou trop faibles scolairement.* Avant de s'inscrire à des cours du soir, bon nombre d'entre eux ont essayé de travailler *seuls par correspondance* pour passer le baccalauréat mais sans succès. Il leur manquait *l'ambiance de travail d'une classe.* En effet, la solidarité des élèves joue un rôle *considérable*: elle aide ces derniers à tenir le coup *dans les moments difficiles.* Chaque année *60%* des élèves assidus réussissent au bac, et la plupart de ceux qui échouent *le repassent* l'année suivante. De tels résultats sont honorables.

**C** Write the verbs in the pluperfect:

1 ne pas généraliser   Si on . . . . . l'enseignement secondaire, le niveau n'aurait pas baissé.
2 jouir   Les instituteurs . . . . . longtemps d'une grande considération mais ce n'était plus le cas.
3 acquérir   Les connaissances que je . . . . . dans l'enseignement supérieur me furent utiles par la suite.
4 ne pas être   Si tu . . . . . reçu à tes examens qu'aurais-tu fait?

**D** Translate:

1 Which subjects are you interested in?
2 What was[2] the lecture about?
3 What qualifications do they[3] ask for?
4 Who did they teach[4] in the evening and what did they teach them?

[1] *le public: l'enseignement public; le privé: l'enseignement privé;*
[2] use *porter sur;* [3] use *on;* [4] here use *donner des cours à quelqu'un*

# Chapitre 9 ......................... La sécurité

**A** Rewrite the following questions as indicated and remember to change the tense of the second verb, where necessary:

e.g. «Comment est-ce arrivé»? *J'ai décrit . . .*

→ J'ai décrit comment c'était arrivé

**Compte-rendu d'un témoignage**

1 «Où le sinistre s'est-il déclaré?» *On m'a demandé.*
2 «Qu'est-ce qui a provoqué l'explosion, à votre avis?» *Je n'ai pas su dire. . .*
3 «Quelle heure était-il?» *J'ai indiqué. . .*
4 «Y avait-il d'autres témoins?» *Il m'a fallu dire. . .*
5 «Qui a prévenu les sapeurs-pompiers?» *Puis on a voulu savoir. . .*
6 «Combien de temps ont-ils mis pour arriver sur les lieux?» *On m'a fait préciser. . .*
7 «Qu'avez-vous fait en attendant?» *Enfin, j'ai dû expliquer. . .*

**B** Write the verbs in brackets in the imperative:

**a. Sur la route, il est très important de bien voir et d'être vu**

Si vous utilisez une voiture:

1 (nettoyer) votre pare-brise et (changer) vos balais d'essuie-glaces quand ils sont usés.
2 (s'assurer) du parfait fonctionnement de vos éclairages.

Si vous utilisez un deux-roues:

3 (porter) toujours un casque, même en agglomération, et des vêtements clairs.
4 (s'équiper) d'éléments fluorescents pour rouler de nuit.

**b. Recommandations à un ami à qui on a prêté son appartement**

Avant de partir, sois gentil:

1 (arroser) le pot de géranium qui est dans la cuisine et (le mettre) dans l'évier.
2 (couper) l'eau et le gaz au compteur.
3 (s'assurer) que les volets et les fenêtres sont fermés.
4 (débrancher) les appareils électriques.
5 (éteindre) toutes les lumières.
6 Et (ne pas oublier) de fermer la porte d'entrée à double tour. Merci, à bientôt.

# Indirect questions and reported speech

1 Direct questions are covered in Chapter 8. You also need to know about INDIRECT QUESTIONS:

| | |
|---|---|
| Je voudrais savoir **si tu l'as vue** | *I'd like to know **whether you saw her*** |
| Elle m'a demandé **qui habitait ici** | *She asked me **who lived here*** |
| Il veut savoir **qui j'ai vu** | *He wants to know **who I saw*** |
| Dis-moi **ce qui te rend** triste | *Tell me **what is making you** sad* |
| Je vais lui demander **ce qu'il fera** | *I'm going to ask him **what he will do*** |
| Explique-moi **pourquoi tu partais** | *Explain to me **why you were leaving*** |
| Il m'a demandé **avec qui j'avais dansé** | *He asked me **who I had danced with*** |
| Elle a demandé **quel livre je préférais** et **lequel j'achèterais** | *She asked **which book I preferred** and **which one I would buy*** |

Note that inversion is *not* used in indirect questions.

2 The QUESTION pronoun in the direct question becomes a RELATIVE pronoun in the indirect question:

**a. Qui est-ce qui** and **qui est-ce que** become **qui**:
«Qui est-ce que tu as vu?» → Il veut savoir **qui** j'ai vu

**b. Qu'est-ce qui** becomes **ce qui**:
«Qu'est-**ce qui** te rend triste?» → Dis-moi **ce qui** te rend triste

**c. Que** and **qu'est-ce que** become **ce que**:
«Qu'est-**ce que** tu feras?» → Je vais lui demander **ce qu'**il fera

3 When a question which was asked *in the past* is reported, the VERB TENSE of the indirect question may be different from that of the direct question:

**a.** The PRESENT tense becomes the IMPERFECT tense in the indirect question:
«Qui **habite** ici?» → Elle m'a demandé qui **habitait** ici

**b.** The PERFECT tense becomes the PLUPERFECT tense in the indirect question:
«Avec qui **as-tu dansé?**» → Il m'a demandé avec qui j'**avais dansé**

**c.** The FUTURE tense becomes the CONDITIONAL tense in the indirect question:
«Lequel est-ce que tu **achèteras?**» → Elle a demandé lequel j'**achèterais**

4 INDIRECT QUESTIONS are a form of REPORTED SPEECH – that is a record of a conversation in the past (tenses used in reported speech are as in Section 3 above). For example, compare this conversation between a minister and a journalist with the report in which the journalist records the conversation:

*Direct speech*

«Quand est-ce que vous **annoncerez** votre décision, Madame le ministre?» a demandé le journaliste.

«Je ne l'**ai** pas encore **communiquée** au premier ministre. Je **compte** le voir demain, alors vous l'**apprendrez** sans doute au début de la semaine prochaine», a-t-elle répondu.

*Reported speech*

J'ai demandé au ministre quand elle **annoncerait** sa décision. Elle a répondu qu'elle ne l'**avait** pas encore **communiquée** au premier ministre. Elle a ajouté qu'elle **comptait** le voir le lendemain et que nous l'**apprendrions** sans doute au début de la semaine suivante.

## The imperative  4/24

5 Each verb has three forms of the IMPERATIVE – **tu, nous** and **vous**:

    *tu*: **Ecoute!** *Listen!*    *nous*: **Partons!** *Let's go!*    *vous*: **Mangez!** *Eat!*

The REGULAR forms of the IMPERATIVE are taken from the **tu, nous** and **vous** form of the PRESENT TENSE, except that the **tu** form of **-er** verbs does NOT end in **-s**:

|  | -er *verbs* | -ir *verbs* | -re *verbs* |
|---|---|---|---|
| *tu* form | cesse | établis | rends |
| *nous* form | cessons | établissons | rendons |
| *vous* form | cessez | établissez | rendez |

6 Irregular verbs follow the rule in Section 5 above, with the exception of the following:

| **aller:** | va, allons, allez | **être:** | sois, soyons, soyez |
|---|---|---|---|
| (*Note:* | vas-y! *go ahead!*) | **savoir:** | sache, sachons, sachez |
| **avoir:** | aie, ayons, ayez | **vouloir:** | veuillez (only form used) |

7 When you tell someone *to do* something, object pronouns are placed *after* the verb and linked to it by hyphens:

    **Assieds-toi!** *Sit down!*    **Allons-y** *Let's go!*    **Parlez-moi!** *Talk to me!*

Note that the pronouns **me** and **te** change to **moi** and **toi** when they are used after the verb.

When you tell someone *not to do* something, object pronouns are placed *before* the verb as with other forms of the verb:

| Ne **t'**assieds pas! | *Don't sit down!* |
|---|---|
| N'**y** allons pas! | *Let's not go!* |
| Ne **me** parlez pas! | *Don't talk to me!* |

**A** Read the following interview and complete the report below:

*Interview accordée par M. le ministre de l'Intérieur, chargé de la sécurité civile, à la suite du Congrès du Centre National de Prévention et de Protection (CNPP):*

1 ◆ Monsieur le ministre, que pensez-vous de l'œuvre du CNPP?

2 — J'éprouve un très grand intérêt à l'égard des multiples activités du CNPP et de ses initiatives en faveur de la sécurité.

3 ◆ Notre environnement est-il plus dangereux qu'auparavant?

4 — Oui, il y a, sans aucun doute, une évolution préoccupante. Les efforts des responsables de la sécurité permettront tout de même, je l'espère, de restreindre l'étendue des périls.

5 ◆ Qu'est-ce qui favorisera, selon vous, la réduction du nombre d'accidents dans les années à venir?

6 — Il faut avant tout mettre en place un réseau très dense d'information afin de rendre les Français plus responsables de leur sécurité.

7 ◆ Quelle impression générale ce congrès vous a-t-il laissée?

8 — Je dirai, pour conclure, que dans le domaine de l'information et de la prévention, l'action du CNPP est exemplaire.

*Compte-rendu de l'interview:*

1 J'ai tout d'abord demandé au ministre. . .
2 Il m'a répondu. . .
3 Je lui ai ensuite demandé. . .
4 Il m'a affirmé. . ., mais en ajoutant qu'il espérait. . .
5 J'ai voulu savoir. . .
6 Il a déclaré. . .
7 Je lui ai enfin demandé. . .
8 Il a dit pour conclure. . .

**B** Replace the words in italics by a pronoun, and insert it in the right place:

**Skieurs oubliez tout sauf votre sécurité**

1 Votre sécurité dépendra en grande partie de vos capacités physiques. Ne surestimez pas *vos capacités physiques*, surtout en fin de journée.

2 En montagne, le temps change vite. Les services météo sont là pour vous aider. Avant de partir, consultez *les services météo*.

3 Un équipement adapté et contrôlé, c'est aussi votre sécurité. Vérifiez *votre équipement*.

4 On peut contracter une assurance pour la responsabilité civile et les frais de secours. Pensez *à contracter une assurance* dès votre arrivée.

5 Il est risqué de s'aventurer hors des pistes. Si vous êtes inexpérimenté, ne vous écartez pas *des pistes*.

6 Pour pratiquer le ski en haute montagne, il est prudent de se faire accompagner par un guide. Même si vous êtes expérimenté, engagez un *guide*.

## Révision 7–9

**A** Read the following story. The parts of the sentences in italics could be the answers to a series of questions. Write these questions:

e.g. ANSWER: *Une patrouille de gardiens de la paix*
QUESTION: Qui est-ce qui remarque la fourgonnette?

**Fusillade en plein jour à Tours**

Tout commence[1] mardi à 15h 00.

Une patrouille de gardiens de la paix circulant à bord d'une voiture de service remarque *une fourgonnette qui vient de griller un feu rouge*. Elle se lance à sa poursuite et prévient *une seconde patrouille* qui, en lui barrant la route, oblige la fourgonnette à s'arrêter. Quatre hommes, armés *de pistolets de gros calibre*, en descendent précipitamment et l'un d'eux blesse grièvement un brigadier au poumon. Poursuivis *par les policiers*, les fugitifs parviennent à atteindre le coin de la rue et s'engouffrent dans un autobus bondé à l'arrêt. Un policier tire du trottoir *sur l'un des braqueurs* qui se trouve à bord de l'autobus et le blesse. Les quatre hommes contraignent alors *le chauffeur* à démarrer.

(*Lire la suite à la page suivante*)

**B** Replace the expression in italics by a pronoun:

**Ceci est un médicament**

1 Un médicament n'est pas un produit comme les autres, ne laissez pas *ce produit* à la portée des enfants.
2 Les médicaments sont des produits actifs, n'abusez jamais *des médicaments*.
3 Votre médecin sait quels sont les médicaments dont vous avez besoin, consultez *votre médecin*.
4 Suivez le traitement prescrit, n'interrompez pas *le traitement*, ne reprenez pas *le traitement* de votre seule initiative.
5 Votre pharmacien connaît les médicaments, demandez des conseils *à votre pharmacien*.

**C** Write the verbs in the pluperfect tense:

1 se présenter  Elle . . . . . au concours d'Art dramatique.
2 descendre  Les lycéens . . . . . dans la rue pour manifester.
3 vivre  Cette année-là, nous . . . . une période difficile.
4 ouvrir  On . . . . . une enquête pour trouver l'origine du sinistre.
5 suivre  Si vous . . . . . mes conseils, vous auriez réussi.

[1] Note that, in order to give a sense of immediacy, the story is told in the present tense

**D** Write the verbs in the conditional:

1 mourir   Sans l'aide internationale, beaucoup plus d'enfants . . . . . de faim.
2 valoir    Il . . . . . mieux retirer votre plainte si vous avez des doutes.
3 voir      Nous le . . . . . bien Président directeur-général.
4 faire     Vous . . . . . bien de vous assurer contre le vol.
5 résoudre  Je . . . . . le problème si je le pouvais.

**E** Write the verbs in the conditional perfect:

1 suffire        Il . . . . . de faire preuve d'initiative pour s'en sortir.
2 devoir         Vous . . . . . vous renseigner sur la météo avant de partir en mer.
3 pouvoir        Si on avait réfléchi, on . . . . . prévoir ce qui se passerait.
4 mourir         Ils . . . . . de froid si on ne les avait pas retrouvés avant la nuit.
5 ne pas prendre Si nous avions été mieux informés, nous . . . . . tant de risques.

**F** Ask questions about the parts of the sentences in italics as in exercise A above:

**Fusillade en plein jour à Tours**          *(Suite de la page précédente)*

La *première* patrouille, arrivée entre-temps sur les lieux de la fusillade, intercepte *l'autobus* quelques centaines de mètres plus loin. Les braqueurs tirent sur les policiers qui ripostent, blessant légèrement *une des passagères* au bras.

La confusion qui suit la fusillade permet aux quatre hommes de quitter le bus: deux d'entre eux disparaissent, semble-t-il, dans la foule tandis que les deux autres prennent en otage *un automobiliste* qui pilotait une Peugeot. Ce dernier sera relâché un peu plus loin et *le véhicule* sera retrouvé peu après vide de tout occupant.

Il semble que les quatre hommes en question avaient pénétré dans une agence du Crédit Agricole *quelques heures auparavant* et s'étaient emparés *du contenu de la caisse*. Les services de police les recherchent activement.

**G** Change the following adjectives into adverbs and insert them into the sentences so that they make sense:

**Mort d'un voyageur**

1 *vif* La direction de la SNCF a regretté l'accident d'hier soir qui a fait une victime, un père de famille d'une quarantaine d'années.

2  *violent*  D'après les témoins, M. Perrier ne possédait pas de titre de transport et a réagi lorsque deux contrôleurs l'ont taxé d'une amende.

3  *gentil*  Un autre voyageur est intervenu pour essayer de le calmer mais sans résultat.

4  *accidentel*  Au cours de l'altercation qui a suivi, il semble que M. Perrier soit tombé du dernier wagon en gare de Drancy.

5  *immédiat*  Il a été transporté à l'hôpital mais a succombé pendant le trajet.

**H**  Write the verbs in brackets in the imperative:

Lorsque vous séjournez dans des pays tropicaux, pour éviter les ennuis de santé, il vous suffit de prendre quelques précautions:

1  (Savoir) vous reposer, surtout après un long voyage.
2  (Avoir) soin de vous protéger du soleil et des insectes.
3  (Ne boire) que des boissons embouteillées si possible.
4  (Se munir) d'un désinfectant intestinal.
5  (Ne jamais se baigner) en eau douce.

**I**  Read the following information and report it using the indications provided below.

*L'opinion des Français à l'égard du corps enseignant:*
1  La formation des enseignants de l'enseignement public est suffisante: 42%.
2  Les enseignants s'intéressent plutôt aux élèves les plus doués: 50%.
3  Les enseignants projettent leurs idées politiques et philosophiques dans leurs cours: 40%.
4  Dans les années à venir, les enseignants devront faire preuve d'un plus grand esprit d'innovation: 37%.

*Analyse de ce sondage quelques années plus tard:*
1  42% des personnes interrogées ont déclaré. . .
2  50% considéraient. . .
3  40% estimaient. . .
4  Seuls 37% des Français semblaient convaincus. . .

**J**  Translate:

1  The firemen asked them whether there had been any other witnesses.
2  The journalist wanted to know who the Minister had discussed her plans with.
3  The owners wondered what had happened during their absence.
4  Who are the police looking for and why are they here?
5  The manager recently enquired what I would like to do next year.

# Chapitre 10

## The present subjunctive

1 The subjunctive forms of the verb must be used after certain verbs and expressions. Here are some examples which you can practise using in this and the next few chapters:

|                |                 |                         |
|----------------|-----------------|-------------------------|
| bien que . . . | exiger que . . .  | il est possible que . . . |
| pour que . . . | regretter que . . . | il faut que . . .       |
|                | vouloir que . . . | il est souhaitable que . . . |

Expliquez-moi vos projets **pour que** je les *comprenne* mieux
   *Explain your plans to me so that I may understand them better*

**Bien qu'**il *ait* de bons diplômes, il n'a pas trouvé d'emploi
   *Although he is well qualified, he has not found a job*

Le rédacteur en chef **voudrait que** vous *refassiez* ce reportage
   *The Editor wants you to redo this report*

Le directeur **regrette que** nous *partions* avant la fin du colloque
   *The director is sorry that we shall be leaving before the end of the conference*

Vous devriez **exiger que** les employés *finissent* à six heures
   *You ought to demand that the employees finish at six o'clock*

> For examples of **il est possible que, il faut que** and **il est souhaitable que**, see Section 7 below. See also Chapters 15 and 18 for verbs and expressions governing the subjunctive.

2 The present subjunctive is formed by taking the **ils** form of the present tense, removing **-ent** and adding **-e, -es, -e, -ions, -iez, -ent**. For example:

cesser → ils cess**ent**:
   je cess**e**
   tu cess**es**
   il/elle cess**e**
   nous cess**ions**
   vous cess**iez**
   ils/elles cess**ent**

**3**  The present subjunctive of the following verbs is irregular:

| | |
|---|---|
| **aller:** | aille, ailles, aille, allions, alliez, aillent |
| **avoir:** | aie, aies, ait, ayons, ayez, aient |
| **être:** | sois, sois, soit, soyons, soyez, soient |
| **faire:** | fasse, fasses, fasse, fassions, fassiez, fassent |
| **falloir:** | il faille |
| **pouvoir:** | puisse, puisses, puisse, puissions, puissiez, puissent |
| **savoir:** | sache, saches, sache, sachions, sachiez, sachent |
| **valoir:** | vaille, vailles, vaille, valions, valiez, vaillent |
| **vouloir:** | veuille, veuilles, veuille, voulions, vouliez, veuillent |

**4**  The following verbs are irregular only in the **nous** and **vous** forms:

| | |
|---|---|
| **boire:** | boive, boives, boive, **buvions, buviez**, boivent |
| **croire:** | croie, croies, croie, **croyions, croyiez**, croient |
| **devoir:** | doive, doives, doive, **devions, deviez**, doivent |
| **mourir:** | meure, meures, meure, **mourions, mouriez**, meurent |
| **prendre:** | prenne, prennes, prenne, **prenions, preniez**, prennent |
| **recevoir:** | reçoive, reçoives, reçoive, **recevions, receviez**, reçoivent |
| **tenir:** | tienne, tiennes, tienne, **tenions, teniez**, tiennent |
| **venir:** | vienne, viennes, vienne, **venions, veniez**, viennent |
| **voir:** | voie, voies, voie, **voyions, voyiez**, voient |

Note that the present subjunctive of verbs like **appeler, considérer, employer, projeter** and **soulever** is also irregular in the **nous** and **vous** forms.

> See Chapter 11 Sections 13 and 15–17.

## Writing more sophisticated French

There are a number of useful constructions and expressions which you can use to make your sentences more sophisticated.

**5**  Use **et l'on, ou l'on, que l'on, si l'on, où l'on** instead of **et on, ou on, qu'on, si on, où on**:

> La situation des handicapés s'aggravera **si l'on** ne répond pas à leurs besoins

Note, however, that **on** (*not* **l'on**) is used before words beginning with the letter **l**:

> La situation des handicapés s'aggravera **si on les** traite comme des marginaux

**6** **Peut-être que** and **sans doute que** are both used at the beginning of a sentence:

Peut-être que l'on parviendra à réduire le nombre des accidents de la route en imposant de nouvelles limitations de vitesse
> *Perhaps they will manage to reduce the number of road accidents by enforcing new speed limits*

Sans doute que les campagnes de publicité de la Prévention routière auront un effet à long terme
> *Undoubtedly, road safety information campaigns will have a long-term effect*

Note, however, that when **peut-être** and **sans doute** are used with an INVERSION of subject and verb instead of **que**, the sentences are more sophisticated:

**Peut-être parviendra-t-on** à réduire le nombre des accidents de la route en imposant de nouvelles limitations de vitesse

**Sans doute** les campagnes de publicité de la Prévention routière **auront-elles** un effet à long terme

**7** When you are reading newspaper and magazine articles in French, note down for yourself expressions like the ones below.

**a.** To introduce a subject or draw the reader's attention to a point, use:
**Il s'agit ici de . . .**
**Les problèmes que pose/posent . . . font l'objet de vives discussions**
**Il faut insister sur le fait que . . .**

Note that the following sentences about the population crisis:
Nous allons ici examiner les conséquences de la crise démographique
On parle beaucoup de la crise démographique
Il y aura bientôt plus de retraités que de jeunes personnes

are less sophisticated than:

**Il s'agit ici d'**examiner les conséquences de la crise démographique
**Les problèmes que pose** la crise démographique **font l'objet de vives** discussions
**Il faut insister sur le fait qu'**il y aura bientôt plus de retraités que de jeunes personnes

You can also introduce an issue by using a RHETORICAL QUESTION. This is a formal question which you may or may not answer later:

**Faut-il arrêter le programme nucléaire?** A la suite des récents événements la question se trouve à nouveau posée.

**b.** To give an example or offer a personal opinion, use:

**Considérons le cas de . . .**

**En ce qui me concerne, je soutiens que . . .**

**Il serait souhaitable, à mon avis, que** . . . + *subjunctive* . . .

Note that the following sentences about the housing problem:

> Il y a, par exemple, des jeunes couples qui sont obligés de vivre chez un membre de leur famille
>
> Je crois que tout individu a droit à un logement qui corresponde à ses besoins
>
> Je pense que le gouvernement devrait reconnaître ce manque

are less sophisticated than:

> **Considérons le cas des** jeunes couples obligés de vivre chez un membre de leur famille
>
> **En ce qui me concerne, je soutiens que** tout individu a droit à un logement qui corresponde à ses besoins
>
> **Il serait souhaitable, à mon avis, que** le gouvernement *reconnaisse* ce manque

**c.** To concede a point at the same time as putting forward another point of view, use:

**Il est exact que . . ., cependant . . .**

**Il est possible que . . .** + *subjunctive* . . ., **pourtant . . .**

**Tout en reconnaissant le fait que . . ., il faut cependant noter que . . .**

Note that the following sentences about crime:

> La délinquance juvénile est en hausse, mais le nombre de meurtres n'a pas augmenté
>
> Le chômage peut mener à la délinquance, mais il n'en est pas nécessairement la cause
>
> La sécurité nous concerne tous, mais les médias exagèrent l'importance du phénomène

are less sophisticated than:

> **Il est exact que** la délinquance juvénile est en hausse, **cependant** le nombre de meurtres n'a pas augmenté
>
> **Il est possible que** le chômage **mène** à la délinquance, **pourtant** il n'en est pas nécessairement la cause
>
> **Tout en reconnaissant le fait que** la sécurité nous concerne tous, il **faut cependant noter que** les médias exagèrent l'importance du phénomène

**d.** To cast doubt and to disagree, use:

**Reste à savoir si . . .**

**Au lieu de . . ., il faut que . . .** + *subjunctive* . . .

**Il n'a jamais été question de . . .**

Note that the following sentences about the Third World:

On verra bien si la lutte contre la famine aura les effets escomptés

Les pays occidentaux ne doivent pas imposer les «bons» remèdes au tiers monde. Ils doivent aider ces pays à trouver les solutions qui leur conviennent

On n'a jamais proposé de rendre la limitation des naissances obligatoire dans le tiers monde

are less sophisticated than:

**Reste à savoir si** la lutte contre la famine aura les effets escomptés

**Au lieu d'**imposer les «bons» remèdes au tiers monde, **il faut que** les pays occidentaux *aident* ces pays à trouver les solutions qui leur conviennent

**Il n'a jamais été question de** rendre la limitation des naissances obligatoire dans le tiers monde

**e.** To conclude:

**Il apparaît donc que . . .**

**Il résulte de ce qui précède que . . .**

**Pour conclure, . . .**

Note that the following sentences about capital punishment:

Alors les craintes des adversaires de l'abolition de la peine de mort sont sans fondement

Donc l'abolition de la peine de mort n'a pas influé sur le taux des crimes de ` sang

Alors la France devrait être fière d'avoir aboli la peine de mort

are less sophisticated than:

**Il apparaît donc que** les craintes des adversaires de l'abolition de la peine de mort sont sans fondement

**Il résulte de ce qui précède que** l'abolition de la peine de mort n'a pas influé sur le taux des crimes de sang

**Pour conclure,** la France devrait être fière d'avoir aboli la peine de mort

# Travaux pratiques

**A**  At this stage, you should be able to use link words. Check the meaning of the following: **mais, ainsi, par contre, en effet, car** and **d'autant plus que**. Then insert them in the right place:

### Les peines de substitution

Les tribunaux s'efforcent à l'heure actuelle de substituer à l'emprisonnement des peines de travail d'utilité publique. . . ., par exemple, deux jeunes délinquants de Grenoble viennent-ils d'être condamnés à cent heures de travail pour une tentative de cambriolage.

Ces nouvelles dispositions ont l'approbation de nombreux magistrats. La majorité d'entre eux considèrent, . . . , que condamner un petit voleur à quelques semaines de prison n'a rien de rédempteur. Eviter aux petits délinquants le contact avec l'univers carcéral peut, . . . , avoir quelque chose de salutaire, . . . les prisons françaises sont surpeuplées. . . . encore faut-il que les prévenus soient consentants . . . la loi précise que l'on peut refuser cette forme de condamnation et «préférer» être privé de sa liberté.

**B**  Check the meaning of the following link words: **d'abord, ensuite, de plus, en outre, en somme, tandis que** and **alors que**. Then insert them in the right place:

### Les femmes et la dépression

Il semble, d'après les statistiques, que les femmes souffrent de dépression deux fois plus souvent que les hommes. Cela signifie-t-il qu'elles y sont génétiquement prédisposées? Un certain nombre de spécialistes se sont penchés sur le problème.

Ils ont . . . découvert une vérité d'évidence, à savoir qu'une femme soigne son mari souffrant à domicile . . . elle se voit hospitalisée si elle est elle-même atteinte. . . ., les femmes font plus souvent appel au médecin et au psychologue que les hommes.

Ils ont . . . examiné le rôle de l'environnement professionnel ou familial. Le résultat de cette enquête est frappant: les femmes seules ne sont pas plus atteintes par la dépression que les hommes. Les femmes mariées, elles, le sont, . . . les hommes mariés ont des dépressions moins fréquentes que les célibataires.

. . ., les dépressions sont moins fréquentes chez les épouses qui travaillent que chez les femmes au foyer.

. . ., dans ce domaine comme dans bien d'autres, on aurait tort de négliger les facteurs économiques et sociaux.

Travaux pratiques

**C** Write the verbs in the subjunctive:
1 offrir        Tout ce que je demande c'est qu'on m' . . . . . un emploi.
2 aller          Il faudrait que tu . . . . . te renseigner.
3 retenir      Il est tout à fait possible qu'ils . . . . . ta candidature.
4 ne pas être  Il est regrettable que vous . . . . . disponible tout de suite.
5 trouver     Il faut que nous . . . . . quelqu'un immédiatement.
6 faire        Ils auraient voulu que je . . . . . des heures supplémentaires.
7 savoir       Il vaudrait mieux que vous . . . . . taper à la machine.
8 remplir     Voulez-vous que je . . . . . ce formulaire?
9 pouvoir    Laissez votre adresse pour qu'on . . . . . vous joindre.
10 ne pas avoir  Ils m'ont embauché bien que je . . . . . les diplômes requis.

**D** Improve the following sentences about immigration using the expressions given in Section 7 of this chapter:

1 En Europe occidentale on parle beaucoup de l'intégration des travailleurs étrangers.
2 Il est un fait que l'étranger n'est jamais vu d'un bon œil en période de difficultés économiques.
3 Les gouvernements ont encouragé les étrangers à retourner dans leur pays d'origine, mais le pays d'origine est rarement désireux de récupérer ses émigrants.
4 La France ne doit pas accepter le phénomène de rejet exploité notamment par les partis d'extrême droite. Elle doit s'engager résolument dans la voic de l'interculturalité.
5 L'assimilation culturelle des immigrés est peut-être la seule solution, mais elle risque d'entraîner une déculturation et une perte d'identité dangereuses surtout chez les jeunes Français d'origine maghrébine.
6 Alors les hommes d'Etat et les citoyens doivent adopter une démarche interculturelle pour maintenir l'identité des immigrés et assurer leur insertion dans une société plurielle.

**E** Translate:

1 Perhaps they should approach the issue in a totally different way.
2 The Ministry for the Environment would like the local authorities[1] to take immediate measures against river pollution.
3 Undoubtedly, the Western countries will send aid to the Third World countries afflicted by drought.
4 If nothing is done[2] to combat drug trafficking the situation will soon get out of hand.[3]
5 We must find alternatives to prison so that petty thieves do not become hardened criminals.

[1] use *les communes*; [2] use *on*; [3] to get out of hand *devenir impossible*

# Chapitre 11

## Diagnostic

**A** Compléter les blancs en mettant les verbes au présent:

| | | |
|---|---|---|
| 1 | se plaindre | Pourquoi (vous) . . . . . de la politique du gouvernement? |
| 2 | convaincre | Cet argument . . . . . les députés de la majorité. |
| 3 | recevoir | Je . . . . . beaucoup de courrier de mes administrés. |
| 4 | remplir | Depuis quand (vous) . . . . . les fonctions de porte-parole? |
| 5 | suivre | Je . . . . . les conférences de presse à la télévision. |
| 6 | se rappeler | Tu . . . . . notre discussion politique du 2 mai? |
| 7 | protéger | Nous . . . . . les intérêts des jeunes électeurs. |

**B** Compléter les blancs par **le, la, l', les, du, de l', de la** ou **des**, si nécessaire:

**La Cinquième République**

. . . constitution de la Vᵉ République, rédigée sous l'impulsion . . . général de Gaulle, fut approuvée par référendum . . . 28 septembre 1958, et modifiée en 1962. Elle instaure un régime parlementaire de type présidentiel. . . . Parlement est composé de deux chambres: l'Assemblée nationale, où siègent . . . députés, et . . . Sénat. . . . président de la République nomme . . . le premier ministre et joue un rôle primordial.

Que pensent aujourd'hui . . . Français de la Vᵉ République? . . . sondages d'opinion indiquent que . . . majorité d'entre eux en sont satisfaits. De même que dans le régime présidentiel . . . Etats-Unis, . . . président est élu par tous . . . citoyens: ceci convient à plus de 80% d'entre eux. De même que dans le régime parlementaire . . . Grande Bretagne, l'Assemblée nationale peut renverser . . . gouvernement: plus de . . . moitié des Français s'en félicite. De même que dans . . . démocratie suisse, . . . président peut consulter . . . électeurs par référendum: . . . trois-quarts d'entre eux sont favorables à cette disposition.

**C** Traduire en utilisant le vocabulaire des exercices ci-dessus:
1 Politics bore me and I hate political discussions.
2 President Nixon returned to the United States on 31st August, and left for China on 1st September.
3 Many politicians speak English or German, but don't understand Dutch.
4 The press conference will take place on Friday, and not today as expected.
5 The Council of Ministers meets on Wednesdays, usually in the morning.
6 Over half our MPs will be in favour of the proposed measures.
7 They want the budget to be debated in Parliament next month.
8 Undoubtedly, France and Italy will be interested in this project.

## Use of the definite article

Remember that the definite article is used in the following contexts:

**1** before abstract nouns and general statements *where the article is omitted in English*:

| | |
|---|---|
| **Les** discours m'ennuient | *Speeches bore me* |
| **Les** affaires sont **les** affaires | *Business is business* |
| **L'**essence est en hausse | *Petrol is going up* |

**2** before names of **languages**, except directly after **parler**:

| | |
|---|---|
| Elle parle français | *She speaks French* |
| et connaît **le** russe | *and knows Russian* |
| *but* Elle parle **couramment le** français | *She speaks French fluently* |

**3** before **titles** and **ranks**:

| | |
|---|---|
| **Le** roi Louis XIV a unifié la France | *King Louis XIV united France* |
| **L'**amiral Gracq a démissionné | *Admiral Gracq has resigned* |

**4** before **days of the week**, for REGULAR actions:

| | |
|---|---|
| J'y vais **le** samedi | *I go on Saturdays* |
| mais jamais **le** lundi | *but never on Mondays* |
| *but* J'y vais samedi | *I'm going on Saturday,* |
| et non lundi | *not on Monday* |

**5** before a number of expressions of **time**:

Il est de service **l'**a près-midi et **le** soir
*He is on duty in the afternoon and in the evening*
Le prix du pétrole augmente **le** mois prochain
*The price of oil is going up next month*

**6** before **dates** (**le** is always used):

| | |
|---|---|
| Londres, **le** 2 avril | *London, 2nd April* |
| Nous sommes arrivés **le** 1$^{er}$ octobre | *We arrived on October 1$^{st}$* |

**7** before names of regularly attended places (e.g. **le** collège, **l'**école, **le** Parlement), *where the article is omitted in English*:

| | |
|---|---|
| J'ai quitté **le** lycée en juin | *I left school in June* |
| Ils se sont rencontrés **à la** fac | *They met at university* |

**8** before the names of **seasons**:

| | |
|---|---|
| **L'**hiver aggravera la situation | *Winter will make things worse* |

Note: **en** été, **en** automne, **en** hiver, *but* **au** printemps.

**9** before nouns referring to **parts of the body** when these are the object of the verb:

> Ceux qui sont pour, levez **la** main
> *Those who are in favour, raise your hand*
> Je me suis cassé **le** bras en faisant du ski
> *I broke my arm while skiing*

**10** before **fractions** followed by **de** and a definite article, a demonstrative adjective or a possessive adjective:

> Nous avons déjà utilisé **la** moitié de nos fonds
> *We have already used half our funds*
> **Les** trois-quarts de la ville sont inondés
> *Three-quarters of the town is flooded*

**11** before the names of **countries** and **regions**:

> **Le** Japon est plus industrialisé que **la** France
> *Japan is more industrialised than France*
> **La** Bretagne attire plus de touristes que **la** Normandie
> *Brittany attracts more tourists than Normandy*

**12** Notice that **à** and **de** are used with the article before **countries** and **regions** which are masculine or plural nouns:

> Le président rentre **du** Japon
> *The president is coming back from Japan*
> Le colloque aura lieu **aux** Etats-Unis
> *The conference will take place in the US*

## *-er* verbs with spelling changes

The spelling irregularities of the following verbs reflect the way they are pronounced. As you will see from the lists under 'other examples' in each section, these verbs are quite common. Check what they mean.

**13** Verbs like **considérer**:

| *present* | *present subjunctive* |
|---|---|
| je considère | que je considère |
| tu considères | que tu considères |
| il/elle considère | qu'il/elle considère |
| nous considérons | que nous considérions |
| vous considérez | que vous considériez |
| ils/elles considèrent | qu'ils/elles considèrent |

Note: no change in other tenses.

*Other examples*:
accélérer  aliéner  céder  compléter  concéder  déléguer  délibérer  différer  espérer  exagérer  excéder  (s')inquiéter  insérer  intégrer  libérer  posséder  précéder  préférer  procéder  protéger (see Section 14 below)  référer  refléter  réitérer  répéter  sécher  suggérer  tolérer

**14** Verbs ending in **-cer** and **-ger**:

| **annoncer** | **partager** |
|---|---|
| *present* | |
| j' annonce | je partage |
| tu annonces | tu partages |
| il/elle annonce | il/elle partage |
| nous annonçons | nous partageons |
| vous annoncez | vous partagez |
| ils/elles annoncent | ils/elles partagent |
| *imperfect* | |
| j' annonçais | je partageais |
| tu annonçais | tu partageais |
| il/elle annonçait | il/elle partageait |
| nous annoncions | nous partagions |
| vous annonciez | vous partagiez |
| ils/elles annonçaient | ils/elles partageaient |
| *present participle* | |
| (en)   annonçant | (en)   partageant |

Note that the changes above reflect the general spelling rule requiring that **c** should be replaced by **ç** and **g** by **ge** before **a** and **o** in order to keep a soft pronunciation of **c** and **g**. This also occurs in the past historic tense (See Verb Tables).

*Other examples*:
acquiescer   amorcer   avancer   balancer   commencer   décontenancer
dénoncer   devancer   distancer   s'efforcer   exercer   financer   (ren)forcer
(en)foncer   influencer   lancer   menacer   nuancer   (dé)placer   forcer
renoncer   tracer
affliger   allonger   aménager   arranger   bouger   charger   corriger   diriger
engager   ériger   exiger   juger   mélanger       négliger   obliger   protéger
(see Section 13 above)   déranger   voyager

**15** Verbs like **soulever**:

| *present* | *present subjunctive* |
|---|---|
| je soulève | que je soulève |
| tu soulèves | que tu soulèves |
| il/elle soulève | qu'il/elle soulève |
| nous soulevons | que nous soulevions |
| vous soulevez | que vous souleviez |
| ils/elles soulèvent | qu'ils/elles soulèvent |

Note that the spelling change occurs throughout the future and the conditional (see Verb Tables).

*Other examples*:
acheter   achever   amener   congeler   crever   déceler   (dé)geler   (re)lever
(em)mener   modeler   peser   (se) promener   surgeler

**16** Verbs like **projeter** and **appeler**:

| *present* | *present subjunctive* |
|---|---|
| je projette/appelle | que je projette/appelle |
| tu projettes/appelles | que tu projettes/appelles |
| il/elle projette/appelle | qu'il/elle projette/appelle |
| nous projetons/appelons | que nous projetions/appelions |
| vous projetez/appelez | que vous projetiez/appeliez |
| ils/elles projettent/appellent | qu'ils/elles projettent/appellent |

Note that the spelling change occurs throughout the future and the conditional (see Verb Tables).

*Other examples*:
cacheter   feuilleter   (re)jeter
amonceler   épeler   étinceler   harceler   ficeler   niveler   peler
rappeler   renouveler

**17** Verbs ending in **-oyer** and **-uyer**:

**employer/appuyer**

| *present* | *present subjunctive* |
|---|---|
| j' emploie/appuie | que j' emploie/appuie |
| tu emploies/appuies | que tu emploies/appuies |
| il/elle emploie/appuie | qu'il/elle emploie/appuie |
| nous employons/appuyons | que nous employions/appuyions . |
| vous employez/appuyez | que vous employiez/appuyiez |
| ils/elles emploient/appuient | qu'ils/elles emploient/appuient |

Note that the spelling change occurs throughout the future and the conditional (see Verb Tables).

*Other examples*:
côtoyer   coudoyer   (r)envoyer   nettoyer   noyer   octroyer   tutoyer
vouvoyer   essuyer   ennuyer

**A** Compléter les phrases suivantes par **le, la, l', les, du, de l', de la** ou **des**, si nécessaire:

**La campagne électorale**

Si l'on en croit . . . sondages, . . . opposition possède aujourd'hui, sur . . . majorité sortante, une avance sans précédent. . . . président sortant et . . . premier ministre ne sont plus populaires auprès de . . . électorat. Les leaders de . . . opposition ne soulèvent guère d'enthousiasme non plus, tandis que certaines mesures adoptées par . . . gouvernement actuel reçoivent . . . approbation de nombreux électeurs. En fait, il semble que . . . tiers environ de la population hésite encore: on aurait donc tort de croire que . . . opposition est assurée de . . . victoire.

On note néanmoins que . . . libéralisme est une valeur appréciée: . . . France est aujourd'hui une France modérée. . . . thèmes comme . . . dirigisme, . . . nationalisations, . . . protectionnisme et . . . syndicats possèdent désormais une image négative tandis que . . . privatisation des universités et même la liberté . . . prix suscitent des inquiétudes. Il faudra attendre . . . 14 mars pour voir si cette tendance se confirme.

**B** Traduire les phrases suivantes en suivant les indications données entre parenthèses:

1  About[1] two thirds of the population reject the measures adopted by the present Government.  (*rejeter*)
2  On 22nd December, the Elysée[2] spokesman had made the following statement: 'The President wants the voters to know that his Government is gradually solving the economic problems of France.'  (*résoudre*)
3  On television and radio last week the leader of the opposition was strengthening his position by repeatedly disconcerting his opponents. (*renforcer, décontenancer*)
4  'Staying on[3] at school until eighteen does not weaken young people's chances of finding[3] work,' the Education Minister said[4] on Wednesday. (*affaiblir*)
5  Political parties consider that opinion polls do not reflect the ideas of the general public.  (*considérer, refléter*)
6  May I remind you that we are protecting the interests of the majority. (*rappeler, protéger*)
7  Inflation and the drop in[5] industrial production give cause for concern and raise the question of economic recovery.  (*susciter, soulever*)
8  Our correspondent in Chad said: 'I can[6] see the inhabitants raise their fists in defiance[7] while the tanks destroy the village.'  (*lever, détruire*)

[1] voir Ch. 24 ¶ 3b; [2] *l'Elysée*: l'endroit où réside le président de la République; [3] voir Ch. 17 ¶ 12; [4] voir Ch. 25 ¶ 3; [5] *la baisse de*; [6] *can* devant **to see** ne se traduit pas; [7] *en signe de défi*

# Chapitre 12 ............................ Les médias

## ▪ Diagnostic ▪

**A** Compléter les phrases par **le, la, l', les, du, de la, de l', des, de** ou **en**:

**«Kal»: jeudi 16 octobre à 22h 50 sur FR3**

Jean-Jacques Flori a effectué bon nombre . . . séjours . . . Inde et lui a déjà consacré . . . films remarquables. Son dernier documentaire, intitulé «Kal», joue sur . . . contrastes et nous montre . . . image d'un pays à deux vitesses. D'un côté: . . . pauvreté, . . . traditions, . . . religion. De l'autre: . . . télévision, . . . informatique, la conquête . . . espace. D'un côté: . . . fatalisme d'une majorité de ruraux. De l'autre: . . . dynamisme d'une classe moyenne qui découvre . . . plaisirs de la société . . . consommation et qui a confiance en . . . avenir d'un pays comptant près de 800 millions . . . habitants.

En juxtaposant, en images, . . . Inde millénaire et . . . Inde moderne, Flori pose . . . multiples questions mais ne propose pas . . . solutions. D'où l'effet troublant de cette émission qui a connu tant . . . succès auprès . . . téléspectateurs lors de sa première diffusion.

**B** Mettre les verbes entre parenthèses au temps qui convient:

1 Si vous (tenir) à voir le film diffusé après minuit, je vous l'enregistrerai au magnétoscope.
2 La presse écrite ne (pouvoir) pas survivre si elle ne faisait pas de publicité.
3 Si cette chaîne veut se maintenir, elle (devoir) diversifier ses programmes.
4 Si les médias n'avaient pas monté cette affaire en épingle, personne ne s'y (intéresser).

**C** Traduire:

1 He worked as a press photographer in Le Mans and then as a television reporter in Paris.
2 I heard M. Gerland on the radio: he talked about Belgium with overwhelming enthusiasm and great clarity.
3 We found it difficult[1] to believe that they had neither radio nor TV.
4 In France, in the sixties, the Government became the favourite target of a great many cartoonists.
5 A party of tourists from Britain came to visit the recording studio.
6 Some young journalists have voiced their concern about the accuracy of the reports from the Philippines.

[1] utiliser *avoir de la peine* et vérifier sa construction p. 218

# More about articles

Remember **not** to use any article in the following contexts:

**1** before adjectives describing someone's **occupation, religion** or **politics**:

Gérard Depardieu est acteur  *Gérard Depardieu is an actor*

La reine est protestante  *The Queen is a protestant*

Le président est socialiste  *The President is a socialist*

Note:  Il est socialiste  *He is a socialist*

*but* **C'est un** socialiste  *He is a socialist*

**2** before the names of **towns**, except where the definite article is part of the name:

Lille — je vais à Lille  *but*  Le Havre — je vais **au** Havre

**3** after **comme** before a noun describing an **occupation**:

Elle travaille comme ingénieur  *She is working as an engineer*

**4** before the second noun in adjectival expressions, that is expressions which have the same function as the adjective in English:

un réseau **d'ordinateurs**  *a computer network*

la consommation **de pétrole**  *petrol consumption*

les conditions **de travail**  *working conditions*

Note that some expressions seem adjectival but are not and take the definite article. When you are reading newspaper and magazine articles in French, note down for yourself expressions like:

le contrôle **des naissances**  *birth control*

la crise **du logement**  *the housing crisis*

**5** after **sans** and **ni . . . ni**, where you might expect an indefinite article:

Elle voyage sans billet

*She is travelling without a ticket*

Il n'a ni initiative ni autorité

*He does not have any initiative or authority*

*He has neither initiative nor authority*

Note that in general statements, the definite article is used as in Chapter 11 Section 1:

Ils ne regardent ni les documentaires ni les feuilletons

*They watch neither documentaries nor serials*

**6** in adverbial expressions:

Elle organise son travail avec intelligence

*She organises her work intelligently*

*but* Elle organise son travail avec **une** intelligence remarquable

*She organises her work with remarkable intelligence*

**7** after the prepositions **en** and **de**, which are used before feminine singular **regions, countries** and **continents**:

> M. Peyret vit **en** Provence
>> *M. Peyret lives in Provence*
>
> M. Gonzalez vient **d'**Espagne
>> *M. Gonzalez is from Spain*
>
> Mme Schmidt retourne **en** Afrique du Sud
>> *Mme Schmidt is going back to South Africa*

## Use of *de*

Remember to use **de, d'** (and not **du, de la, de l', des**) in the following contexts (see also Section 4 above):

**8** in formal language, before plural adjectives used before the noun:

> Cet homme politique a **d'**excellentes idées
>> *This politician has excellent ideas*
>
> **D'**importantes directives viennent d'être présentées
>> *Some important guidelines have just been issued*

**9** after expressions of QUANTITY:

> Beaucoup **de** jeunes étaient présents
>> *Many young people were there*
>
> Je n'ai jamais vu tant **de** gens
>> *I have never seen so many people*
>
> On a importé 3 000 tonnes **de** charbon
>> *3,000 tonnes of coal were imported*
>
> Bon nombre **de** retraités sont mal lotis
>> *Many pensioners are badly off*

*Exceptions:* the following expressions of quantity do **not** take **de**:

| | | |
|---|---|---|
| la plupart | **des** (+ plural verb) | *most* |
| bien | **des** (+ plural verb) | *many* |
| la majeure partie | **du, de la, de l'** (+ singular verb) | *most* |
| la majorité | **du, de la, de l', des** (+ singular verb) | *the majority* |
| encore | **du, de la, de l', des** | *more* |

> La majeure partie **du** travail n'est pas compliquée
>> *Most of the work is not complicated*
>
> Dans bien **des** cas, les femmes touchent de bas salaires
>> *In many cases women get low wages*

Note that you must also use **du, de la, de l', des** whenever *the* is used in English:

> Beaucoup **des** manifestants étaient des enfants
>> *Many of **the** demonstrators were children*

[81]

**10** after expressions such as **changer de, manquer de**:

    L'entreprise a changé de nom    *The company changed its name*

    L'association manque de fonds    *The association lacks funds*

**11** after negative adverbs:

    **a. de** replaces **du, de la, de l', des**:

        Cette région produit **du** lait

        *Milk is produced in this area*

    *but* Cette région **ne** produit **pas de** lait

        *No milk is produced in this area*

        Ils ont **de l'**influence sur lui

        *They have some influence on him*

    *but* Ils n'ont guère d'influence sur lui

        *They hardly have any influence on him*

    **b. un** and **une** are usually replaced by **de**:

        J'ai toujours **une** carte de crédit sur moi

        *I always have a credit card on me*

    *but* Je n'ai **jamais de** carte de crédit sur moi

        *I never have a credit card on me*

Note, however, that **un** and **une** are used to mean *not one* or *not a single one*:

    Il n'y a pas un instant à perdre    *There is not one minute to lose*

> See list of negative adverbs in Chapter 5 Section 1.

## Sentences with *si*

**12 Si**, meaning *if*, is used in sentences which express a condition:

    Si tu la vois, fais-lui mes amitiés

        *If you see her, give her my regards*

    Vous seriez promu si vous acceptiez de travailler à l'étranger

        *You would get promoted if you agreed to work abroad*

    Il aurait déjà reçu son visa s'il avait fait la demande à temps

        *He would already have received his visa if he had applied on time*

Note that **si** is shortened to **s'** in front of **il** and **ils** only.

**13** When **si** is used to express a condition, the following tense rules apply:

| *condition clause* | *result clause* |
| --- | --- |
| **si** + present | present, imperative or future |
| **si** + imperfect | conditional |
| **si** + pluperfect | conditional perfect |

Examples with **si** + present combined with PRESENT, IMPERATIVE or FUTURE:
Je **prends** l'autoroute **si** je **suis** pressé
> *I take the motorway if I am in a hurry*

**Si** vous le **pouvez, prenez** du repos
> *If you can, have a rest*

**Si** l'usine ferme, que **feront** les syndicats?
> *If the factory closes what will the unions do?*

Même **si** l'on **contrôle** la pollution, il **faudra** des années pour en annuler les effets*
> *Even if pollution were controlled, it would take years to counteract its effects*

Examples with **si** + imperfect combined with CONDITIONAL:
**Si** on **trouvait** une salle, on **monterait** une troupe théâtrale
> *If we found a hall, we'd set up a theatre group*

L'Europe **serait** plus faible sur le plan politique, **si** la CE n'**existait** pas
> *Europe would be politically weaker, if the EC did not exist*

Examples with **si** + pluperfect combined with CONDITIONAL PERFECT:
Cet accident n'**aurait** pas **eu** lieu **si** l'on **avait respecté** les consignes de **sécurité**
> *This accident would not have happened if the safety regulations had been followed*

**Si** l'armée n'**était** pas **intervenue**, la situation **aurait empiré**
> *If the army had not intervened, the situation would have worsened*

* Note from the translation of this sentence that the **si** + present – future tense sequence is often preferred in French to create a sense of immediacy.

**14 Si** is used in other types of sentence:

**a.** to mean *supposing, what if, how about*:
Et si les experts s'étaient trompés?
> *What if the experts had made a mistake?*

Si on allait au cinéma?
> *How about going to the cinema?*

**b.** to mean *whether* or *if* in an **indirect question** (in this case, the tenses used are those illustrated in Chapter 9 Sections 1 and 3–4):
Je me demande si cette affaire sera éclaircie
> *I wonder if this matter will be clarified*

Ils voulaient savoir s'il y aurait un remaniement ministériel
> *They wanted to know whether there would be a Cabinet reshuffle*

**A** Mettre les verbes entre parenthèses au temps qui convient en plaçant correctement les adverbes:

1 Si les taux d'audience (continuer) à baisser, cette émission de variétés devra sans doute être supprimée.

2 Si les ventes de magazines spécialisés n'avaient pas tant augmenté, le tirage des quotidiens (se maintenir) peut-être.

3 Les radios libres (continuer) sans doute à proliférer, si l'on n'avait pas autorisé l'existence de radios locales privées.

4 Si l'on (tenir) vraiment à préserver la pluralité de l'information, on empêcherait la constitution de monopoles de presse.

**B** Compléter par **de, d', du, de la, de l'** ou **des**:

**L'explosion vidéo**

En quelques années on a assisté à une véritable explosion . . . marché vidéo. Des millions . . . foyers sont maintenant équipés d'un magnétoscope. Si, pour la majorité . . . utilisateurs, le magnétoscope sert avant tout à enregistrer des émissions . . . télévision, la location . . . cassettes préenregistrées n'est pas un phénomène négligeable. Grâce aux vidéo clubs, les propriétaires . . . magnétoscopes ont un choix très diversifié . . . programmes: les longs métrages ne sont pas seuls à figurer dans les catalogues, on y trouve aussi bien des œuvres . . . télévision et des films . . . animation que des cours . . . tennis ou . . . langue, sans oublier les programmes . . . jeux. Mais loin de n'être qu'un instrument . . . reproduction, la vidéo est également devenue un outil . . . expression ainsi qu'un moyen . . . production et . . . diffusion dans des secteurs comme la formation . . . personnel et l'enseignement à distance.

**C** Traduire:

1 Many of the viewers questioned were in favour of keeping this variety show on Friday evenings.

2 Although the company has changed management, we[1] are still using video for staff training.

3 New TV channels have been set up[1], which broadcast neither in-depth[2] news bulletins nor current affairs programmes.

4 If you own a video-recorder you can hire pre-recorded cassettes: many recent feature films are available in videoclubs.

5 This right-wing weekly magazine published confidential documents without authorisation. Most readers think that it was right to do so[3].

6 As a general editor he is very efficient. He runs the daily newspaper with amazing conviction and a great deal of courage. This is why the majority of the journalists treat him with so much respect.

[1] utiliser *on*; [2] utiliser *détaillé*; [3] voir Ch. 19¶7

# Chapitre 13 ............... Problèmes actuels

## Diagnostic

**A** Mettre les verbes entre parenthèses au passé composé. Attention à l'accord du participe passé.

### Le SIDA: un véritable fléau

Le SIDA (devenir) aujourd'hui un énorme problème de santé publique. Pourtant si le mal progresse, les pays atteints (se doter) des moyens de le contrôler. Une véritable course de vitesse (s'engager) depuis 1981 entre le virus responsable du SIDA et les plus grands centres de recherche médicale: dix-huit mois seulement (s'écouler) entre le moment où l'on (signaler) la maladie et la découverte du virus. Phénomène sans précédent, on (pouvoir) suivre à la fois l'apparition et le développement de la maladie, ce qui (ne pas manquer) d'affoler l'opinion.

Devant les réactions de rejet et de panique que les médias (provoquer) et (entretenir) dans un premier temps, les associations d'homosexuels (se rendre compte) de la nécessité de mettre en œuvre un vaste programme d'information et de prévention. Cette attitude responsable, les pouvoirs publics la (adopter) à leur tour car, dans la lutte contre le SIDA, l'information et la prévention ont un rôle déterminant à jouer.

**B** Traduire en faisant attention aux adverbes de négation:

### Le drame des réfugiés

Quiconque a parcouru les camps de réfugiés d'Asie du sud-est n'est pas près d'oublier ni la misère ni la dignité de ces victimes de l'histoire.

La vague des réfugiés enfle de semaine en semaine: ils arrivent soit à pied en longues colonnes misérables soit entassés sur des charrettes à bœufs. Dès leur arrivée, ils sont pris en charge par des associations humanitaires. La vie reste cependant précaire pour ces déracinés qui n'ont plus rien ni nulle part où aller: la malnutrition ainsi que les épidémies sévissent. Ajoutons à cela qu'ils ne sont pas, non plus, à l'abri de la violence. Il arrive, en effet, que les camps deviennent la proie de gangs armés: la nuit, après le départ des représentants des organisations internationales, les familles qui se terrent dans leur cahute ne sont plus protégées par personne.

Un tel dénuement n'est guère concevable pour ceux qui vivent dans l'abondance. La tâche des agences humanitaires est immense et les fonds dont elles disposent limités. Il est regrettable que les reportages en images aient souvent l'effet non pas d'alerter la communauté internationale mais de banaliser la souffrance.

# More about negative sentences

**1** More than one negative adverb can be used in a sentence:

| | |
|---|---|
| Il ne la verra **plus jamais** | *He will never see her again* |
| Vous n'avez **plus rien**? | *Don't you have anything left?* |
| Je ne vois **plus personne** | *I don't see anyone any more* |
| Il n'y a **plus que** vous | *You're the only one left* |
| Je n'ai **plus rien** à expliquer | *I have nothing more to explain* |
| Elle ne voit **jamais personne** | *She never sees anyone* |
| On ne parle **jamais ni** de politique **ni** de religion | *We never talk about politics or religion* |
| Il ne va **jamais nulle part** | *He never goes anywhere* |
| Il n'offre **jamais rien à personne** | *He never gives anyone anything* |

Note from the above examples that the negative adverbs are used in this order:

<pre>
                                    ni . . . ni
                                    nulle part
        ne . . . plus . . . jamais . . .   personne
                                    que
                                    rien
</pre>

Note also that **pas** can only be combined with **ni** and **que**:

Je n'ai **pas** l'intention de me plaindre **ni** d'en parler
> *I don't intend to complain or to talk about it*

Il n'y avait **pas que** des enfants à bord
> *There weren't only children on board*

---

See Chapter 5 for position of negative adverbs in a sentence.

---

**2** **Non** is not always equivalent to **no**, nor is **yes** always translated by **oui**.

  **a.** **Non**, meaning *not*, is used in formal language instead of **pas**:

C'est l'architecte et **non** l'entrepreneur qui est à blamer
> *It is the architect and not the contractor who is to blame*

  **b.** **Non pas** can be used for emphasis:

Je vous dis la vérité **non pas** pour vous effrayer mais pour vous prévenir
> *I am telling you the truth not to frighten you but to warn you*

**c.** Use **si** after a negative question:

Vous n'avez pas d'emploi?       *Don't you have a job?*

Mais **si**, j'ai été embauché hier    *Yes, I was given a job yesterday*

**d.** . . . **que non,** . . . **que oui** and **que si** . . . are used after expressions such as **sembler, dire, croire** etc.:

M. Leclerc était-il au courant? Il semble **que non**

    *Was Mr Leclerc informed? It looks as though he was not*

Mme Gonzalez sera-t-elle réélue? La presse locale dit **que oui**

    *Will Mrs Gonzalez be re-elected? The local press thinks so*

**3 Ne . . . que** means *only*.

**a.** The **que** is placed before the relevant noun:

Je n'ai assisté aux réunions **que deux fois**

    *I only went to the meetings twice*

**b. Ne . . . que** cannot apply to the action of the verb. The construction **ne faire que** is used instead:

Quand je lui ai expliqué notre stratégie commerciale, elle **n'**a **fait que** sourire

    *When I explained our commercial strategy to her, she only smiled*

**4 Ni . . . ni** generally translates both *neither . . . nor* and *not either . . . or*:

La France n'a remporté ni la Coupe d'Europe ni la Coupe du Monde

    *France won neither the European Cup nor the World Cup*

    *France did not win (either) the European Cup or the World Cup*

But note the use of **non plus** in sentences like:

Le franc n'a pas été dévalué, la lire italienne **non plus**

    *The franc was not devalued, neither was the Italian lira*

Les retraités ne se sentent pas concernés, les jeunes **non plus**

    *The pensioners do not feel concerned, neither do young people*

Note also that the opposite of **non plus** is **aussi**:

L'accusé a été acquitté, son comptable (lui) **aussi**

    *The defendant was acquitted and so was his accountant*

    *The defendant was acquitted and his accountant too*

## Agreement of the past participle

5 The rules for the agreement of the past participle are the same for all the compound tenses. These are listed below with their English equivalents.

| Tense | examples with *avoir**  | examples with *être** |
|---|---|---|
| *perfect* | j'ai fini | je suis parti(e) |
| | *I have finished* | *I have left* |
| | *I finished* | *I left* |
| *pluperfect* | j'avais fini | j'étais parti(e) |
| | *I had finished* | *I had left* |
| *future perfect* | j'aurai fini | je serai parti(e) |
| | *I will have finished* | *I will have left* |
| *conditional perfect* | j'aurais fini | je serais parti(e) |
| | *I would have finished* | *I would have left* |
| *past infinitive* | avoir fini | être parti(e)(s) |
| | *to have finished* | *to have left* |
| | *having finished* | *having left* |

* See Chapter 3, Section 12 for details of which verbs take **avoir** and **être**.

6 With **avoir** verbs, the past participle does *not* agree *unless* there is a direct object placed before the verb. The PRECEDING DIRECT OBJECT could be a NOUN or a PRONOUN such as **que, le, la, les** or **l'**.

See Chapter 3 Sections 1 and 4 for the difference between direct and indirect objects.

Look at the examples below. On the left there is *no* agreement, because the direct object comes *after* the verb. On the right the past participle *does* agree because the direct object comes *before* the verb.

| *no agreement* | *agreement* |
|---|---|
| Elle avait annoncé **sa décision**? | Oui, elle **l'**avait annoncée |
| Ils ont conclu **plusieurs accords** | Mais **les accords qu'**ils ont conclus n'ont pas été respectés |
| | |
| Vous aurez lu **les contrats** ce soir? | Oui, je **les** aurai lus avant 18 heures |
| Où sont **les cartes d'invitation**? | Je **les** ai mises sur le bureau après **les** avoir signées |

**7** With **être** verbs, the rules of agreement of the past participle are as follows:

    **a.** the past participle of the verbs listed in Chapter 3 Section 12b, *always agrees with the subject of the verb*, just like an adjective:

    Les taux d'intérêt **sont** brusquement tombés

    Nous **sommes** passés prendre des renseignements

    Edith Piaf **est** morte en 1963

Note that some of these verbs may be used with direct objects, in which case they have a different meaning and take **avoir**. Agreement, therefore, is as in Section 6 above:

**descendre (+ être)** *to go/come down*:

    Jeanne **est** descendue à huit heures

**descendre (+ avoir)** *to take down*:

    Jeanne **a** descendu les bagages   → elle **les** a descendus

**sortir (+ être)** *to go/come out*:

    Les syndicalistes **sont** sortis sans rien dire

**sortir (+ avoir)** *to take out*:

    Les syndicalistes **ont** sorti leurs dossiers   → ils **les** ont sortis

    **b.** the past participle of reflexive verbs such as **s'arrêter, se lever, s'étonner, s'échapper**, etc., agrees with the reflexive pronoun, which in turn agrees with the SUBJECT:

    Les détenus se sont échappés pendant la promenade quotidienne

    La directrice s'est ravisée après avoir étudié le rapport

Note that the reflexive pronoun is in fact the preceding direct object of the verb.

**8** Some reflexive constructions can take a DIRECT OBJECT after the verb:

    Ma collègue s'est acheté **une Peugeot**

    Le président et le premier ministre se sont adressé **des compliments**

    Elle s'est demandé **ce qui était arrivé**

If there is a direct object, then the reflexive pronoun must be the indirect object. In these cases the past participle does not agree.

Note that the past participle will agree with the direct object, but only if this direct object precedes the verb:

    **La Peugeot qu'**elle s'est achetée est nerveuse

    On a remarqué **les compliments qu'**ils se sont adressés

**A** Mettre les verbes entre parenthèses au passé composé en faisant attention à la place des adverbes et aux accords.

**Nucléaire: les inquiétudes persistent**

Le moment (ne pas venir) de réexaminer la politique française en matière d'énergie nucléaire et de sécurité? «Non», (répondre) le ministre de l'Environnement, au cours de la conférence de presse d'hier. A la suite des accidents qui (survenir) récemment dans les centrales nucléaires françaises, divers groupes de pression (se mobiliser) cependant pour obtenir qu'un organisme indépendant effectue des contrôles de sécurité.

Rappelons que lors de l'accident de Tricastin les responsables de la centrale (ne pas procéder) à l'arrêt immédiat des installations. Quand, par la suite, on les (accuser) d'avoir négligé les règles de sécurité les plus élémentaires, ils (reconnaître) qu'en effet des erreurs avaient été commises. La fuite de sodium que l'on (découvrir) quelques mois plus tard à Creys-Malville n'a pas été jugée assez dangereuse non plus pour justifier l'arrêt du surgénérateur: les installations (continuer) à fonctionner comme si de rien n'était et les techniciens (se donner) un an pour effectuer la réparation. «Les scientifiques que je (rencontrer) me (affirmer) qu'aucun problème de sécurité ne se posait et qu'arrêter le réacteur ne simplifierait pas leur tâche», (déclarer) le ministre. Jusqu'à présent on (faire) toujours confiance aux scientifiques. Et s'ils se trompaient? Cela (se voir) déjà.

**B** Les questions suivantes portent sur le texte ci-dessus. Compléter les réponses par **que oui, que non** ou **que si**:

1 Faut-il réexaminer la politique française en matière d'énergie? Le ministre de l'Environnement est convaincu. . . . .

2 La direction de la centrale de Tricastin n'a-t-elle pas négligé les règles de sécurité? Elle a admis. . . . .

3 Un problème de sécurité se pose-t-il à Creys-Malville? Les scientifiques affirment. . . . .

4 Les scientifiques se trompent-ils parfois? Il semble bien. . . . .

**C** Traduire:

1 The Government is prepared neither to reexamine the nuclear energy policy nor to set up an independent body to carry out safety checks.

2 It is possible that the information campaign launched in Britain will have a major role to play in the fight against AIDS.

3 Far from reassuring the public, the Minister's recent statements have only given rise to new anxieties.

4 Although humanitarian agencies are present in every refugee camp, the conditions in which the refugees live are deteriorating.

# Révision 11–13

**A** Mettre les verbes entre parenthèses au temps indiqué en effectuant, le cas échéant, l'accord du participe passé:

1 *passé composé*     Je (ne pas avoir) l'occasion de voir l'émission documentaire que votre société (produire).

2 *plus-que-parfait*     Ils sont morts sans avoir entendu le reportage que la radio locale leur (consacrer).

3 *conditionnel passé*     Cet article de fond nous (convaincre) de l'importance des médias.

4 *passé composé*     Les actualités télévisées (s'achever) sur une déclaration du ministre de l'Intérieur.

5 *plus-que-parfait*     Les connaissances que je (acquérir) pendant mon séjour en Afrique me furent précieuses par la suite.

6 *passé composé*     Les feuilletons américains les (ne jamais enthousiasmer).

7 *conditionnel passé*     On (croire) qu'à la suite de cette campagne de publicité, de nombreux retraités (s'offrir) une croisière.

8 *plus-que-parfait*     Quelles émissions de télévision on (recommander) aux lecteurs cette semaine-là?

9 *passé composé*     Les chiffres d'audience (permettre) de connaître les attentes des téléspectateurs.

**B** Complétez par **un, une, le, la, l', les, de, du, de la, de l'** ou **des**:

**Médias et sondages**

Pour . . . année dernière, marquée en France par . . . élections importantes, nous avons dénombré presque un millier . . . sondages . . . opinion publiés par . . . médias. Même hors des périodes électorales, . . . tendance de la plupart . . . médias à publier . . . sondages reste forte. Est-ce un phénomène . . . mode? Ou est-ce une façon de chercher à faire pression sur . . . opinion?

    Chacun sait que . . . réponses aux sondages dépendent . . . questions posées. Un exemple: l'analyse . . . aspirations et . . . frustrations . . . Français est un thème . . . sondage qui revient avec . . . régularité remarquable. Mais la liste . . . rubriques soumises à . . . appréciation des personnes interrogées peut varier fortement selon l'orientation . . . journal. Que les sondeurs le veuillent ou non, il faut constater que . . . sondage peut être utilisé comme un moyen . . . pression. Cette constatation devrait inciter . . . journaliste à se poser nombre . . . questions sur . . . validité et les limites . . . résultats . . . sondages.

    Dans ce domaine, comme dans beaucoup . . . autres, il y a . . . bons et . . . moins bons artisans: . . . questionnaire établi sans précautions cesse d'être un outil . . . information. . . . meilleure école . . . sondage ne peut remplacer . . . longues années . . . expérience.

**C** Mettre les verbes entre parenthèses au temps qui convient (passé composé ou imparfait):

**Recrudescence de la maladie du sommeil en Afrique**

La mouche tsé-tsé menace à nouveau les populations africaines. Au début du siècle, la trypanosomiase, célèbre sous le nom de «maladie du sommeil» et transmise par la mouche tsé-tsé (décimer) des populations entières. Sous l'impulsion du docteur Eugène Jamot, les médecins (contre-attaquer) et (obtenir) rapidement une régression de la maladie. En 1944, on (considérer) que la trypanosomiase était endiguée.

La maladie du sommeil (disparaître) donc aujourd'hui? Non. Il semble au contraire qu'elle soit en recrudescence, ce qui n'est pas sans surprendre. En effet, si aucun progrès ne (être) enregistré dans le domaine de la thérapeutique, les techniques de diagnostic et de lutte contre cette maladie (connaître) d'importantes améliorations. On croit pouvoir en conclure que c'est dans le domaine du dépistage que l'attention (se relâcher).

**D** Réécrire les phrases suivantes en suivant les indications entre parenthèses:

e.g. Les manipulations génétiques doivent quelque chose à la science-fiction. (*no longer anything*)

→ Les manipulations génétiques ne doivent plus rien à la science-fiction.

**La procréation artificielle**

1 Jusqu'ici les êtres humains avaient deux certitudes (*only*): celle d'avoir une mère et d'être mortels. Bientôt, avec la procréation artificielle ils en auront une. (*only one left*)

2 Peut-on imaginer une situation où l'incertitude sur le sexe de l'enfant à venir existerait encore pour quelqu'un? (*no longer for anyone*)

3 Dans le débat sur les «mères porteuses» ou «mères de substitution», on mentionne toujours le dialogue ou l'échange (*never . . . either . . . or*) qui s'établit entre la mère et l'enfant pendant la grossesse.

4 Certaines des premières mères porteuses ont déclaré qu'elles répèteraient une telle expérience. (*never again*)

5 Les pouvoirs publics permettront à certains (*never more to anyone*) de se livrer à des manipulations jugées dangereuses pour l'avenir de l'espèce humaine.

**E** Traduire:

1 It is possible that the committee presided over by Dr Franju will prohibit certain types of genetic manipulations for ethical reasons.

2 The medical association (*Conseil national de l'ordre des médecins*) reminds its members that an embryo should not be treated like laboratory material or a commodity.

3 A number of adult French people read comic strip books which they do not consider to be superficial or childish. These books differ noticeably from the comic strips published in most children's weekly magazines.

4 If this politician became President, he would not keep his electoral promises.

# Chapitre 14 ............ La Communauté Européenne

## Diagnostic

**A** Compléter les blancs par **à** ou **de**:

**Les origines de la CE**

L'idée d'une communauté européenne fut émise en 1950 par des hommes soucieux . . . assurer une paix durable. Seule une Europe unie leur semblait capable . . . empêcher une confrontation entre les deux blocs dominés par les Etats-Unis et l'URSS. Six pays (la Belgique, la France, le Luxembourg, l'Italie, les Pays-Bas et la République Fédérale Allemande) se déclarèrent prêts . . . participer aux négociations qui aboutirent en 1956 à la signature du traité de Rome instituant le Marché commun. Rappelons que la France, à qui l'on doit l'initiative sur la CECA (Communauté économique du charbon et de l'acier), est également responsable . . . l'échec du projet de Communauté politique européenne. En effet, en 1954 l'Assemblée nationale, défavorable . . . la création d'une Communauté européenne de défense, a rejeté les propositions de la commission chargée . . . préparer l'union politique de l'Europe.

**B** Réécrire les phrases en suivant les indications:
e.g. Cette analyse statistique n'est pas représentative. *Ces chiffres. . .*
→ Ces chiffres ne sont pas représentatifs

1 Le Parlement européen est devenu plus efficace. *Les institutions. . .*
2 Le prochain sommet européen sera d'un intérêt capital. *Il sera d'une importance. . .*
3 Le rapprochement industriel s'est révélé fructueux. *Notre collaboration. . .*
4 Où en sont les échanges commerciaux entre la CE et le Japon? *Où en sont les négociations. . .?*
5 La résolution définitive a été adoptée à l'unanimité. *Le projet. . .*
6 Il faut revoir la politique régionale. *Il faut réduire les déséquilibres. . .*
7 La période 1990–95 sera cruciale pour l'avenir de l'Europe. *Les cinq prochaines années. . .*

**C** Traduire:
1 L'attitude de la France a déçu certains de ses partenaires européens.
2 Au cours des diverses négociations sur les prix agricoles, la Grèce et le Portugal ont adopté des stratégies différentes.
3 Les Britanniques ne sont plus les seuls à être mécontents de la politique agricole commune (PAC).
4 Seule une refonte totale de la PAC mettra fin aux excédents.

## More about adjectives

1 More than one adjective can be used to describe a noun.

   **a.** Two adjectives normally preceding the noun remain in the same position:

   Un **bon petit** restaurant         *A good little restaurant*

   **b.** One normally preceding and the other following the noun also remain in the same position:

   Une **excellente** revue **internationale**  *An excellent international magazine*

   **c.** If both normally follow the noun, they are linked with **et** when they express two equal characteristics:

   Une revue **sérieuse** et **respectée**     *A respected serious magazine*

   but not when both are necessary for meaning:

   Une revue **mensuelle internationale**  *An international monthly magazine*

> See Chapter 2 for position of adjectives.

2 Some adjectives have one meaning when they are placed before the noun and a different meaning when they are placed afterwards:

| | |
|---|---|
| l'**ancien** président | *the former president* |
| des meubles **anciens** | *old pieces of furniture* |
| **certains** amis | *certain (some) friends* |
| un fait **certain** | *a certain (undeniable) fact* |
| ces **chers** enfants | *these dear (beloved) children* |
| un article **cher** | *an expensive item* |
| son **dernier** film | *her/his latest (most recent) film* |
| la semaine **dernière** | *last (the one before this one) week* |
| **différentes** versions | *various versions* |
| des versions **différentes** | *different versions* |
| la **même** attitude | *the same attitude* |
| l'image **même** de la santé | *the very picture of health* |
| mon **pauvre** ami | *my poor (to be pitied) friend* |
| une famille **pauvre** | *a poor (penniless) family* |
| leur **propre** appartement | *their own flat* |
| leur appartement **propre** | *their clean flat* |

Note that **prochain** is used *after* **mois, semaine, année**.

**3**  You will learn about the different possible positions of adjectives by reading and listening to authentic French. There are two important factors.

    **a.**  USAGE: certain fixed expressions contain an adjective in a particular place, for example:

    le **moyen** âge  *the Middle Ages*  le **libre** arbitre  *free will*

    **b.**  STYLE: some adjectives can be used before or after the noun. When an adjective which normally follows the noun is used before it, this gives the adjective more importance:

    C'est une **remarquable** candidate    *She is a remarkable candidate*
    On a obtenu de **splendides** résultats  *We obtained some magnificent*
                                           *results*

**4**  **Seul** has various meanings which depend on its context and position in a sentence.

    **a.**  Before a noun, **seul** means *only, single, sole*:
    C'est ma **seule** amie         *She is my only friend*
    Je suis leur **seul** héritier    *I am their sole heir*

    **b.**  After a noun, or referring back to a noun or pronoun, **seul** means *alone, on one's own, lonely*:
    Un homme **seul** ne s'en serait pas sorti vivant
        *One man alone wouldn't have come out of it alive*
    Elle se sentait **seule**       *She felt lonely*
    Je l'ai fait **tout(e) seul(e)**   *I did it all on my own*

    **c.**  On its own, used as a noun, **seul** means *the only one*:
    Vous êtes **le seul** qui puisse m'aider
        *You are the only one who can help me*

Note the use of the subjunctive.

See Chapter 15 Section 4a.

    **d.**  **Seul** can be used as an adjective on its own for emphasis, particularly at the beginning of a sentence:
    **Seuls** les actionnaires peuvent décider
        *Only the shareholders can decide*
    instead of:
    Les actionnaires sont **les seuls** à pouvoir décider

**5**  Adjectives can be used as nouns:
    **L'important** est de prendre une décision
        *The important thing is to take a decision*
    Mais **l'essentiel**, c'est de prendre **la bonne**
        *But it is essential to take the right one*

**6** Adjectives are linked to INFINITIVES by prepositions (see list on page 225).

    **a.** The prepositions **à** or **de** link most adjectives to infinitives:

        Il est **prêt** à faire des concessions    *He is ready to make concessions*
        Nous sommes **ravis de** vous revoir    *We are delighted to see you again*

    Note that **ce** and **il** can affect the preposition:

        Il est bien difficile **d'**expliquer une telle conduite
        Expliquer une telle conduite, c'est bien difficile **à** faire
            *It is quite difficult to explain such behaviour*

> See Chapter 21 Section 4.

    **b.** When an adjective is preceded by **assez** (meaning *enough*) or **trop**, the preposition **pour** is used before the infinitive:

        La directrice est **trop** occupée **pour** vous voir
            *The manager is too busy to see you*
        Cet étudiant n'est pas **assez** avancé **pour** passer l'examen
            *This student is not advanced enough to sit the examination*

**7** Adjectives are linked to NOUNS by prepositions (see list on page 225). Adjectives of **feeling** generally take **de**:

    Elle est contente **de** son personnel    *She is happy with her staff*

Note that when the adjective describes how someone behaves towards another person, then the preposition **envers** is used:

    Il est aimable **envers** la clientèle    *He is pleasant to the clientele*
    Elle est dure **envers** ses employés    *She is tough with her employees*

**8** Adjectives may be used with the verb **rendre** which, in this context, means *to make*:

    On l'**a rendu** responsable de l'erreur
        *They made him responsible for the mistake*

Note that it is better, whenever possible, to use a verb which conveys the same meaning:

    Cela vous **facilitera** la tâche    *It will make your task easy*

**9** The expressions **quelqu'un, quelque chose, personne** and **rien** are followed by **de** when used with an adjective:

    **Quelqu'un *d'*intelligent** n'aurait pas fait cette erreur
        ***Someone intelligent* would not have made that mistake**
    Y a-t-il **quelque chose *de* douteux** dans son témoignage
        *Is there **anything suspicious** about his account*
    On n'a vu **personne *de* nouveau** et il n'y avait **rien *d'*exceptionnel**
        *We saw **nobody new** and there wasn't **anything unusual***

Note that **quelqu'un, quelque chose, personne** and **rien** are masculine singular and therefore the adjective is masculine singular.

**10** Be careful when using the adjectives listed below.

   **a.** Adjectives ending in **-al**:

|  | singular | plural |
|---|---|---|
| *masculine* | loyal | loyaux |
| *feminine* | loyale | loyales |

| | | | |
|---|---|---|---|
| amical | fondamental | national | primordial |
| commercial | général | normal | régional |
| crucial | international | original | sentimental |
| familial | médical | postal | tropical etc. |

   **b.** Adjectives ending in **-el**:

|  | singular | plural |
|---|---|---|
| *masculine* | cruel | cruels |
| *feminine* | cruelle | cruelles |

| | | | |
|---|---|---|---|
| confessionnel | proportionnel | annuel | industriel |
| conventionnel | sensationnel | éventuel | mensuel |
| personnel | traditionnel | formel | naturel |
| professionnel | etc. | individuel | potentiel etc. |

   **c.** Adjectives ending in **-en**:

|  | singular | plural |
|---|---|---|
| *masculine* | moyen | moyens |
| *feminine* | moyenne | moyennes |

| | | | |
|---|---|---|---|
| aérien | diluvien | européen | parisien |
| ancien | égyptien | méditerranéen | quotidien etc. |

   **d.** Adjectives ending in **-f**:

|  | singular | plural |
|---|---|---|
| *masculine* | vif | vifs |
| *feminine* | vive | vives |

| | | | |
|---|---|---|---|
| actif | définitif | neuf | réceptif |
| chétif | descriptif | primitif | représentatif |
| craintif | inactif | progressif | veuf etc. |

**A** Vérifier la construction des adjectifs (pp. 225–226), puis compléter les blancs par **à** ou **de**:

**La révolution grise**

Les experts sont formels: «le vieillissement de la population européenne est inéluctable et irréversible». Inutile, donc, . . . rêver à un nouveau «baby boom». Il est, au contraire, souhaitable . . . développer des politiques appropriées . . . ce vieillissement progressif, notamment en matière d'emploi. Or, pour le moment, les gouvernements européens ne semblent pas disposés . . . repenser leur politique du troisième âge. Les salariés âgés continuent à être exclus . . . marché du travail selon le principe qu'il vaut mieux payer un retraité qu'un chômeur. Est-ce à dire qu'il est utopique . . . imaginer une nouvelle organisation du travail? «Non», nous dit Christian Lefebvre, chercheur au CNRS (Centre National de Recherche Scientifique), «il est bien évident qu'une réforme de la structure de l'emploi sera longue . . . mettre en place mais ce n'est pas impossible . . . envisager». Puisque tôt ou tard les gouvernements européens seront contraints . . . innover, il vaudrait mieux qu'ils se montrent prêts, dès à présent, . . . faire un effort d'imagination.

**B** Réécrire les phrases en mettant l'adjectif à la place qui convient:
e.g. *prochain, primordial* Les . . . . . négociations . . . . . seront d'un
. . . . . intérêt . . . . .
→ Les prochaines négociations seront d'un intérêt primordial.

1 *ancien, dernier* La . . . . . présidente . . . . . du Parlement européen est favorable aux . . . . . mesures . . . . . proposées.

2 *pauvre, actuel* Ce sont les . . . . . ministres . . . . . des Affaires étrangères qui sont chargés de régler les . . . . . conflits . . . . . entre les Etats membres.

3 *certain, commercial* Depuis un . . . . . temps . . ., le volume des . . . . . échanges . . . . . entre la CE et le bloc soviétique a augmenté.

4 *pauvre, exceptionnel, dernier* Les . . . . . régions . . . . . ont bénéficié de . . . . . subventions . . . . . au cours de la . . . . . semaine . . . . .

5 *progressif, européen, vif* Le . . . . . élargissement . . . . . de la . . . . . Communauté . . . . . a fait l'objet de . . . . . discussions . . . . .

6 *éventuel, international* Quelles seront les . . . . . conséquences . . . . . de cet élargissement sur la . . . . . scène . . . . .?

7 *réceptif, industriel* L'Allemagne s'est montrée . . . . . aux suggestions de la France en matière de . . . . . stratégie . . . . .

8 *unilatéral, gros, potentiel* Les . . . . . décisions . . . . . comportent toujours de . . . . . risques . . . . .

9 *même, différent* La Grèce et l'Italie ont fini par adopter la . . . . . attitude . . . . . alors qu'au départ elles avaient des . . . . . positions . . . . .

# Chapitre 15 ........... La compétition sportive

## Diagnostic

**A** Trouver les verbes au subjonctif et souligner l'expression qui les introduit:

**Marier le sérieux avec l'humour**

L'espèce humaine est menacée d'un mal pernicieux: celui de se prendre au sérieux. Sans doute est-il naturel que le sport n'échappe pas à ce fléau.

Pourtant rien n'est plus anti-conformiste, par essence, qu'un champion. Fort de cette constatation, on pourrait s'attendre à ce que nos sportifs sachent faire preuve de moins de retenue que la moyenne de leurs concitoyens. Or il faut bien le reconnaître, les manifestations inattendues se font de plus en plus rares. Le rendement passe avant tout.

Il est désolant que la fantaisie, susceptible d'apporter tant de sel à l'existence, soit non seulement de moins en moins appréciée mais vaille à ceux qui l'exercent encore l'étiquette méprisante de «dilettante». Il est important que le sport se fasse l'un des ultimes remparts contre la morosité. Il est vital à cet égard que la notion de jeu, qui se trouve intimement mêlée à l'existence du sport, soit préservée le plus possible. Il faut que nos champions viennent sans cesse nous rappeler que l'alliance de la fantaisie avec la rigueur n'est nullement préjudiciable à la qualité du jeu, bien au contraire.

Prendre la compétition au sérieux sans se prendre au sérieux, voilà la formule idéale, en définitive. Il serait rassurant qu'elle puisse être mise en pratique sans relâche. (d'après *L'Equipe* magazine 1987)

**B** Réécrire les phrases en utilisant le subjonctif:
e.g.   On vous voit peu en France. *C'est dommage qu'on* . . .
→ C'est dommage qu'on vous voie peu en France.

**Interview: ce qu'on demande parfois aux sportifs**

1  Vous voulez bien nous parler de votre dernière saison?
*Je voudrais que vous* . . .
2  Vous êtes moins décontractée que l'an dernier. Je me trompe?
*Il semble que vous* . . .
3  On dit que vous avez l'intention de vous retirer prochainement de la compétition. Est-ce vrai? *Est-il vrai que vous* . . .
4  Pourtant un champion, saturé de compétition, ressent parfois le besoin de faire une pause? *Comprenez-vous qu'un champion* . . .
5  Vous avez pris part à des manifestations anti-nucléaires. Le ferez-vous encore? *Est-il possible qu'à l'avenir vous* . . .
6  Une championne comme vous a-t-elle un rôle social à jouer? *Pensez-vous qu'une championne* . . .

# Use of the subjunctive

**1** The subjunctive must be used after certain verbs and expressions. It is important to know which ones take the subjunctive.

Examples of the subjunctive:

Elle préférerait que son fils **consulte** un spécialiste
*She would prefer her son to consult a specialist*
Je regrette que vous n'**ayez** pas **réalisé** ce projet
*I am sorry that you have not carried out this project*

In each sentence above, the SUBJUNCTIVE is used because there is a CHANGE OF SUBJECT. The subject of the second verb is not the same as the subject of the first verb:

**Elle** préférerait que **son fils** consulte un spécialiste
**Je** regrette que **vous** n'ayez pas réalisé ce projet

If the SUBJECT is the same for each verb, then an INFINITIVE is used:

Elle préférerait **consulter** un spécialiste
*She would prefer to consult a specialist*
Je regrette de n'**avoir** pas **réalisé** ce projet
*I am sorry not to have carried out this project*

**2** Use the subjunctive after verbs expressing a **wish, preference** or **expectation**, an **opinion** or **reaction, permission** or a **command**.

**a.** Expressing a **wish, preference** or **expectation**:

| | | |
|---|---|---|
| aimer que | aimer mieux que | s'attendre à ce que |
| désirer que | préférer que | attendre que |
| souhaiter que | | etc. |
| vouloir que | | |

Le réalisateur n'**a** pas **voulu que** son film *sorte* avant la rentrée
*The director did not want his film to come out before September*
Les parents **désirent que** la qualité de l'enseignement *soit* améliorée
*The parents wish the quality of teaching to be improved*
Le journaliste ne **s'attendait** pas **à ce que** le député *réponde*
*The journalist did not expect the MP to reply*

Note that one verb expressing a wish, **espérer que . . .** (*to hope that . . .*) does not take the subjunctive:

Les parents **espèrent que** la qualité de l'enseignement *sera* améliorée
*The parents hope that the quality of teaching will be improved*

**b.** Expressing an **opinion** or **reaction**:

| | |
|---|---|
| avoir honte que | s'étonner que |
| avoir peur que . . . ne | regretter que |
| craindre que . . . ne | |

| | |
|---|---|
| être content que | être heureux que |
| être désolé que | être reconnaissant que |
| être fâché que | être surpris que etc. |

Tout le monde **craint que** cet incident ne **déclenche** une crise mondiale
*Everyone fears that this incident might provoke a world crisis*
Elle **est fâchée que** vous ne *vous soyez* pas *présenté* à la réunion
*She is angry that you did not appear at the meeting*

Note that **avoir peur que** and **craindre que** take **ne** before the verb. This **ne** has no negative meaning.

**c.** Expressing **permission** or a **command**:

| | |
|---|---|
| consentir à ce que | exiger que |
| demander que | insister pour que etc. |

Il **a consenti à ce que** son fils le *mette* dans une maison de retraite
*He agreed to his son putting him in an old people's home*
La compagnie **insiste pour que** vous *passiez* une visite médicale
*The company insists that you go for a medical examination*

**3**  The subjunctive is used in certain IMPERSONAL CONSTRUCTIONS expressing **necessity, command, opinion**:

| | | |
|---|---|---|
| Il est dommage que | Il est nécessaire que | Il convient que |
| Il est essentiel que | Il est possible que | Il faut que |
| Il est étonnant que | Il est préférable que | Il importe que |
| Il est juste que | Il est utile que | Il semble que |
| Il est important que | Il est temps que | Il se peut que |
| Il est impossible que | | Il suffit que |
| Il est naturel que | | Il vaut mieux que |
| | | etc. |

**Il est temps que** vous *preniez* une décision définitive
*It is time you made a final decision*
**Il se peut que** notre chiffre d'affaires *augmente* cette année
*Our turnover may increase this year*

Some of these impersonal constructions are also used with the infinitive. The subject of the following verb is understood, or included as an indirect pronoun. Note in particular:

Il leur importe de trouver une solution
*It is important for them to find a solution*
Il (vous) faudra attendre leur retour
*You must wait for their return*

Note that the impersonal constructions **il *me* (*te, lui* etc.) semble que** and **il est probable que** do *not* take the subjunctive:

Il me semble que notre chiffre d'affaires augmentera cette année
*It seems to me that our turnover will increase this year*
Il est probable que notre chiffre d'affaires augmentera cette année
*It is probable that our turnover will increase this year*

4   The subjunctive is required in three kinds of RELATIVE CLAUSE:

**a.** after superlative adjectives and expressions like **le premier . . .,
le seul . . ., le dernier . . ., l'unique . . .:**

Vous êtes **le seul qui** *puisse* m'aider
*You are the only one who can help me*
Votre lettre de candidature est **la première que** nous *ayons reçue*
*Your application is the first one we received*

**b.** after a noun referring to someone or something rare or as yet non-existent:

Je cherche **un assistant qui** *sache* faire preuve d'initiative
*I am looking for an assistant who can show some initiative*

**c.** after a negative:

Je n'ai **rien** trouvé qui me *plaise*
*I haven't found anything I like*
Il n'y a **pas de salle** où nous *puissions* tous nous réunir
*There isn't a room where we could all meet*

5   The subjunctive is used after expressions of **doubt** or **denial**:
douter que      nier que

Les membres du comité **doutent que** l'action proposée *soit* appropriée
*The committee members doubt whether the proposed action is suitable*

When the following expressions are used in NEGATIVE sentences or in QUESTIONS, they also express doubt or denial and therefore take the subjunctive:

| | | |
|---|---|---|
| croire que | dire que | il est vrai que |
| être sûr que | espérer que | penser que |
| être convaincu que | | trouver que etc. |

Je **ne suis pas sûr qu'**ils *se soient aperçus* de notre absence
> *I am not sure that they noticed our absence*

**Est-il vrai que** le gouvernement *puisse* se tirer d'affaire?
> *Is it true that the Government can get out of this difficulty?*

Note that **comprendre que, imaginer que, suggérer que** and **supposer que** take the subjunctive, but only when something is being considered as a possibility:

**Imaginons** un moment **que** vous *ayez remporté* le prix
> *Let us suppose for a moment that you have won the prize*

See Chapter 18 for other verbs and expressions taking the subjunctive.

## The perfect subjunctive

6  The perfect subjunctive consists of the present subjunctive of **avoir** or **être** followed by the past participle of the verb:

| **cesser (+ avoir):** | **arriver (+ être):** |
|---|---|
| que j' aie cessé | que je sois arrivé(e) |
| que tu aies cessé | que tu sois arrivé(e) |
| qu'il/elle ait cessé | qu'il/elle soit arrivé(e) |
| que nous ayons cessé | que nous soyons arrivé(e)s |
| que vous ayez cessé | que vous soyez arrivé(e)(s) |
| qu'ils/elles aient cessé | qu'ils/elles soient arrivé(e)s |

7  The PERFECT subjunctive is used to refer to actions in the past, but only to those which would have taken place *before* the action of the first verb:

Je regrette que vous n'**ayez** pas **réalisé** ce projet
> *I am sorry that you have not carried out this project*

Note that the PRESENT subjunctive is used for descriptions in the past, or to refer to past actions which would have taken place *after* the action of the first verb:

Je ne pensais pas qu'il **soit** capable d'une telle action
> *I did not think he was capable of such an action*

**A** Mettre les verbes entre parenthèses au temps du subjonctif qui convient (présent ou passé):

**Sports: les commentaires des spécialistes**

1 Je serais surpris qu'un joueur de tennis (rejoindre), à l'avenir, Budge et Laver.
2 Cette finale du Championnat de France est bien l'une des plus belles auxquelles on (assister) jamais.
3 Je ne crois pas qu'on (voir) l'équipe tricolore en si bonne forme depuis longtemps.
4 On ne s'attendait pas à ce que le record de France (être) pulvérisé aujourd'hui.
5 C'est le seul cycliste qui (remporter) cinq Tours de France consécutifs.
6 Le directeur du club a insisté pour que les joueurs (se soumettre) à un entraînement plus intensif.
7 C'est un miracle que l'ancien champion du monde des conducteurs (sortir) indemne de sa voiture en flammes après la collision d'hier.
8 Le public a dû regretter que notre champion national (ne pas pouvoir) disputer cette épreuve.

**B** Mettre les verbes entre parenthèses au temps de l'indicatif ou du subjonctif qui convient:

**Le sport et l'argent font bon ménage**

1 Il est certain que le sport et l'argent (aller) désormais de pair.
2 Voilà, en effet, plus de vingt ans que les athlètes consentent à ce qu'on les (transformer) en hommes-sandwichs.
3 A l'origine, il semble que ce (être) les sportifs à la recherche de financement qui (aller) tirer les sonnettes des responsables du marketing.
4 Aujourd'hui, force est de reconnaître que la France (devoir) nombre de ses succès sportifs au parrainage, même si on a parfois l'impression que les vœux des sponsors (avoir) plus d'importance que ceux du public.
5 Ne croyez pas, pour autant, que les sponsors (être) des philanthropes.
6 Ce sont au contraire des hommes d'affaires qui espèrent que leur association au sport (améliorer) leur image de marque.
7 «Il nous semble que le meilleur moyen de nous démarquer de la concurrence (être) de montrer un visage sympa», déclare un de ces «parrains».

**C** Traduire

1 He was afraid that the team manager would not select him for the championship match because of his leg injury.
2 It seems that most racing drivers have chosen to live in Monaco.
3 She would have liked to retire from competition but her trainer insisted that she should do another season.

# Chapitre 16 ........................ L'entreprise

## Diagnostic

**A** Compléter les phrases par **qui, quoi, dont, où, ce qui, ce que** ou **lequel (lesquels, laquelle, lesquelles)**:

**La création d'entreprises**

1 Aujourd'hui encore, nombreuses sont les grandes entreprises . . . suppriment des emplois. Et les PME (Petites et Moyennes Entreprises) . . . on dépendait pour la création d'emplois, n'embauchent plus guère.

2 Seules les entreprises nouvelles sont, dans la conjoncture actuelle, susceptibles de créer les emplois . . . on a tant besoin.

3 Mais cela à condition qu'elles puissent obtenir les aides nécessaires pour ouvrir leurs portes, . . . n'est pas toujours le cas.

4 Aider les créateurs d'entreprises de la région parisienne, c'est précisément . . . l'association Initiative-Entreprise tente de réaliser.

5 Pour atteindre cet objectif, la première tâche à . . . elle a dû se consacrer a été de réunir les sommes nécessaires en persuadant les grandes sociétés de faire des dons. A une époque . . . «le chacun pour soi» est souvent la règle, ce n'est pas chose facile mais l'association y est parvenue relativement vite.

6 Les sommes ainsi réunies sont par la suite redistribuées sous forme de prêts sans intérêt aux créateurs d'entreprises . . . le dossier a été accepté.

7 Des quelque 250 dossiers sur . . . l'association s'est penchée au cours des trois dernières années, une centaine de projets ont déjà été retenus.

8 Cette association, sans l'aide de . . . nombre de nouvelles entreprises de la région parisienne ne se seraient pas montées, a de . . . être satisfaite de la tâche déjà accomplie.

**B** Compléter les phrases par **à, au, lui** ou **de**, en tenant compte de la construction des verbes en italique:

**Devenir commerçant**

La Chambre de Commerce et d'Industrie (CCI) *fournira* . . . futur commerçant les renseignements qui . . . *permettront* . . . prendre, en toute connaissance de cause, les décisions nécessaires à la réalisation de son projet. Elle . . . *suggérera*, entre autres, . . . établir un plan de financement pour ses dépenses d'investissement et, suivant le type d'activité qu'il envisage, elle . . . *conseillera* . . . contracter un emprunt auprès de tel ou tel établissement financier. Le futur chef d'entreprise pourra également *demander* . . . la CCI . . . contacter certains organismes à sa place.

## More about relative pronouns

See Chapter 6 for the general uses of **qui, que, dont** and **où**.

1 After a PREPOSITION, **qui** is used to refer to **people**:
  Mes beaux-parents sont les gens **avec qui** je m'entends le mieux
    *My parents-in-law are the people with whom I get on best*
  Tous ceux **à qui** il devait son succès étaient présents
    *All those to whom he owed his success were present*
  Je vous présente Marianne, **sans qui** mon projet aurait échoué
    *Let me introduce you to Marianne without whom my project would have failed*

Note that after a preposition followed by a NOUN, **de qui** is used instead of **dont**:
  Je vous présente Marianne *sans l'aide* **de qui** mon projet aurait échoué
    *Let me introduce you to Marianne without whose assistance my project would have failed*
  Je tiens à remercier le professeur *sur les conseils* **de qui** j'ai fait des études de médecine
    *I should like to thank the teacher on whose advice I studied medicine*

2 After a PREPOSITION, **lequel (laquelle, lesquels, lesquelles)** is used to refer to **things**:
  Je cherche le dossier **sur lequel** je travaillais ce matin
    *I am looking for the file on which I was working this morning*
    *I am looking for the file I was working on this morning*

Note the expression **la raison pour laquelle**:
  C'est la raison **pour laquelle** j'ai démissionné
    *This is the reason why I resigned*

Note also that the preposition **à** and the forms of **lequel** combine:

|  | *singular* | *plural* |
|---|---|---|
| *masculine* | auquel | auxquels |
| *feminine* | à laquelle | auxquelles |

L'organisation **à laquelle** elle appartient est mondialement connue
    *The organisation to which she belongs is known worldwide*
    *The organisation she belongs to is known worldwide*
L'article **auquel** vous faites allusion n'est pas de lui
    *The article to which you are referring is not by him*
    *The article you are referring to is not by him*

**3** **Où** is often used instead of **auquel** et **dans lequel** where the reference is to **time** or **place**:

L'hôpital **où** on m'a envoyé était loin de chez moi
*The hospital to which they sent me was far away from home*
*The hospital they sent me to was far away from home*
A l'époque **où** je l'ai connue, elle préparait sa licence
*At the time when I met her, she was studying for her degree*

**4** **De** features in a number of PREPOSITIONAL PHRASES, for example:

| | | | |
|---|---|---|---|
| à côté de | *next to* | autour de | *round; about* |
| à propos de | *about, on (the subject of)* | loin de | *far from* |
| auprès de | *close, next to; to; with* | près de | *near* |

**a.** **qui** is used after these expressions to refer to **people**:

La personne **auprès de qui** il faut vous renseigner est absente
*The person to whom you should go for information is away*
Le malade **auprès de qui** l'infirmière a passé la nuit va mieux
*The patient by whose side the nurse spent the night is better*
Qui est le peintre **autour de qui** il y a tant de bruit actuellement?
*Who is the painter everyone is talking about at present?*

**b.** for **things, de** and forms of **lequel** combine:

| | singular | plural |
|---|---|---|
| *masculine* | duquel | desquels |
| *feminine* | de laquelle | desquelles |

C'est la loi **à propos de laquelle** il y a eu de longs débats
*It is the law on which there were lengthy debates*

**5** The relative pronouns in sections 1–4 all refer to a particular noun. The following relative pronouns refer either to an **idea** or a **phrase** or to **something as yet undefined**.

**a.** **Ce qui** refers to the subject of the following verb:

Ce gouvernement nie toujours ses erreurs, *ce qui* est normal
*This government always denies its mistakes, **which** is normal*

**b.** **Ce que** refers to the object of the following verb:

On ne sait pas exactement *ce que* fera le nouveau ministre
*We don't exactly know **what** the new minister will do*

Note that subject and verb are often inverted after **que**.

**c. Ce dont** refers to an indirect object introduced by **de**:
Peut-on déterminer **ce dont** ont besoin les habitants?
(les habitants ont besoin de . . .)
*Can we define **what** the inhabitants need?*

**d. Ce à quoi** refers to an indirect object introduced by **à**:
**Ce à quoi** *je pense*, c'est à l'avenir (je pense à . . .)
***What I am thinking about is the future***

Note also the use of the expression **avoir de quoi** + infinitive:
Les personnes âgées n'**ont** pas toujours **de quoi** vivre
*Old people do not always have enough to live on*
Vous **avez de quoi** vous plaindre
*You have something to complain about*

## Two-verb constructions

> See Chapter 5 Section 8 for an introduction to two-verb constructions.

**6** By now you will have had practice in using the list on page 218 to check which preposition, if any, a verb takes before an infinitive.

**7** A number of common verbs take **à** before a person and **de** before the following infinitive:
commander **à** quelqu'un **de** faire quelque chose
*to order someone to do something*
conseiller **à** quelqu'un **de** faire quelque chose
*to advise someone to do something*
déconseiller **à** quelqu'un **de** faire quelque chose
*to advise someone against doing something*
défendre **à** quelqu'un **de** faire quelque chose
*to forbid someone to do something*
demander **à** quelqu'un **de** faire quelque chose
*to ask someone to do something*
dire **à** quelqu'un **de** faire quelque chose
*to tell someone to do something*
interdire **à** quelqu'un **de** faire quelque chose
*to forbid someone to do something*
ordonner **à** quelqu'un **de** faire quelque chose
*to order someone to do something*
pardonner **à** quelqu'un **d'**avoir fait quelque chose
*to forgive someone for doing something*

permettre **à** quelqu'un **de** faire quelque chose
   *to allow someone to do something*
promettre **à** quelqu'un **de** faire quelque chose
   *to promise someone you will do something*

Each of the above verb constructions contains an INDIRECT OBJECT, whereas in English a DIRECT OBJECT is used:

Son avocat **lui** a conseillé d'intenter un procès
   *Her lawyer **advised her** to prosecute*
L'agent de maîtrise a dit **aux ouvriers** de partir
   *The foreman **told the workers** to leave*
Nous avons promis **au client** de ne pas oublier sa commande
   *We **promised the client** that we would not forget his order*

Note that **prier** and **empêcher** take a DIRECT OBJECT:

prier **quelqu'un** de faire quelque chose
   *to beg/request someone to do something*
empêcher **quelqu'un** de faire quelque chose
   *to stop/prevent someone from doing something*

Examples:

Priez **les visiteurs** d'attendre, s'il vous plaît
   *Please ask the visitors to wait*
La police aurait dû empêcher **les spectateurs** de partir
   *The police should have stopped the spectators from leaving*

**8** **Voir, entendre, regarder, sentir, apercevoir** take a direct infinitive:

On nous **a vus quitter** le bâtiment
   *We were seen leaving the building*
J'**ai entendu** le ministre de l'Information **annoncer** les résultats
   *I heard the Minister for Information announcing the results*

Note that **entendre dire** and **entendre parler** both mean *to hear* in the sense of *to find out*:

**a.** **entendre dire** is followed by **que** + verb phrase:

J'ai entendu dire **qu'il avait démissionné**
   *I heard (that) he had resigned*

**b.** **entendre parler** is followed by **de** + noun:

J'ai entendu parler **de sa démission**
   *I heard about his resignation*

Note that **entendre parler de** means *to hear **about***.

**A** Compléter les phrases par un pronom relatif. Dans certains cas une préposition (**à, pour, de**) sera requise devant le pronom relatif:

**Le nombre des faillites monte en flèche**

1 Le nombre des faillites . . . l'on a enregistrées cette année s'élève à quelque 25 000.

2 Cette situation a . . . inquiéter les pouvoirs publics.

3 Dans ces faillites, les victimes ne sont pas seulement les milliers de salariés . . . perdent leur emploi mais aussi les fournisseurs . . . les factures ne sont presque jamais réglées.

4 Lorsqu'il s'agit d'une grosse société, toute la région . . . elle est implantée se trouve sinistrée.

5 C'est . . . s'est passé notamment avec Creusot-Loire, numéro un de l'équipement lourd français, . . . le chiffres d'affaires s'élevait à 12 milliards de francs et . . . le gouvernement de l'époque a refusé de porter secours.

6 Quand les sommes dues au fisc et à la Sécurité Sociale sont perdues, ce sont, en définitive, les contribuables et les cotisants de la Sécurité Sociale . . . paient.

7 Certes, parmi les chefs d'entreprise, nombreux sont les bons gestionnaires . . . des circonstances imprévisibles mènent à la faillite.

8 En revanche, il existe également des fraudeurs . . . déposer leur bilan est une façon d'échapper à leurs créanciers.

9 En effet, le système, à l'intérieur . . . fonctionnent les entreprises, rend parfois la faillite avantageuse.

10 Que le dépôt de bilan soit enseigné un jour comme une méthode de gestion parmi d'autres, voilà . . . craignent certains spécialistes.

11 C'est la raison . . . le gouvernement est en train de réformer la législation sur les faillites.

**B** Traduire:

1 One in two[1] bankruptcies affects a company which has been in existence for less than five years. This is the reason why it is imperative for new company directors to be above all able administrators.

2 Computerised book-keeping enables a company director to have an accurate account[2] of the day-to-day position of the company, which is invaluable in the present circumstances.

3 Our Chamber of Commerce has promised to offer induction courses in management for which one can enrol free of charge.

4 There are also management consultants on whose services you can call[3] in case of difficulty.

[1] voir Ch. 24 ¶ 12; [2] utiliser *se faire une idée précise*; [3] utiliser *faire appel à*

# Révision 14–16

**A** Compléter les phrases en mettant l'adjectif à la place qui convient:
e.g. *ancien, européen, national*
Le . . . Parlement . . . était composé de délégués des . . . Parlements . . .
— L'ancien Parlement européen était composé de délégués des Parlements nationaux.

1 *familial, primordial* Les . . . relations . . . jouent un . . . rôle . . . dans le développement de l'enfant.
2 *tropical, phénoménal* La . . . médecine . . . a fait des . . . progrès . . .
3 *original, social* Il faut trouver une . . . solution . . . aux . . . problèmes . . .
4 *mensuel, moyen* Le . . . salaire . . . des . . . cadres . . . varie considérablement d'un pays à l'autre.
5 *industriel, européen* La . . . production . . . a atteint des chiffres record.
6 *international, paradoxal* L'amélioration des . . . relations . . . a eu certains . . . effets . . .
7 *exceptionnel, postal* On annonce une . . . hausse . . . des . . . tarifs . . .
8 *annuel, aérien* Les . . . bénéfices . . . des . . . lignes . . . sont en baisse.
9 *proportionnel, prochain* On introduira un nouveau type de . . . scrutin . . . aux . . . élections . . .
10 *financier, personnel; petit, individuel* On ne devrait pas tenir compte des . . . intérêts . . . ni des . . . problèmes . . .
11 *public, secret* L'opinion . . . a été choquée à l'annonce de ces . . . négociations . . .

**B** Réécrire les phrases suivantes en les complétant par **à, de, envers** ou **pour**:

**Nouvelles d'Afrique du Sud**

Hier, une cinquantaine d'Afrikaners convaincus qu'il est impossible . . . réformer l'apartheid, ont signé un communiqué commun avec le Congrès national africain (ANC). Il souligne que le dialogue est nécessaire . . . la lutte pour une démocratie non-raciale en Afrique du Sud. Rien . . . surprenant, dans ces conditions, à ce que chacune des parties fût disposée . . . faire des concessions. Tout en se déclarant inquiète . . . le développement de la «violence incontrôlée», la délégation blanche a accusé le gouvernement de Prétoria d'être responsable . . . le cercle vicieux de la violence. L'ANC, de son côté, s'est montré prêt . . . arrondir les angles pour rassurer les Afrikaners. Cette rencontre était trop importante . . . ne pas provoquer la rage de Prétoria, qui n'a pas dissimulé ses sentiments . . . les «traîtres» blancs.

Le jour même, neuf députés français se déclaraient satisfaits . . . le voyage qu'ils venaient d'effectuer en Afrique du Sud. Ils avaient été impressionnés . . . voir qu'il n'existait plus de discrimination raciale dans les lieux publics.

Le moins qu'on puisse dire c'est que la coïncidence de ces deux événements a quelque chose . . . étonnant. (Septembre, 1987)

**C** Mettre les verbes au subjonctif passé:

1 ne pas pouvoir    Je suis surpris que tu . . . . . me prévenir à l'avance.
2 parvenu    Il est étonnant que nous . . . . . si vite à un accord.
3 avoir    On craignait que vous . . . . . un accident grave.
4 être    Ne croyez pas que cela . . . . . aisé.
5 empirer    Il semble que la situation . . . . . dernièrement.
6 s'affoler    Il est tout à fait naturel que vous . . . . .
7 découvrir    Ce sont les arguments les plus convaincants que je . . . . . jusqu'à présent.
8 y avoir    On doute qu'il . . . . . fraude.
9 se produire    C'est la seule fois où il . . . . . une fuite radioactive.

**D** Vérifier la construction des verbes en italique. Compléter ensuite les phrases avec la préposition et/ou le pronom relatif qui conviennent:

1 Nombreuses ont été les difficultés . . . *nous nous sommes heurtés* avant de pouvoir réaliser ce projet.
2 C'est un film . . . on a beaucoup entendu *parler* mais . . . le titre m'échappe.
3 Le juge d'instruction . . . on *avait confié* cette affaire vient d'être démis de ses fonctions.
4 Ce n'était pas du tout . . . *s'attendait* la majorité du public.
5 Cet accident a été passé sous silence et pourtant *il y avait* . . . alerter l'opinion.

**E** Traduire:

1 Do you know the reason why the Common Agricultural Policy was implemented gradually?
2 Thanks to the use of telecommunications satellites, it is hoped that cultural exchanges between the various European countries will improve.
3 Although industrial cooperation has been successful, the political unity of Europe is yet to be constructed.
4 The resolution which the European Parliament adopted in 1986 concerned the mutual recognition of professional qualifications.
5 It is high time national barriers and administrative hurdles which prevent students from studying[1] in several countries were removed.
6 Is it true that only the demise of General de Gaulle made Britain's entry into the Common Market possible?
7 As far as safety is concerned, the hardest thing is to predict the impossible.
8 It is appalling[2] that a week after the explosion the safety teams have not found a leak anywhere.

[1] utiliser *suivre des enseignements*; [2] utiliser *aberrant*

# Chapitre 17 ............................. La publicité

**A** Mettre l'adjectif entre parenthèses au superlatif et à la place qui convient, sans oublier de le faire accorder avec le nom en italique:
e.g. *Histoire d'X*, le *livre* de l'année   (polémique)
→ *Histoire d'X*, le livre le plus polémique de l'année

1 Natura, l'*eau minérale*.   (riche en magnésium)
2 Nettol vous offre les *produits d'entretien*.   (économique)
3 Avec la calculatrice Excel, les *opérations* sont parfaitement maîtrisées. (complexe et long)
4 Le *modèle* a déjà fait preuve de ses qualités.   (récent)
5 Les cafés Arabor sont torréfiés avec *soin* et *légèreté*.   (grand . . . grand)
6 Le fond de teint Naouri, la *façon* de sublimer votre teint.   (naturel)

**B** Compléter par le superlatif irrégulier qui convient: **meilleur, le meilleur, mieux, le mieux, le pire** ou **le moindre**. Faire l'accord si nécessaire:

1 Le four à micro-ondes Frank est celui qui se vend . . . . . cette année.
2 Notre assurance voyages ne vous empêchera pas d'avoir les . . . . . ennuis, mais elle en minimisera les conséquences.
3 Le moins cher n'est pas toujours le . . . . .
4 Un des avantages de ce lave-vaisselle, et non . . . . . ., c'est sa rapidité.
5 Organisez-vous . . . . . avec un agenda Planning.
6 La Juva 4 a été choisie comme l'une des dix . . . . . voitures de l'année.

**C** Traduire:

**Publicité: les secrets de la réussite**

Le bon publicitaire, c'est celui qui se croit le meilleur, qui dit qu'il est le meilleur mais qui, au fond, sait douter de lui. On ne peut pas se permettre de s'endormir, il faut toujours mieux faire. Avoir le goût du risque et se donner à fond dans son métier sans se prendre trop au sérieux, c'est ça le secret de la réussite. La pub française a fait un bond vertigineux ces dernières années. C'est maintenant l'une des plus avancées du monde. Pourquoi? Parce qu'elle a compris que moins on prend de risques moins on a de chances de réussir. Seule l'image excessive force l'attention du public. Il faut toujours aller plus loin, quitte parfois à déraper. En définitive, les «coups» époustouflants compensent les campagnes moins réussies. Mais pour réussir une grande campagne, il ne suffit pas d'être le meilleur, il faut le faire savoir. Le meilleur produit du publicitaire, c'est lui-même: il faut qu'il sache faire la publicité de la publicité.

# Comparatives and superlatives

**1**  Adjectives and adverbs have a COMPARATIVE and a SUPERLATIVE form:

|  | | comparative | superlative |
|---|---|---|---|
| *adjective* | rapide | plus rapide | le plus rapide |
| *adverb* | rapidement | plus rapidement | le plus rapidement |

**2**  COMPARATIVE ADJECTIVES are formed with **plus, moins** and **aussi**. When one noun or pronoun is being compared with another, **que** is used:

Il faut sensibiliser un **plus grand** nombre de gens
> *We must reach a larger number of people*

Leur industrie est **moins performante que** la nôtre
> *Their industry is less competitive than ours*

Jusque-là on n'avait jamais entrepris de projet **aussi ambitieux**
> *Until then we had never undertaken such an ambitious project*

Les relations n'ont jamais été **aussi tendues qu**'à l'heure actuelle
> *Relations have never been as strained as today*

Note these COMPARATIVE expressions:

Les attentats à la bombe se font **de plus en plus** fréquents
> *Bomb attacks are becoming more and more frequent*

Les relations familiales sont **de moins en moins** stables
> *Family relations are less and less stable*

**3**  If a COMPARATIVE ADJECTIVE is followed by the relative pronoun **que** and a verb, **ne** is used before the verb and has no negative meaning:

L'opinion des consommateurs est plus divisée qu'elle **ne** l'était auparavant
> *Consumer opinion is more divided than it was before*

**Ne** is also used after a comparative adverb (see example in Section 7 below). Note the use of **le**.

See Chapter 19 Section 7e.

**4**  SUPERLATIVE forms of ADJECTIVES require the definite article.

**a.** Adjectives used before the noun:

Il faut sensibiliser **le plus grand** nombre de gens au problème
> *We must make the largest number of people aware of the problem*

**b.** With adjectives used after the noun the definite article is repeated:

**La** faction **la plus militante** *de la* faculté a appelé à la grève
> *The most militant faction* **in** *the university called for a strike*

C'est un **des** pays **les moins** peuplés *d'*Europe
> *It is one of the least populated countries in Europe*

Note the use of **du, de la, de l', des** after a superlative adjective.

Note also that the definite article is required when a PHRASE is used instead of an adjective:

Quel est **le** modèle **le plus en vogue** cette année?
> *What is the most popular style this year?*

5 If a superlative adjective is followed by a verb, this verb will be in the subjunctive:

C'est la situation la plus inquiétante que l'on **ait** jamais **connue**
> *It is the most alarming situation we have ever experienced*

Ce sont les négociations les plus délicates qui **aient** jamais **eu** lieu
> *These are the most delicate negotiations that have ever taken place*

> See also Chapter 15 Section 4.

6 **Bon** has *irregular* comparative and superlative forms; **mauvais** and **petit** have two forms, one *regular* and one *irregular*:

| adjective | comparative | superlative |
|---|---|---|
| bon | meilleur | le meilleur |
| *good* | *better* | *the best* |
| mauvais | plus mauvais | le plus mauvais |
| *bad* | pire | le pire |
| | *worse* | *the worst* |
| petit | plus petit | le plus petit |
| *small, little* | *smaller* | *the smallest* |
| | moindre | le moindre |
| | *lesser* | *the least* |

La qualité de notre production est **meilleure** cette année, bien que le printemps ait été **plus mauvais** que d'habitude
> *The quality of our produce is better this year although the spring weather was worse than usual*

Il n'y a pas **le moindre** doute   *There is not the least doubt*

Note that **plus mauvais, le plus mauvais** are the most common forms but that **pire** and **le pire** are still used in formal language to refer to abstract nouns and in a number of set expressions:

Il semble que les conditions de travail soient **pires** qu'avant
> *It seems that working conditions are worse than before*

On a évité **le pire**   *The worst was avoided*

[115]

**7** COMPARATIVE forms of ADVERBS are formed with **plus, moins** or **aussi**:
Les otages ont été libérés **plus tôt que** prévu
> *The hostages were freed earlier than expected*

Cela arrive **moins fréquemment qu'**on ne le croit
> *It happens less frequently than one thinks*

Il faut agir **aussi rapidement que** possible
> *They must act as quickly as possible*

Note the constructions in the following COMPARATIVE sentence:
**Plus** on vieillit, **moins** on est indépendant
> *The older you get, the less independent you are*


**8** SUPERLATIVE forms of ADVERBS require the definite article **le**:
C'est l'argument que l'on utilise **le plus souvent**
> *It is the argument that is most often used*

Ce sont eux qui ont réagi **le plus violemment**
> *They are the ones who reacted the most strongly*


**9** Some adverbs have *irregular* comparative and superlative forms:

| | | |
|---|---|---|
| bien | mieux | le mieux |
| beaucoup | plus | le plus |
| peu | moins | le moins |

Les questions qui nous préoccupaient **le plus** il y a vingt ans sont celles qui nous intéressent **le moins** aujourd'hui
> *The issues that concerned us the most twenty years ago are those which interest us the least today*

Note that the irregular forms of **mal**, which are **pis** and **le pis**, are no longer used except in set expressions such as:
La situation va de mal en **pis**
> *The situation is going from bad to worse*


**10** Be careful not to confuse **mieux** and **le mieux** with **meilleur** and **le meilleur**:
Il dirige **mieux** son parti → c'est lui qui le dirige **le mieux**
> *He leads his party **better** – he is the one who leads it **best***

C'est un **meilleur** dirigeant → c'est **le meilleur**
> *He is a **better** leader – he is the **best** (one)*

Remember that the ADVERBS **mieux** and **le mieux** describe verbs and the ADJECTIVES **meilleur** and **le meilleur** describe nouns.

**11** Superlative adjectives and adverbs can be intensified by **possible**:

    Il faut toucher le plus grand nombre **possible** de gens
        *We must reach the largest possible number of people*
    Veuillez confirmer votre heure d'arrivée le plus tôt **possible**
        *Please confirm your time of arrival as soon as possible*
    On les encourage le moins **possible** à s'exprimer
        *They are given as little encouragement as possible to express themselves*

## More uses of the infinitive

**12** Infinitives can be used as nouns:

    **Camper** est une formule de vacances économique
        *Camping is a cheap way of going on holiday*
    **Voyager**, c'est **accepter** de vivre autrement
        *Travelling means accepting a different way of life*

**13** The infinitive is used after **à** to express what is required or what is possible:

    Il y a des décisions **à prendre**      *There are decisions to be made*
    Mon appartement est **à vendre**      *My flat is for sale*
    Il n'a rien **à** vous **reprocher**      *He has nothing to reproach you for*

**14** The infinitive is sometimes used instead of the IMPERATIVE in formal language:

    **Envoyer** CV et photo      *Send CV and photo*
    Ne pas **affranchir**      *No stamp required*

**15** The infinitive is used after **faire** to express the idea of getting someone to do something:

    Les récents événements **feront changer** le gouvernement d'avis
        *The recent events will make the Government change its mind*
    L'opposition a réussi à **faire amender** cette loi
        *The opposition managed to have the law amended*

and after **se faire** to express the idea of having something done to oneself:

    Nous **nous sommes fait envoyer** des échantillons
        *We had some samples sent to us*
    Je **me suis fait accorder** une réduction
        *I obtained a discount*
    Ils **se sont fait** critiquer
        *They were criticised*

**A** Compléter les phrases suivantes par **mieux** ou **meilleur**:

1 Pour préparer votre voyage dans de . . . . . conditions, adressez-vous à notre agence-conseil.
2 La carte X: la . . . . . façon de gagner du temps et de l'argent.
3 Avec les produits solaires X, bronzez . . . . . en vous exposant moins.
4 Ce n'est pas le tout d'être bricoleur, encore faut-il posséder les . . . . . outils.
5 Pour . . . . . connaître les formules de financement possibles, adressez-vous à votre concessionnaire X.
6 De toutes les poudres à laver que j'ai essayées, c'est celle qui lave le . . . . .
7 Nous vous offrons une qualité incomparable aux . . . . . prix.
8 Offrez-vous ce qui se fait de . . . . . en matière d'ameublement.

**B** Compléter les phrases en utilisant **faire** ou **se faire** au temps et à la forme qui conviennent. Les traduire ensuite.

1 Le but d'une campagne publicitaire est de . . . . . vendre.
2 Elle y parvient en . . . . . mieux connaître les produits nouveaux.
3 Mais est-il bien nécessaire de . . . . . voir une femme nue pour vendre un parfum?
4 Il est essentiel de créer une identité de marque si l'on veut . . . . . une réputation mondiale.
5 Les agences de publicité françaises ont mis longtemps à . . . . . accepter sur le marché américain.
6 Le Bureau de Vérification de la Publicité a parfois de la peine à . . . . . respecter la réglementation sur la publicité mensongère.

**C** Traduire:

1 Sometimes restrictions can be more stimulating than a total lack of censorship: they force admen to be more creative. For instance, the measures designed to limit cigarette advertising led them to creating some of the finest advertising campaigns we have seen.
2 For a well-known actor, a thirty-second advertising film can be more profitable than any[1] feature film. Ten years ago, such an activity would have represented one of the worst humiliations for a star.
3 Losing weight has become an obsession with many women. Most people agree[2] that advertising is partly responsible for this phenomenon.
4 It[3] is more and more desirable that the consumer should be informed as clearly as possible about the qualities of a product. But it is not the main aim of advertising.

[1] any (meaning all of a group of things or people): *n'importe quel* + nom; [2] utiliser *s'accorder pour dire*; [3] voir Ch. 21 ¶ 4a

# Chapitre 18 ............. Le monde du travail

## ▪ Diagnostic ▪

**A** Mettre les verbes entre parenthèses au subjonctif présent ou passé,
et souligner les conjonctions qui commandent ces subjonctifs:
e.g. Pour que leur mouvement de revendication (être) plus efficace, les
syndicats de cheminots ont décidé de coordonner leur action.
→ *Pour que* leur mouvement de revendication **soit** plus efficace, les
syndicats de cheminots ont décidé de coordonner leur action.

### Les syndicats aujourd'hui

1 Bien que les centrales syndicales (exercer) d'importantes responsabilités
(Sécurité sociale, assurance-chômage, etc.), le taux de syndicalisation est
estimé à environ 15% de la population active salariée.

2 Le syndicalisme français est encore faible et divisé. Non qu'il (refuser) de
s'engager dans la voie de l'adaptation; mais la mutation amorcée ces
dernières années reste timide. A moins qu'ils ne (faire) de rapides progrès
dans cette voie, les syndicats risquent de perdre encore du terrain.

3 Les syndicats doivent avant tout corriger leur image de mouvement
dominé par le secteur public et la revendication ouvrière. Cela se fera à
condition qu'ils (tenir) compte des différences de besoins selon les
catégories professionnelles et des aspirations individuelles des salariés.

**B** Utiliser la conjonction qui convient selon le sens: **puisque, afin que, de
peur que, de manière à ce que, jusqu'à ce que** ou **sans que**.

### La grève des contrôleurs aériens

Les aiguilleurs du ciel suspendront leur mouvement de grève pour le
week-end . . . . . le retour des vacances de Pâques se fasse normalement.
Ils ont néanmoins déposé un nouveau préavis de grève pour lundi matin.
«Après avoir essayé de négocier tout l'hiver, . . . . . le gouvernement
ait fait aucune concession, nous avons décidé de poursuivre notre mouvement de grève . . . . . nos revendications soient satisfaites», explique le
responsable du syndicat national des contrôleurs du transport aérien.
La plus importante de ces revendications concerne, rappelons-le, la
prise en compte des primes mensuelles dans le calcul de la retraite. Ces
primes sont en effet assez importantes . . . . . elles peuvent représenter
près du tiers du revenu total du salarié. Mais l'administration s'y oppose
formellement . . . . . cela ne fasse boule de neige dans la fonction
publique. Les grévistes exigent également une revalorisation de la fonction contrôle . . . . . la différence entre le travail «sur écran» et le travail
«dans les bureaux» soit reconnue.

# Use of conjunctions

1 Conjunctions either take the SUBJUNCTIVE or the INDICATIVE (i.e. the usual forms of the verb).

2 The following conjunctions take the SUBJUNCTIVE:

| | | | |
|---|---|---|---|
| bien que<br>quoique | *although* | en attendant que<br>jusqu'à ce que | *until* |
| pour que<br>afin que | *so/in order that* | de façon à ce que<br>de manière à ce que | *so that* |
| après que | *after* | de crainte que . . . ne | *for fear that* |
| avant que | *before* | de peur que . . . ne | |
| sans que | *without* | à moins que . . . ne | *unless* |
| non que | *not that* | à condition que | *on condition that* |
| pourvu que | *provided that, if only* | | |

Note that quoique (although) and afin que (in order that) are used in a formal context.

Son nom n'a pas été cité **quoiqu**'elle *ait été mise* en cause indirectement
*Her name was not mentioned **although** she was indirectly implicated*

Les fabricants devraient fournir plus d'information sur leurs produits **afin que** les consommateurs *puissent* mieux choisir
*Manufacturers should provide more information about their products **in order that** consumers can make a better choice.*

Il faudra attendre plusieurs années **avant que** ce médicament *soit* au point
*We shall have to wait several years **before** this drug is perfected*

**En attendant** que la commission d'enquête *ait terminé* son rapport, des mesures provisoires seront mises en application
*Until the commission of enquiry has finished its report, provisional measures will be taken*

La pollution sera contrôlée **pourvu que** toutes les nations *coopèrent*
*Pollution will be controlled **provided that** all countries co-operate*

Note that the conjunctions **à moins que, de crainte que** and **de peur que** take **ne** before the verb:

**A moins que** le temps *ne s'améliore* d'ici demain, le match sera reporté
*Unless the weather improves before tomorrow, the match will be postponed*

On a évacué le quartier **de peur qu**'il *ne* se *produise* une seconde explosion
*The area was evacuated for fear that a second explosion might occur*

**3** The following conjunctions take the INDICATIVE or the SUBJUNCTIVE depending on the meaning of the sentence:

| | |
|---|---|
| de manière que | |
| de sorte que | *so that, in such a way that* |
| si bien que | |

They take the subjunctive when there is a sense of purpose:

On a modifié cette loi **de sorte qu'**il n'y *ait* plus d'injustice
> *They have changed that law so that (in order that) it is no longer unfair*

and the indicative when the consequence is merely being stated:

On a modifié cette loi **de sorte qu'**il n'y *a* plus d'injustice
> *They have changed that law so that (in such a way that) it is no longer unfair*

Note that **de façon à ce que** and **de manière à ce que** convey a sense of purpose and therefore always take the subjunctive.

**4** The following conjunctions take the INDICATIVE:

| | | | |
|---|---|---|---|
| parce que | *because* | alors que | *at a time when, whereas* |
| puisque | *since* | tandis que | *while, whereas* |
| pendant que | *while* | étant donné que | *given that* |
| depuis que | *since* | ainsi que | *just as* |
| vu que | *seeing that* | maintenant que | *now that* |
| selon que | *according to, whether* | | |

**Depuis que** la direction *a changé*, il n'y a pas eu d'amélioration
> *Since the management has changed, there has been no improvement*

The following conjunctions of TIME also take the indicative forms of verbs:

| | | | |
|---|---|---|---|
| quand | | aussitôt que | |
| lorsque (formal) | *when* | dès que | *as soon as* |
| après que | *after* | tant que | *for as long as* |
| (au fur et) à mesure que | *(at the same time) as* | | |

**A mesure que** la médecine *progresse*, de nouvelles maladies se déclarent
> *As medicine progresses, new diseases appear*

Ils ont envoyé des secours **aussitôt qu'**on les *a prévenus*
> *They sent help as soon as they were alerted*

Note that these conjunctions of time may be followed by the future.

> See Chapter 21 Section 9.

* **Après que** traditionally takes the indicative but is nowadays mainly used with the subjunctive (see Section 2 above)

**A** Lire attentivement les phrases suivantes et compléter les blancs par l'une ou/et l'autre des conjonctions entre parenthèses selon que le verbe introduit est à l'indicatif ou au subjonctif:

**L'emploi en mutation: ce que l'avenir nous réserve**

1 La production des entreprises sera mieux adaptée aux besoins . . . . . l'intelligence artificielle donnera une grande souplesse aux études de marché. (*pourvu que/puisque*)

2 Les bureaux d'études pourront, d'autre part, simuler complètement une ligne de production . . . . . elle soit réalisée. (*avant que/pendant que*)

3 . . . . . le processus d'automatisation se développera dans les usines, l'intervention directe de l'homme dans les tâches d'exécution s'amenuisera. (*à condition que/au fur et à mesure que*)

4 La robotique aura un rôle considérable à jouer . . . . . les entreprises soient pour autant peuplées de robots. (*sans que/tandis que*)

5 L'automatisation rendra, en effet, le maintien d'une intervention humaine indispensable . . . . . les risques de panne seront sensiblement accrus. (*de peur que/vu que*)

6 Des emplois d'ouvriers de maintenance se créeront . . . . . les effectifs d'ouvriers qualifiés diminueront. (*en attendant que/alors que*)

7 Dans les bureaux, l'informatisation sera également la règle partout, . . . . . chaque employé disposera d'un terminal ou d'un micro-ordinateur. (*de sorte que/pour que*)

8 On le voit, l'entreprise devra bouleverser sa conception de la formation permanente . . . . . les salariés puissent s'adapter rapidement aux nouvelles techniques de production et de gestion. (*de sorte que/afin que*)

**B** Traduire:

In most companies, individual salaries are not officially disclosed, although certain firms have now decided to display[1] these details.

'Here every employee is a shareholder. Therefore it is normal that he or she should have access to all the social and economic facts about the company,' said[2] one managing director, 'and it is the best way of eliminating all sorts of rumours about salaries.' One management consultant points out that openness[3] improves relations between management and employees.

Finding out what others are earning encourages some employees to put their name down for a training course or to show more initiative. For others, however, knowing that they have reached the top of their salary scale[4] is discouraging. 'When I find out that the foreman has had another increase, it makes me sick,'[5] said[2] Mariama Ali, a[6] semi-skilled worker in a small electronics factory.

[1] utiliser *afficher*; [2] utiliser le temps présent; [3] *la transparence*; [4] utiliser *une fourchette de salaire*; [5] utiliser *ça me reste en travers de la gorge*; [6] omettre l'article

# Chapitre 19 ............ Les relations interpersonnelles

## ■ Diagnostic ■

**A** Remplacer les mots en italique par le pronom qui convient:

**Ecrire en collaboration**

◆ Vous avez co-signé un roman policier qui vient de paraître aux éditions de Midi. Qui a eu l'idée de ce livre?

MARIE-CHRISTINE  C'est moi qui ai eu l'idée *de ce livre*. J'étais sûre que Natasha s'intéresserait *à cette idée* avant même de parler *à Natasha de cette idée*. J'ai tout de suite pensé à Natasha.

◆ Et vous avez accepté tout de suite, Natasha?

NATASHA  Dès qu'elle m'a soumis *son projet*, son projet m'a tentée. Mais j'ai tout de même demandé *à Marie-Christine* de me donner une semaine pour réfléchir *au projet*. En fait, j'ai téléphoné *à Marie-Christine* dès le lendemain pour dire *à Marie-Christine* que j'acceptais.

◆ Comment s'est organisé le travail à deux? Vous rédigiez ensemble?

MARIE-CHRISTINE  Non, on rédigeait séparément. On se retrouvait donc avec deux versions de chaque chapitre. On comparait *les deux*, on discutait *des deux* et petit à petit on arrivait à une version unique.

◆ Quand on travaille en équipe, n'y a-t-il pas de tensions? Que se passait-il lorsque vous étiez en désaccord?

NATASHA  D'abord, la collaboration exige que chacun accepte les critiques de l'autre et ne s'offusque pas *de ces critiques*. On savait dès le début *qu'il fallait accepter cela*: aucun problème de ce côté-là. Mais il nous est arrivé d'être incapables de choisir entre les versions successives: aucune *des versions* ne nous plaisait. C'est alors qu'on a demandé à Rock d'intervenir.

◆ Vous vous êtes donc mis à travailler à trois?

MARIE-CHRISTINE  Oui, d'une certaine manière. Rock était curieux de lire le roman. On a donc offert *à Rock* de devenir notre premier lecteur. On n'a vraiment pas regretté d'avoir fait appel *à Rock*. Il a été formidable.

**B** Compléter les blancs par **à, aux, de** ou **des**:

**Homosexuel et agriculteur**

Si en ville l'homosexualité s'affiche, à la campagne elle se veut invisible. Dans une communauté rurale, seule la discrétion permet . . . l'homosexuel . . . mener une vie sans histoires. «Il serait impensable de parler . . . son homosexualité, mieux vaut la cacher . . . autres», nous dit Gérard. Il joue les célibataires endurcis et profite . . . fins de semaine pour retrouver quelques amis dans une des villes voisines. A quand une plus grande ouverture? Cela dépendra . . . l'évolution des mœurs.

# More about object and emphatic pronouns

See Chapter 3 for an introduction to DIRECT and INDIRECT OBJECT pronouns.

1  More than one object pronoun can be used with a verb, in which case the order is as follows:

| me te se nous vous | le la les | lui leur | y | en |
|---|---|---|---|---|

Elle **me les** a remboursés
Je compte **la leur** présenter
Ils **nous en** prêteront plusieurs
Je ne **la lui** ai pas offerte
Il **y en** a encore dix

2  In French, a verb cannot take two direct objects – one will always be indirect:
Nous enverrons **une invitation gratuite** *à nos clients*
    *We shall send our clients a free invitation*
*or*    *We shall send a free invitation to our clients*
N'oubliez pas de *leur* montrer **les derniers échantillons**
    *Don't forget to show them the latest samples*
*or*    *Don't forget to show the latest samples to them*
Note from the translations above that you can have two direct objects in English. This is impossible in French.

3  The indirect object pronouns **me, te, lui, nous, vous, leur** are used to refer to **people:**
Le magasin **lui** a renvoyé son chèque
    *The shop sent him/her back his/her cheque*
Je compte **leur** présenter Christine demain
    *I intend to introduce Christine to them tomorrow*

However, emphatic pronouns (moi, toi, etc.) and not indirect object pronouns are used with the verbs in the following list:

| | |
|---|---|
| s'adresser à quelqu'un | s'habituer à quelqu'un |
| comparer quelqu'un à quelqu'un | s'intéresser à quelqu'un |
| faire appel à quelqu'un | penser à quelqu'un |
| faire attention à quelqu'un | s'en remettre à quelqu'un |

En cas de difficulté, adressez-vous **à nous**
> *If you have any problems, come to us*

J'ai fini par m'habituer **à elle**
> *In the end I got used to her*

Note that, as is the case with all verbs taking **à**, the object pronoun **y** is used with the above verbs to refer to **things**:

En cas de difficultés, adressez-vous **à notre service information**
→ En cas de difficultés, adressez-vous-**y**

J'ai fini par m'habituer **à ses manières**
→ J'ai fini par m'**y** habituer

**4**  After verbs taking **de**, the EMPHATIC PRONOUNS are always used for **people**:

| | |
|---|---|
| Tout dépend **d'elle** | *Everything depends on her* |
| Vous avez profité **de moi** | *You took advantage of me* |

Note that, with verbs taking **de**, **en** is used for **things**:

| | |
|---|---|
| Tout dépend **de sa décision** | *Everything depends on her decision* |
| → Tout **en** dépend | *Everything depends on it* |
| Vous avez profité **de la crise** | *You took advantage of the crisis* |
| → Vous **en** avez profité | *You took advantage of it* |

**5**  The pronouns **en** and **y** can also replace **de** and **à** followed by a verb construction:

Elle se souvient **d'avoir appris cela à l'école**
> *She remembers learning that at school*

Elle se souvient **de ce qu'on lui apprenait**
> *She remembers what they taught her*

→ Elle s'**en** souvient
> *She remembers (it)*

Il s'attendait **à échouer**
> *He expected to fail*

Il s'attendait **à ce qu'on le fasse échouer**
> *He expected them to fail him*

→ Il s'**y** attendait
> *He expected it*

---

See Chapter 3 Sections 7–8 for **en** and **y**.

---

**6** The emphatic pronouns are used in combination with **-même** to produce the following forms:

| | | | |
|---|---|---|---|
| moi-même | *myself* | nous-mêmes | *ourselves* |
| toi-même | *yourself* | vous-même(s) | *yourself, yourselves* |
| lui-même | *himself* | eux-mêmes | *themselves (masc.)* |
| elle-même | *herself* | elles-mêmes | *themselves (fem.)* |
| soi-même | *oneself* | | |

Le premier ministre préfère rédiger ses discours **elle-même**
> *The prime minister prefers to write her speeches herself*

Il vaut mieux résoudre ses problèmes **soi-même**
> *It is better to solve one's problems oneself*

But note that REFLEXIVE constructions are generally used to translate *myself, yourself*, etc.:

Je **me suis dit** qu'il ne fallait pas s'affoler
> *I told **myself** that I mustn't panic*

Elle **s'est félicitée** d'avoir eu une si bonne idée
> *She congratulated **herself** on having had such a good idea*

**7** The pronoun **le** is used to refer to something recently mentioned or about to be mentioned, where in English a pronoun may not be necessary:

**a.** La France était membre de l'OTAN mais elle ne **l'**est plus
> (l' = membre de l'OTAN)

> *France used to be a member of NATO, but she is no longer*

**b.** Vous savez qu'elle est directeur commercial? Oui, je **le** sais
> (le = qu'elle est directeur commercial)

> *Do you know that she is the sales manager? Yes, I do*

**c.** Les résultats seront positifs, du moins nous **l'**espérons
> (l' = que les résultats seront positifs)

> *The results will be positive, at least we hope so*

**d.** Comme **l'**a déclaré le président, la bourse est en crise
> (l' = que la bourse est en crise)

> *As the President has stated, the stock exchange is in a state of crisis*

**e.** Cet article est plus polémique que je ne **l'**ai d'abord pensé
> (l' = que cet article n'est pas polémique)

> *This article is more controversial than I first thought*

Note the use of **ne** in the last sentence.

---

See Chapter 17 Section 3.

---

## More about verbs and their objects

**8**  In Chapter 3 you learned that verbs take direct or indirect objects. It is important to know which construction a verb takes. Remember to use the verb list on page 218.

**a.** Verbs which express the idea of getting something from someone take **à** before a person. These include:

acheter quelque chose **à** quelqu'un
arracher quelque chose **à** quelqu'un
cacher quelque chose **à** quelqu'un
emprunter quelque chose **à** quelqu'un
enlever quelque chose **à** quelqu'un
prendre quelque chose **à** quelqu'un
retirer quelque chose **à** quelqu'un
voler quelque chose **à** quelqu'un

Les médecins cachent souvent aux malades la gravité de leur cas
  *Doctors often hide from patients the seriousness of their condition*
On **leur** a retiré leur permis de conduire
  *Their driving licences were taken away from them*

Note that **acheter à** has two meanings:
Je **lui** ai acheté une voiture d'occasion
  *I bought a second-hand car **from** her/him*
  *I bought a second-hand car **for** her/him*

**b.** Remember the prepositions used to introduce the indirect objects of the following verbs:

| | |
|---|---|
| dépendre **de** quelqu'un/quelque chose | *to depend **on** s.o./sth.* |
| se diriger **vers** quelqu'un/quelque chose | *to make **for** s.o./sth.* |
| s'excuser **de** quelque chose | *to apologise **for** sth.* |
| penser **à** quelqu'un/quelque chose | *to think **of**/**about** s.o./sth.* |
| profiter **de** quelqu'un/quelque chose | *to profit **by**, to take advantage **of** s.o./sth.* |
| remercier quelqu'un **de** quelque chose | *to thank **for** s.o./sth.* |
| rire **de** quelqu'un/quelque chose | *to laugh **at** s.o./sth.* |
| vivre **de** quelque chose | *to live **on**/**off** sth.* |

Ils se sont excusés **de** leur absence
  *They apologised for their absence*
Les résultats dépendront **du** gouvernement
  *The results will depend on the Government*

**A** Vérifier la construction des verbes et insérer le pronom qui convient:

**Une période d'adaptation**

L'usine de textiles où René travaillait s'est vue obligée de licencier une cinquantaine de salariés, il y a dix huit mois: «Je m' . . . attendais, on . . . parlait depuis un certain temps. Mais tout de même . . . voir mettre au rencart à 56 ans, ça fait un choc. Surtout quand on a encore deux enfants à charge». La préretraite était préférable au licenciement et, à son âge, René a pu . . . bénéficier. Juliette, sa femme, tire un bilan positif de leur situation: «La vie est faite d'étapes successives. La retraite est l'une d'. . . . A chaque fois une période d'adaptation est nécessaire».

Les premières difficultés ont été financières. Ils . . . ont discuté tous les deux puis avec leurs enfants. Pourquoi, en effet, . . . cacher la triste vérité? Ceux-ci . . . ont d' . . . -mêmes promis de mettre un frein à leurs dépenses et de terminer leurs études au plus vite. «Cette période de crise n'a fait, on s' . . . est aperçus, que resserrer les liens familiaux».

Ensuite il a fallu trouver un autre mode de vie: «on a besoin d'une certaine période d'adaptation, comme je . . . disais tout à l'heure, reprend Juliette. Pour une femme au foyer, avoir son mari à la maison à temps complet bouleverse pas mal d'habitudes. J'ai eu du mal à m' . . . habituer. Quoi que je fasse, il faut qu'il s' . . . mêle». . . . retrouver 24 heures sur 24 en tête-à-tête peut, on s' . . . doute, devenir un enfer et tourner à la catastrophe. René et Juliette . . . ont pourtant échappé. Comment? «Il faut savoir . . . montrer patient, explique Juliette, garder son autonomie, trouver son équilibre dans le dialogue, le respect».

**B** Traduire:

1 Women for whom sexual freedom was a recent gain were all the more determined to use it and some women's magazines did not fail to encourage them to do so. But they are less so now. As recent surveys show, most of them realise that sexual freedom does not create happiness even if it contributes to it.

2 Homosexuality, considered for a long time to be an abnormality, even a disease, is finding wider acceptance[1]. As a result, homosexuals are less likely to conceal from others the nature of their relationships and several magazines which are intended for them are freely available. Homosexuals should[2] gradually become better integrated in society, at least they hope so.

3 Adolescence often starts earlier than parents imagine and the sexual experiences of the adolescents of today are more complex than they were thirty years ago. This[3] should enable them to reach in their adult life a sense of balance that many of their parents have not experienced.

[1] to find wider acceptance *obtenir droit de cité;* [2] voir Ch. 22 ¶ 1a;
[3] voir Ch. 20 ¶ 5

## Révision 17–19

**A** Mettre les adjectifs ou adverbes en italique au superlatif en changeant l'article si nécessaire:

**L'entreprise et la clientèle**

Ce sont les Américains qui ont développé la notion de «service» dans les affaires. Le service consiste à procurer au client l'objet dont il a besoin, à un *bon* prix et dans une *bonne* qualité, tout en se mettant à sa disposition pour lui faciliter son achat. C'est l'étude du marché qui permet de connaître les besoins de la clientèle. La technique *en faveur* pour l'étude du marché est celle du sondage d'opinion. Une fois que l'on connaît les caractéristiques et les qualités de l'objet que le client recherche, que l'on sait dans quelles conditions cet objet se vend et s'achète *couramment*, il est possible de fabriquer un objet conforme au goût de la clientèle, de le lui offrir dans des conditions *favorables* et d'utiliser les arguments publicitaires qui retiennent *bien* l'attention et qui sont *efficaces*.

(d'après Francis Baud, *Les Relations Humaines*, Presses Universitaires de France, Coll. 'Que sais-je', 1967)

**B** Mettre les verbes entre parenthèses au temps qui convient (présent, futur, subjonctif présent, subjonctif passé):

**Embauche: les nouvelles méthodes de recrutement des cadres**

Vous venez de répondre à une annonce de presse et vous avez envoyé, comme on vous le demandait, «curriculum vitae, lettre manuscrite et photo».

Sachez que si la première sélection se fait sur la base de votre CV, la seconde (être) sans doute réalisée par un graphologue. Un des premiers tris se fait donc sur des critères contestés par les psychologues: «Bien que près de 85% des entreprises européennes (avoir) recours à cette technique, les études scientifiques montrent que les conclusions tirées de l'analyse de l'écriture n'ont aucune validité» affirme l'un d'entre eux. Phase suivante: la photographie. Il y a bien des chances pour qu'elle (être) adressée à un morpho-psychologue qui est censé définir votre caractère à partir des traits de votre visage. Non que la validité de la méthode (être) prouvée. Autres révélateurs de la personnalité: votre date de naissance ou votre groupe sanguin éventuellement.

Pourquoi tant de complications? Les psychologues du travail s'accordent pour dire qu'un entretien pourrait largement suffire à condition toutefois qu'il (être) mené par une personne compétente possédant une formation aux techniques de l'entretien et une parfaite connaissance du poste à pourvoir. Parce que pour un patron l'embauche (être) un risque. Il en charge donc son service du personnel. Celui-ci s'adressera à des recruteurs professionnels. En cas d'erreur, ils (être) responsables.

**C** Réécrire les phrases en les complétant:

**Les plaisirs du célibat**

Nombreux sont les célibataires qui ont choisi . . . conjuguer leur vie au singulier. Ils tiennent . . . leur indépendance et refusent . . . la perdre.

Marie-France, trente-six ans, est une de ces célibataires pour qui célibat n'est pas synonyme de solitude. Son désir d'indépendance résiste . . . le temps et . . . l'amour. Pourtant, Michel, son amant depuis deux ans, est très désireux . . . bâtir un couple avec elle: «Il essaie . . . me convaincre . . . habiter chez lui sous prétexte . . . faire des économies de loyer et de chauffage, explique-t-elle, mais je ne peux me résoudre . . . le faire». Pour Marie-France, le célibat se résume . . . la possibilité . . . se retirer seule dans son appartement où elle n'est obligée . . . penser . . . personne d'autre, ni . . . s'habituer . . . les manies de quelqu'un d'autre.

L'indépendance est un luxe. Vivre seul coûte cher, et la possibilité . . . choisir ce mode de vie dépend en quelque sorte . . . le salaire dont on dispose. Autre difficulté: la maladie. Quand on est malade, on n'a personne . . . qui s'en remettre. On ne peut pas demander . . . son amant . . . venir jouer les garde-malades pendant une semaine. Ressource inestimable pour les vrais célibataires: les amis. Dans les moments de crise, c'est . . . eux que l'on se tourne. Il faut bien avoir quelqu'un . . . qui se confier, . . . qui s'appuyer.

**D** Mettre en relation les deux membres de phrase en utilisant, selon le sens, **plus** ou **moins**:

e.g. L'enfant est jeune / il est sensible au contenu réel d'une émission

→ **Plus** l'enfant est jeune, **moins** il est sensible au contenu réel d'une émission

**L'enfant et la télévision: quelques constatations**

1 Les enfants grandissent / ils sont nombreux à dire que la télévision leur permet de s'ouvrir au monde extérieur.
2 Leurs parents s'occupent d'eux / les enfants regardent la télévision.
3 Leurs parents parlent avec eux de ce qu'ils ont vu / ils deviennent des spectateurs intelligents.

**E** Traduire:

1 The French advertising industry has become more competitive than one would have thought possible ten years ago: it is now one of the most creative in the world.
2 'The management has no intention of taking away from the unions the right to oppose decisions, on the contrary they intend to grant them more power,' the managing director of the company explained[1].
3 Our company plans to offer training courses to as many employees as possible to enable them to adapt quickly to new production and management techniques.

[1] Ch. 25 ¶ 3

# Chapitre 20 .......... Les relations internationales

## Diagnostic

**A** Remplacer les mots en italique par le pronom démonstratif qui convient (**celui-ci, celle-ci, ceux-ci** ou **celles-ci**) afin d'éviter la répétition:

e.g. Les Etats-Unis et l'Europe se livrent actuellement une guerre sans merci dans le domaine du lancement de satellites. *Les satellites* possèdent, en effet, une importance militaire et économique vitale.

→ Les Etats-Unis et l'Europe se livrent actuellement une guerre sans merci dans le domaine du lancement de satellites. **Ceux-ci** possèdent, en effet, une importance militaire et économique vitale.

**La guerre des fusées spatiales fait rage**

1 L'Agence spatiale européenne a approuvé le projet de construction d'un lanceur capable de concurrencer la navette spatiale américaine en répondant point par point aux avantages de *la navette américaine*.

2 Les Etats-Unis, de leur côté, ont réagi en apportant de nombreuses modifications à leur navette. Pour le cas où *ces modifications* ne s'avéreraient décidément pas suffisantes, ils préparent de nouvelles fusées classiques.

3 Pourquoi cette lutte entre les Etats-Unis et les pays européens? *Les pays européens* pourraient bien se contenter d'utiliser la navette de leur allié.

4 Cela serait vrai si les Etats-Unis n'avaient pas démontré qu'ils n'acceptaient de lancer un engin étranger que lorsque *cet engin* n'allait pas à l'encontre de leurs intérêts politiques ou commerciaux.

**B** Dans le texte suivant, les verbes en italique sont au passé simple. Identifier l'infinitif de chacun de ces verbes puis traduire le passage.

**Le général de Gaulle: une certaine conception de la défense**

Le général de Gaulle *se fit* connaître, dès les années trente, par ses écrits d'histoire politique et de stratégie militaire. Il *essaya* de faire prendre conscience à ses contemporains de la nécessité impérieuse de moderniser l'armée mais *se heurta*, pendant plus de quinze ans, à l'incompréhension des dirigeants militaires de l'époque. Quand il *fut* enfin nommé sous-secrétaire à la Défense nationale par Paul Reynaud, le 6 juin 1940, il était malheureusement trop tard pour mécaniser l'armée et résister à l'ennemi.

Nul doute que, lorsqu'il *revint* au pouvoir en 1958, ce *fut* le souvenir du désastre de 1940 qui *détermina* le général de Gaulle à doter la défense des techniques les plus avancées. Le 2 novembre 1959, il *annonça* la mise sur pied d'une force nationale de dissuasion capable d'assurer l'indépendance nationale. Les gouvernements suivants ne *remirent* jamais en cause la nécessité d'un armement nucléaire.

# Demonstrative pronouns

**1** The demonstrative pronoun **celui** agrees with the noun it replaces:

|           | singular | plural |
|-----------|----------|--------|
| *masculine* | celui    | ceux   |
| *feminine*  | celle    | celles |

Les méthodes qu'on utilise → **celles** qu'on utilise
La plaidoirie de l'avocat → **celle** de l'avocat

**2** **Celui, celle, ceux, celles** are used before:

**a.** a relative pronoun:
On a demandé à **ceux qui** soutiennent notre action de signer une pétition
*We have asked those who support our action to sign a petition*
«Ce roman n'est pas **celui dont** je suis la plus fière», a-t-elle déclaré
*'This novel is not the one I am most proud of,' she declared*

**b.** **de:**
Ses arguments ne diffèrent pas sensiblement de **ceux du** premier ministre
*His arguments are not appreciably different from the PM's*
*His arguments are not appreciably different from those of the PM*
La séance de l'après-midi a été annulée et **celle du** soir également
*The afternoon session was cancelled and so was the evening one*

**3** **Tous ceux/toutes celles** followed by a relative pronoun must be used to express the idea of *everyone who, all those that, etc.*:
Nous avons incité **toutes celles qui** étaient présentes à revenir
*We urged all those who were present to come again*
**Tous ceux que** nous avons interrogés s'y sont déclarés favorables
*Everyone we asked was in favour of it*

Note that **tout ce** followed by a relative pronoun expresses the idea of *everything, all, etc.*:
**Tout ce qui** se trouvait dans l'appartement a été endommagé
*Everything that was in the flat has been damaged*
C'est **tout ce que** nous savons
*That's all we know*

**4** **-ci** and **là** can be added to **celui, celle, ceux, celles** to introduce a distinction:
Que vous preniez **celui-ci** ou **celui-là**, cela ne fera pas grande différence
*Whether you take **this one** or **that one**, it will not make much difference*

**Celui-ci** can mean *the latter* and **celui-là** *the former*:
> La tâche a été confiée à une commission d'enquête. **Celle-ci** fera connaître ses conclusions en décembre
>> *The task has been put in the hands of a Commission of Enquiry. The latter will make its conclusions known in December*

5   The demonstrative pronoun **cela** (**ça** in conversation) refers to a **statement** or **idea** rather than to a specific noun, or to something not yet mentioned or defined:

| | |
|---|---|
| Quel rôle a-t-il joué dans tout **cela**? | *What was his part in all that?* |
| **Cela** ne la regarde pas | *This does not concern her* |

Note that **this** tends to be translated by **cela** in modern French and not **ceci**.

6   **Même** may be used after a demonstrative for emphasis:
> **Ceux-là mêmes** qui dénoncent la violence peuvent se voir obligés d'en user
>> *The very people who denounce violence may be obliged to use it*
>
> C'est contre **cela même** que nous nous érigeons
>> *It is the very thing that we oppose*

## The past historic in contemporary French

7   The past historic, or *passé simple*, appears instead of the perfect tense when completed actions in the past are being reported. It is never used in conversation. The forms of the past historic are listed in the verb table (see pages 206–217).

**a.**   The past historic is often used in novels:
> «Il **eut** juste le temps d'apercevoir l'homme qui traversait le carrefour . . . lorsque le coup de feu **éclata**»
>> Jean Lahougue, *La Doublure de Magrite*

**b.**   You will see it in newspaper articles:
> «Monsieur Tripier, ministre de l'Intérieur, **félicita** les forces de l'ordre de la rapidité avec laquelle elles étaient intervenues et **fit** l'éloge de leur courage»

**c.**   You will hear it in formal speeches:
> «La création de l'Organisation du traité de l'Atlantique nord (OTAN) **fut** un événement d'une importance capitale»

Note that the present tense is now used instead of the past historic or the perfect tense in many historical accounts.

**A** Mettre chaque verbe au temps (passé simple ou imparfait) qui convient:

**Les projets de tunnels sous la Manche au XIX<sup>e</sup> siècle**

On s'accorde généralement pour attribuer le projet le plus ancien d'un tunnel sous la Manche à l'ingénieur des Mines Albert Mathieu. Son plan date de 1802, année où la paix d'Amiens (marqua/marquait) un bref répit dans l'enchaînement des guerres napoléoniennes. La reprise des hostilités (mit/mettait) un terme aux spéculations sur le tunnel et (jeta/jetait) surtout une ombre permanente sur les implications de l'entreprise. La concentration de l'armée napoléonienne au camp de Boulogne (laissa/laissait), en effet, un souvenir quasi indélébile dans la mémoire collective des Britanniques. Albert Mathieu avait du moins ouvert la voie à des générations de visionnaires qui (allèrent/allaient) creuser son idée.

Les projets (se succédèrent/se succédaient) au cours du XIX<sup>e</sup> siècle. Parmi ceux-ci, rappelons celui de Sir Edward Watkins, habile financier qui (put/pouvait) entreprendre le forage de puits et de galeries près de Douvres. La galerie effectivement creusée (atteignit/atteignait) environ deux kilomètres en 1882. L'on aurait pu croire que l'heure du tunnel avait sonné. (Ce fut/C'était) compter sans les alarmistes. Le risque d'invasion, en cas de conflit armé avec la France, (devint/devenait) un des thèmes majeurs de la violente campagne de presse qui (prit/prenait) le projet de tunnel pour cible vers 1880. Le projet de Watkins (tomba/tombait) à l'eau, sous la pression conjuguée des militaires et des isolationnistes.

(d'après *Histoire*, n° 106, 1987)

**B** Les commentaires suivants mettent l'accent sur certaines informations présentées dans le texte ci-dessus. Compléter les blancs par **celui** (etc.) **de** (suivi, si nécessaire, d'un article) ou par **celui** (etc.) + *pronom relatif*:

1 Nombreux sont . . . . . . l'idée d'un tunnel a fascinés.
2 Sir Edward Watkins entreprit le forage de galeries près de Douvres. . . . . . . fut creusée mesurait deux kilomètres en 1882.
3 Ni le projet de tunnel d'Albert Mathieu, ni . . . . . . Sir Edward Watkins ne furent réalisés.
4 L'entreprise de Watkins est . . . . . . fut le plus près d'aboutir.
5 Les objections des militaires et . . . . . . isolationnistes l'emportèrent.

**C** Traduire:

1 Everything we saw at the recent pop concert and everyone we talked to convinced us that the dialogue between young people is as important to international cooperation as that which exists between heads of state.
2 Since 1960 France has been developing an active policy of economic cooperation with China based on the strengthening of diplomatic relations. These were resumed in 1964.

# Chapitre 21 ................. Sciences et techniques

## Diagnostic

**A** Mettre l'accent sur la partie de la phrase en italique en réécrivant les phrases avec **c'est/ce sont . . . qui** ou **c'est/ce sont . . . que**:

e.g. Un constat s'impose: on doit la plupart des grandes avancées technologiques de notre temps *aux militaires*.

→ Un constat s'impose: **c'est aux militaires que** l'on doit la plupart des grandes avancées technologiques de notre temps.

### La technologie fille de la guerre

1 Ainsi, par exemple, l'Amérique s'est intéressée aux recherches sur l'atome, *à la suite de l'humiliation de Pearl Harbour, en 1941*.

2 De même, *la mise au point des bombes volantes V1 et V2 en Allemagne* a ouvert la voie à la conquête de l'espace.

3 Le premier calculateur électronique, lui, fut construit *pour calculer la trajectoire des premiers missiles balistiques intercontinentaux*.

4 Plus récemment, *les crédits militaires* ont permis à l'informatique et, plus généralement, à l'électronique de se développer à une allure stupéfiante.

**B** Réécrire soigneusement les phrases suivantes en utilisant le pronom impersonnel **il** pour introduire le fragment de phrase en italique:

e.g. Protéger les cultures *est essentiel* pour l'homme.

→ **Il est essentiel** pour l'homme **de** protéger les cultures.

### Pesticides

1 De tout temps, se protéger contre tous les animaux nuisibles qui déciment les cultures et provoquent des famines *a été impératif* pour l'homme.

2 La prolifération des insectes ravageurs *est surtout difficile* à contrôler.

3 Contrecarrer le «boom démographique» de certains insectes, *c'est enfin possible* grâce aux progrès réalisés en chimie organique et en biologie.

4 Cependant, recourir à des armes chimiques «lourdes» comme le DDT *s'est avéré dangereux* pour les insectes utiles et la santé de l'homme.

**C** Mettre le verbe entre parenthèses au temps qui convient:

1 Tant que les partenaires européens (ne pas conjuguer) leurs efforts, l'Europe ne sera pas en mesure de relever le défi technologique.

2 Lorsqu'on (parler) de technologie avancée, on pense surtout à la télématique et aux biotechniques.

3 Dès qu'une stratégie commune (être adopté), les scientifiques pourront rassembler le potentiel humain et financier dont ils ont besoin pour innover dans le domaine des hautes technologies.

## Ce and Il

1   Ce is used as a subject pronoun with the verbs **être, devoir être, pouvoir être**:

Ce sont des fonctionnaires         *They are civil servants*
Ç'a été un événement capital       *It was a decisive event*
Ce doit être la seule solution     *It must be the only solution*
Ce ne pouvait être qu'une erreur   *It could only be a mistake*

Note that before compound tenses the form **ç'** is used.

2   Ce is generally used when **être** is followed by a noun or pronoun:

ce + être + 
{
Monsieur Jospin, Madame Gandhi, Martine, Serge, etc.
un . . ., une . . ., des . . .;
le . . ., la . . ., les . . .;
mon . . ., ma . . ., mes . . ., etc.
moi, toi, lui, etc.;
celui qui/que/dont, etc.
}

C'est M. Jospin qui fut élu        *It was M. Jospin who was elected*
C'était un de nos candidats        *He was one of our candidates*
Ce devaient être des pacifistes    *They must have been pacifists*
C'était vous qui aviez raison      *You were the ones who were right*
C'est celle pour qui je voterai    *She is the one I will vote for*

Note that **ce** can be translated by *it, he, she, they*.

3   In formal French, **il** and *not* **ce** is used in EXPRESSIONS OF TIME:

Il était plus de minuit            *It was past midnight*
Il sera trop tard pour agir        *It will be too late to act*
Il est temps de légiférer          *It is time to legislate*

4   When **être** is followed by an ADJECTIVE, both **ce** and the impersonal pronoun **il** are used to refer to a PHRASE or an IDEA rather than a SPECIFIC NOUN.

**a.** In formal French, **il** and *not* **ce** is used when the adjective refers *forward* to something about to be mentioned:

Il est essentiel **de réexaminer la situation**
     *It is essential to examine the situation again*
Il est surprenant **que les réactions aient été aussi violentes**
     *It is surprising that reactions were so violent*

**b.** Ce is used when the adjective refers *back* to something just expressed:

Faut-il **réexaminer la situation**? Oui, **c'**est essentiel
Les réactions ont été extrêmement violentes, **c'**est surprenant

[136]

c. The preposition **de** introduces the infinitive when referring *forward* to something about to be expressed:

Il a été difficile **de** prendre une telle décision
*It was difficult to take such a decision*

but the preposition **à** introduces the infinitive when referring *back* to something just expressed:

A-t-on eu tort de prendre une telle décision? C'est difficile **à** dire
*Were we wrong to take such a decision? It is difficult to say*

> See also Chapter 14 Section 6a note.

5 With all other verbs, however, **cela** (*not* **ce** or **il**) is used to refer to a phrase or an idea:

Augmenter le prix des cigarettes, **cela** ne **résoudra** rien
*Raising the price of cigarettes will not solve anything*

Les prisonniers se sont mutinés pour protester contre les conditions de détention. **Cela s'était** déjà **produit** en mai dernier
*The prisoners rioted as a protest against prison conditions. This had already happened last May*

> See also Chapter 20 Section 5.

6 **C'est . . . qui** or **que** can be used for emphasis:

a. **C'est** or **ce sont . . . qui** is used to emphasise a noun which is the SUBJECT of the verb:

*Les dirigeants* sont les véritables responsables
→ **Ce sont** les dirigeants **qui** sont les véritables responsables

b. **C'est** or **ce sont . . . que** is used to emphasise a noun which is the DIRECT OBJECT of the verb:

Ils voudront attirer *la clientèle des jeunes*
→ **C'est la clientèle des jeunes** qu'ils voudront attirer

c. **C'est . . . que** is used to emphasise any other part of a sentence:

Ces critiques s'adressaient *aux petits commerçants*
→ **C'est** aux petits commerçants **que** s'adressaient ces critiques
L'Algérie obtint son indépendance *en 1962*
→ **C'est** en 1962 **que** l'Algérie obtint son indépendance
La situation a empiré *parce qu'on a trop attendu*
→ **C'est** parce qu'on a trop attendu **que** la situation a empiré

7   When **ce . . . être** is used for emphasis, the present tense is generally used (see above). Other tenses (imperfect, future, past historic) can be used provided that the same tense is used in both parts of the sentence:

Ce **fut** en 1962 que l'Algérie **obtint** son indépendance

C'**était** aux petits commerçants que s'**adressaient** ces critiques

## Tenses after conjunctions of time

8   Remember that the following conjunctions of time take the indicative:

| | | | |
|---|---|---|---|
| aussitôt que | } *as soon as* | lorsque | } *when* |
| dès que | | quand | |
| à mesure | *as* | tant que | *for as long as* |

> See Chapter 18 Section 4.

9   Tenses in French reflect time more closely than in English. In the following examples you will see that, when future time is implied, a tense expressing the future must be used:

Je vous règlerai **dès que je recevrai la facture**
   *I will pay you as soon as I receive the invoice*
Je vous règlerai **dès que j'aurai reçu la facture**
   *I will pay you as soon as I have received the invoice*
J'ai promis que je vous règlerais **dès que je recevrais la facture**
   *I promised I would pay you as soon as I received the invoice*
J'ai promis que je vous règlerais **dès que j'aurais reçu la facture**
   *I promised I would pay you as soon as I had received the invoice*

Note the differences between French and English in the above sentences:

| *French:* | *English:* |
|---|---|
| **future** | **present** |
| dès que je recevrai . . . | *as soon as I receive . . .* |
| **future perfect** | **perfect** |
| dès que j'aurai reçu . . . | *as soon as I have received . . .* |
| **conditional** | **simple past** |
| dès que je recevrais . . . | *as soon as I received . . .* |
| **conditional perfect** | **pluperfect** |
| dès que j'aurais reçu ... . | *as soon as I had received . . .* |

The same tense rules apply to all the conjunctions of time listed in Section 8 above:

Ils s'en souviendront **tant qu**'ils *vivront*
*They will remember it for as long as they live*
**Aussitôt** qu'un cessez-le-feu *aura été* conclu, les négociations reprendront
*As soon as a cease-fire has been agreed, negotiations will resume*
Ils ont déclaré qu'ils seraient prêts **lorsqu**'il le *faudrait*
*They said they would be ready when the need arose*
On pensait que l'ordre se rétablirait **quand** les esprits se *seraient calmés*
*It was thought that order would return when tempers had cooled*

## The future perfect tense

**10** The FUTURE PERFECT tense is formed by using the FUTURE tense of **avoir** or **être** with the PAST PARTICIPLE:

| **cesser:** | j' aurai cessé | **venir:** | je serai venu(e) |
|---|---|---|---|
| | tu auras cessé | | tu seras venu(e) |
| | il/elle aura cessé | | il/elle sera venu(e) |
| | nous aurons cessé | | nous serons venu(e)s |
| | vous aurez cessé | | vous serez venu(e)(s) |
| | ils/elles auront cessé | | ils/elles seront venu(e)s |

**se renseigner:**    je me serai renseigné(e)
tu te seras renseigné(e)
il/elle se sera renseigné(e)
nous nous serons renseigné(e)s
vous vous serez renseigné(e)(s)
ils/elles se seront renseigné(e)s

For past participle agreement rules, see Chapter 13 Sections 5–8.

The future perfect has its equivalent in English:

Nous **aurons terminé** l'enquête avant lundi, du moins nous l'espérons
*We will have completed the investigation by Monday, at least we
hope so*

**A** Compléter les phrases par **ce, cela, il** (impersonnel), **il(s)** ou **elle(s)**:

**Sciences et techniques: quelques définitions**

1 *La biotechnologie*
Un mot désigne l'utilisation des propriétés de la matière vivante dans l'industrie: . . . sont les biotechnologies. . . . touchent des domaines extrêmement variés mais . . . est dans les secteurs de la santé, de l'agriculture et de l'alimentation que . . . sont les plus performantes. Les activités traditionnelles s'en trouvent si transformées que . . . serait difficile de ne pas y voir un secteur de pointe.

2 *Les matériaux composites*
La construction automobile et l'industrie aérospatiale font largement appel à de nouveaux matériaux: les composites. . . . sont, comme leur nom l'indique, des matériaux dans lesquels plusieurs constituants sont associés et qui possèdent un ensemble original de propriétés. . . . permettent, entre autres, de réaliser de grandes structures à la fois rigides, résistantes et légères. . . . est clair, dès aujourd'hui, que ces nouveaux matériaux de structure seront très présents dans notre futur environnement. . . . est grâce à eux, par exemple, que la voiture de demain sera beaucoup plus performante sans être beaucoup plus chère.

3 *Les matières plastiques*
. . . symbolisent la civilisation du XX$^e$ siècle. . . . sont des polymères presque exclusivement produits à partir du pétrole. . . . remplacent les produits plus traditionnels: acier, bois, verre, etc. . . . s'agit, en effet, d'un matériau aux applications multiples que les chercheurs tentent encore de développer. Aussi extraordinaire que . . . puisse paraître, . . . existe maintenant un plastique à mémoire, découvert par les Japonais. . . . est un plastique capable de retrouver sous l'effet de la chaleur une forme que . . . a mémorisée.

**B** Traduire:

EUREKA is a French initiative: it was Roland Dumas, then Minister for Foreign Affairs, who launched the idea of a large European research programme in 1985. He was convinced that once European governments had succeeded in encouraging an intensive exchange of information between companies and research institutes, the productivity and competitiveness of European industry would greatly improve. Some of his critics argued that, as a general rule, it is extremely difficult to ask competitors to share their secrets and that it is a mistake to believe that programmes of cooperation initiated by governments are more likely to succeed than spontaneous cooperation. As surprising as it may seem, given Mrs Thatcher's position on the subject, it was the British who supported the project most strongly at the London conference the following year.

## Diagnostic

**A** Utiliser l'information entre parenthèses pour compléter les phrases par une proposition introduite par **jusqu'à ce que, avant de, avant que** ou **après**:

**Partez gagnant aux sports d'hiver**

1 Si vous suivez un traitement médical, consultez votre médecin. . . . (*vous prenez le chemin des stations*)
2 Une mise en condition physique s'impose . . ., si vous êtes un sportif occasionnel. (*vous vous lancez sur les pistes*)
3 Respectez une progression dans la difficulté des exercices . . . . (*vous vous sentez en pleine possession de vos moyens*)
4 . . ., donnez-vous le temps du repos. (*vous avez passé une journée sur les planches*)

**B** Traduire:

*Extrait de la loi «Informatique et Liberté»*[1]:
— Article 1. «L'informatique doit être au service de chaque citoyen. Elle ne doit porter atteinte ni à l'identité humaine, ni aux droits de l'homme, ni à la vie privée, ni aux libertés individuelles ou publiques».

*Ce qu'il faut savoir sur l'existence des fichiers informatisés:*
— Il existe en France des centaines de milliers de fichiers. Chacun de nous est fiché plusieurs centaines de fois.
— C'est souvent utile: c'est grâce à eux que l'on peut, par exemple, greffer dans les plus brefs délais à un malade le rein d'un automobiliste tué dans un accident de la route.
— Mais c'est parfois inquiétant: des renseignements périmés, faux ou malveillants, peuvent vous poursuivre ou vous porter préjudice; des fichiers peuvent être utilisés abusivement par un tiers.

*Ce qu'il faut savoir sur le droit d'accès et de rectification:*
— La Commission nationale de l'informatique et des libertés (CNIL) peut vous aider à savoir si vous figurez sur certains fichiers car tous les fichiers et traitements informatiques doivent lui être déclarés.
— Vous pouvez, si vous le voulez, consulter votre fiche. Pour cela, il faut vous adresser à l'organisme concerné.
— Vous pouvez faire modifier les informations vous concernant si elles sont inexactes. Signalez les erreurs. S'il ne peut prouver qu'il a raison, le responsable du fichier doit procéder aux corrections et communiquer un rectificatif aux personnes concernées.

[1] la loi «Informatique et Liberté» *the law on data privacy*

## *devoir, pouvoir, vouloir* and *falloir*

1 **Devoir** is used:

    **a.** to express various ideas of **obligation**:

      Elle **doit** signer le contrat     *She **has to/must** sign the contract*
                                        *She **is to/is due to** sign the contract*
                                        *She **is supposed to** sign the contract*
      Vous **devriez** accepter son offre     *You **ought to/should** accept his offer*
      J'**aurais dû** le dire     *I **ought to have/should have** said so*

    **b.** and to express **probability**:

      Il **devait** s'y attendre     *He **must have been** expecting it*
      Elle **a dû** y réfléchir     *She **must have** thought about it*

2 **Pouvoir** is used:

    **a.** to express what someone is **able to do**:

      Il **pourra** bientôt se déplacer     *Soon he **will be able to** travel*
      Vous **pouvez** bénéficier d'un prêt     *You **can** obtain a loan*
      Cela **pourrait** se faire     *That **could** be arranged*

    Note that **savoir** and not **pouvoir** translates *can* meaning 'to know how to':
    **Savez**-vous programmer un ordinateur?
            *Can you program a computer?*

    **b.** to express **permission**:

      Vous **pouvez** fumer si vous voulez   *You **may** smoke if you wish*
      Je ne **peux** pas quitter la région   *I am not **allowed to** leave the area*

    **c.** to express **possibility**:

      Cela **peut** arriver à n'importe qui   *It **may/can** happen to anyone*
      Ils **ont pu** faire une erreur   *They **may have** made a mistake*
      Elle **pourrait** le regretter   *She **might** regret it*

    **d.** and to express **reproach**:

      Vous **auriez pu** nous avertir   *You **might have** warned us*
                                 *You **could have** warned us*

3 **Vouloir** is used:

    **a.** to express **wanting, wishing, liking**:

      On ne **voulait** pas de déchets   *We didn't **want** any waste*
      Je ne **veux** pas que cela se sache   *I don't **wish** this to be known*
      On **aurait voulu** éviter le conflit   *We **would have liked to** avoid conflict*
                                  *We **would like to have** avoided conflict*

**b.** with **bien**, to express **willingness**:

| | |
|---|---|
| Ils **ont bien voulu** nous prêter assistance | *They **were willing** to help us* *They **were kind enough** to help us* |

**c.** and to express **polite requests**:

| | |
|---|---|
| **Veuillez** accepter nos excuses | *Please accept our apologies* |

Note the use of **vouloir dire** and **en vouloir à quelqu'un**:

| | |
|---|---|
| Que **veut dire** cette phrase? | *What does this sentence mean?* |
| Ne **lui en veuillez** pas | *Do not hold it against her/him* |

**4** **Falloir** is an impersonal verb, so the impersonal pronoun **il** is always its subject. It is used:

**a.** with a noun, to express a **need**:

| | |
|---|---|
| Il me **fallait** un soutien | *I needed support* |

**Falloir** is also used to express the time needed to do something:

Il nous **a fallu** deux jours pour parvenir à un compromis
   *It **took** us two days to reach a compromise*

Note that the pronoun referring to those who need something or someone is INDIRECT:

| | |
|---|---|
| **Les enfants** ont besoin d'affection | → Il **leur** faut de l'affection |
| **L'UNICEF** aura besoin d'argent | → Il **lui** faudra de l'argent |

**b.** with a following verb, to express a **necessary course of action**:

Il **faudra** repartir à zéro
   *They **will have** to go back to the beginning*
Il **faut** que la loi soit respectée
   *The law **must** be obeyed*

Note that although **falloir** often translates *must*, it is not used to express probability. For this, **devoir** is used (see Section 1b above).

> See also Chapter 15 Section 3.

**5** Remember that the rules governing the use of tenses also apply to **devoir, pouvoir, vouloir** and **falloir**.

**a.** For example, the distinction between the imperfect and perfect tenses applies:

On **pouvait** recruter du personnel sans difficulté
   *We **could (used to be able to)** recruit staff without any problems*
On **a pu** recruter du personnel sans difficulté
   *We **could (were able to)** recruit staff without any problems*

> See Chapter 4 Section 6.

**b.** As can be seen from the translations of the examples in Sections 1–4, there is often a change of meaning according to the tense used:

Ces enseignants **devaient** suivre des cours de recyclage

*These teachers **were to**/**were supposed to**/**were due to** take a refresher course*

Ces enseignants **ont dû** suivre des cours de recyclage

*These teachers **had to** take/**must have** taken a refresher course*

## *après, avant, pendant* and *jusqu'à*

Sentences with **après, avant, pendant, jusqu'à** are not always constructed in the same way. The construction depends on what comes afterwards.

**6** **Après** is used as follows:

Elle a donné cette interview **après les négociations**

*She gave that interview **after** the negotiations*

Elle a donné cette interview **après avoir entamé les négociations**

*She gave that interview **after** starting the negotiations*

Elle a donné cette interview **après qu'ils aient entamé les négociations**

*She gave that interview **after** they started the negotiations*

Note that:

**après** is used before a noun (**les négociations**)

**après** + *past infinitive* is used where the subject is the same in both clauses (**Elle**)

**après que** + *subjunctive* is used where the subject is not the same in both clauses (**Elle . . . ils**)

See Chapter 18 Section 4.

**7** **Avant** is used as follows:

Il fera une déclaration **avant la séance**

*He will make a statement **before** taking part in the meeting*

Il fera une déclaration **avant de participer à la séance**

*He will make a statement **before** taking part in the meeting*

Il fera une déclaration **avant que la séance commence**

*He will make a statement **before** the meeting begins*

Note that:

**avant** is used before a noun (**la séance**)

**avant de** + *infinitive* is used where the subject is the same in both clauses (**Il**)

**avant que** + *subjunctive* is used where the subject is not the same in both clauses (**Il . . . la séance**)

**8** **Pendant** is used as follows:

Vous avez changé d'attitude **pendant la grève**
*You changed your attitude **during** the strike*
Vous avez changé d'attitude **pendant que vous étiez en grève**
*You changed your attitude **while** you were on strike*
Vous avez changé d'attitude **pendant que les employés étaient en grève**
*You changed your attitude **while** the employees were on strike*

Note that:

**pendant** is used before a noun (**la grève**)
**pendant que** + *indicative* is used when a verb follows, whether the subject is the same in both clauses or not

**9** **Jusqu'à** is used as follows:

Nous persévérerons **jusqu'au printemps prochain**
*We shall persevere **until** next spring*
Nous persévérerons **jusqu'à ce que nous obtenions des résultats**
*We shall persevere **until** we get results*
Nous persévérerons **jusqu'à ce que les résultats soient positifs**
*We shall persevere **until** the results are positive*

Note that:

**jusqu'à** is used before a noun (**le printemps prochain**)
**jusqu'à ce que** + *subjunctive* is used when a verb follows, whether the subject is the same in both clauses or not

**Jusqu'à** and **jusqu'à ce que** are not normally used in the following contexts:

**a.** after the verb **attendre**:

J'attendrai le **printemps** pour prendre une décision
*I shall wait **until** spring to make a decision*
J'attendrai **d'avoir** reçu les résultats
*I shall wait **until** I have received the results*
J'attendrai **que vous ayez pris** une décision
*I shall wait **until** you have made a decision*

Note that:

**attendre** is used before a noun (**le printemps**)
**attendre de** + *infinitive* is used where the subject is the same in both clauses (**Je**)
**attendre que** + *subjunctive* is used when the subject is not the same in both clauses (**Je . . . vous**)

**b.** after a negative verb, **avant, avant de** or **avant que** (see section 7 above) are used:

N'abandonnez pas **avant de** connaître les résultats
*Do not give up **until** you have heard the results*

## Renforcement

**A** Mettre les verbes entre parenthèses au temps qui convient:

**Au restaurant: vos droits**

QUESTION  Dernièrement, j'ai trouvé une erreur dans ma note de restaurant. Le propriétaire a accepté de la rectifier. S'il ne l'avait pas fait, quelle attitude (*je — devoir*) adopter?

RÉPONSE  Vous (*pouvoir*) lui payer ce que vous estimiez lui devoir. S'il avait refusé votre argent, (*falloir*) alors prévenir la Direction départementale de la Concurrence et de la Consommation.

QUESTION  Le nom du plat que j'avais commandé ne correspondait pas du tout à ce que l'on m'a servi. (*Falloir*) refuser de le payer?

RÉPONSE  On (*devoir*), en principe, vous servir autre chose à la place. La prochaine fois, (*falloir*) insister et prendre les autres clients à témoin.

**B** Compléter les phrases par **devoir, pouvoir, il faut, vouloir** et **savoir** au présent ou à l'infinitif:

**Accession à la propriété**

L'achat d'un logement compte parmi les gestes les plus importants de la vie. Si on . . . . . le réussir, . . . . . mettre toutes les chances de son côté.

Pour ne pas finir au contentieux, quand on a choisi d'accéder à la propriété, . . . . . être capable de gérer un budget. Le coût de l'installation . . . . . être examiné avec soin. Un couple qui dispose de solides revenus . . . . . parfaitement s'en tirer moins bien qu'un ménage plus modeste qui, lui, . . . . . épargner. Non seulement il n'est pas drôle de finir au contentieux, mais les conséquences psychologiques . . . . . être désastreuses.

Aujourd'hui encore, on achète trop sur un coup de cœur. Si l'on ne . . . . . pas s'empoisonner la vie, la première question que . . . . . se poser, c'est «j'achète où?» et non pas «j'achète quoi?». Y a-t-il des commerces? Des transports en commun? Des espaces verts? Autant de questions auxquelles on . . . . . répondre en se rendant à la mairie. On . . . . . ensuite se demander si ce dont on a envie correspond à ce dont on a besoin. Et là encore . . . . . faire preuve avant tout de réalisme.

(d'après *Ecureuil* magazine, n° 26, 1987)

**C** Traduire:

What you need to know before planning a holiday abroad:

*Passports*  Each member of a family should have his or her own passport. A wife may be included on her husband's passport, but she cannot use it on her own. The same applies to children.

*Visas*  You may need a visa. Apply to the consulate of the country concerned well in advance. Do not wait until it is too late to apply.

*Foreign currency*  While abroad, you can make withdrawals with your 'Carte Bleue' at the cash dispensers of any bank.

# Révision 20–22

**A** Mettre au présent les verbes qui sont au passé simple dans le texte. Et apprécier l'effet ainsi produit:

**Pays-Bas: la bataille contre la mer**

La dernière catastrophe date de 1953. Dans la nuit du 31 janvier au 1<sup>er</sup> février se produisit la conjonction d'une grande marée et d'une violente tempête de nord-ouest. Des centaines de digues se rompirent et la région du delta fut presque complètement submergée jusqu'aux abords immédiats de Rotterdam. Le bilan fut lourd: 1850 morts, 160 000 hectares dévastés, maisons et routes détruites. Plus jamais cela! décidèrent les Hollandais. Et c'est ainsi que fut élaboré, puis adopté par le Parlement en 1958, le plan Delta. L'objectif était d'édifier des barrages conçus pour résister aux raz de marée.

A l'origine, le plan Delta devait être complètement réalisé en 1978. Mais en 1976 surgit un obstacle imprévu: les écologistes. Ils donnèrent l'alarme en rappelant que la fermeture des bouches du delta risquait d'entraîner une profonde transformation de l'environnement. Malgré les réticences d'ingénieurs avant tout soucieux de sécurité et de financiers inquiets devant les risques de gaspillage de fonds publics, le mouvement d'opinion suscité par les écologistes fut le plus fort, et le gouvernement dut réviser ses plans. Le Parlement vota en 1976 une modification·du plan Delta, destinée à satisfaire les uns et les autres – moyennant un doublement du coût du projet.

(d'après Ça m'intéresse, n<sup>o</sup> 49, 1985)

**B** Les phrases suivantes portent sur le texte ci-dessus. Les transformer afin de mettre l'accent sur l'information présentée en italique:
e.g. *La région du delta* a été sinistrée.
— C'est la région du delta qui a été sinistrée.

1 La dernière catastrophe date *de 1953*.
2 *Les écologistes* ont donné l'alarme.
3 *Le mouvement d'opinion suscité par les écologistes* s'est révélé le plus fort.
4 Les financiers craignaient *les risques de gaspillage de fonds publics*.
5 Le Parlement a voté une modification du plan Delta *pour satisfaire les uns et les autres*.

**C** Traduire:

1 The introduction of new varieties of cereals may have helped in the fight against hunger in the Third World, but one should not forget that it has also caused serious environmental change.

2 Many ecologists fear that governments will continue to exploit fossil fuels until all the resources are exhausted, without investing sufficient funds in alternative energy sources other than nuclear power. 'Our environment will be at risk for as long as this attitude prevails,' said one of them.

**D** Compléter par **ce** (pronom), **ce** (adjectif), **ça, cela, celui** etc., **il** ou **elle**:

**Minitel: la télématique dans votre salon**

«Un Minitel à quoi . . . sert?» Pour répondre à . . . question, nous avons interrogé le directeur des relations publiques aux PTT: «. . . est un petit terminal informatique que les PTT mettent gratuitement à la disposition de leurs abonnés au téléphone et qui permet de consulter les noms et les numéros de téléphone de tous les abonnés de France».

Mais le terminal Minitel ne servira pas qu'à . . . Vous pourrez aussi l'utiliser pour interroger plus d'une centaine de services de réservation et d'information: . . . de la SNCF, des journaux, des banques, etc. L'installation de . . . terminal chez vous marque, en fait, les débuts de la télématique pour tous.

Le mot «télématique» désigne le mariage des télécommunications et de l'informatique. Nous avons tous vu, dans un bureau de poste ou une agence de voyage, une opératrice se servir d'un terminal. Mais . . . télématique était réservée aux professionnels, . . . exigeait des matériels coûteux et l'apprentissage d'un langage sophistiqué pour dialoguer avec l'ordinateur. Le Minitel vous évite . . . difficultés, car . . . appartient à une nouvelle génération de la télématique: . . . qui est baptisée «vidéotex». Il s'agit d'un système dont toutes les normes ont été pensées pour permettre des applications grand public. . . . signifie que le dialogue avec l'ordinateur a été simplifié.

. . . instrument grand public n'en est qu'à ses débuts et . . . a encore bien des défauts, mais la plupart de . . . qui ont accepté de remplacer leur ancien annuaire papier par . . . annuaire électronique se déclarent plutôt satisfaits.

(d'après *Ça m'intéresse*, n° 49, 1985)

**E** Reformuler les questions et remplacer, le cas échéant, **ce** et **ça** par le pronom qui convient afin d'obtenir un français soutenu:

**Un acteur répond à nos questions**

Q. Pour quelles raisons est-ce que vous avez accepté de tourner le film qui sort cette semaine?

R. J'ai accepté par estime pour le réalisateur. Et en raison, aussi, de la qualité des autres participants. C'est rare qu'un film réunisse les meilleurs comédiens d'un pays.

Q. Vous avez souvent déclaré choisir vos films en fonction du metteur en scène. J'ai l'impression que ç'a été une constante chez vous.

R. Ça m'a toujours paru essentiel. Ça correspond, chez moi, à une certaine idée du cinéma. C'est important de travailler avec des gens intègres qui ne font pas n'importe quoi sous prétexte de remplir les salles.

Q. C'est pour des raisons semblables que vous êtes passé de l'autre côté de la caméra pour devenir vous-même réalisateur?

R. C'était une progression naturelle. Et puis j'aime les acteurs. Les voir travailler, c'est extraordinaire.

# Chapitre 23 ..................... La loi et le citoyen

## Diagnostic

**A** Remplacer l'infinitif entre parenthèses par un participe passé:

**Sécurité: les contrôles d'identité se multiplient**

Les contrôles d'identité (déclencher) par le ministre de l'Intérieur ont entraîné une augmentation sensible de la présence policière dans la rue. Or, si la majorité des policiers fait bien son travail, force est de constater que certains se livrent à des excès de zèle injustifiables.

Plusieurs bavures ont été (signaler). Deux jeunes Maghrébins (contrôler) à Marseille montrent leurs papiers mais refusent de se laisser fouiller: ils auraient[1], semble-t-il, eu droit à une correction en règle. Autre anecdote: cinq mineurs interpellés au Forum des Halles, en fin de journée, ont passé la nuit au poste de police sans que leurs parents soient (alerter).

Le ministre délégué à la sécurité affirme que tout ceci n'est qu'une campagne politique (diriger) contre le gouvernement. Les policiers, quant à eux, sont partagés. Certains considèrent qu'une poignée de bavures ont été (monter) en épingle. D'autres estiment que leurs collègues sont (pousser) à faire des interpellations et s'en inquiètent.

**B** Traduire:

Necmettin Erim, sa femme et ses trois enfants, qui ne disposaient pas de titre de séjour régulier, ont été expulsés de France, lundi dernier. Ils auraient été dénoncés[1] par leur propriétaire. Arrivé en 1982 en France, Necmettin Erim, militant syndical en Turquie, s'est vu refuser le statut de réfugié, pourtant accordé à son frère pour des motifs comparables.

Sa demande est[2] définitivement rejetée à l'automne dernier et le 13 avril, la préfecture signe son arrêt d'expulsion. Le jour même, Madame Erim et ses enfants sont arrêtés à leur domicile, en l'absence du chef de famille. A son retour, celui-ci se précipite chez son avocat qui refuse de le remettre aux policiers, venus entre-temps l'appréhender. Il faudra plus de trois heures de négociations pour que les autorités acceptent d'assouplir leur attitude. Si Monsieur Erim accepte de se livrer, il ne sera pas menotté et on lui laissera quelques heures pour liquider ses biens et passer à sa banque.

Dans ce cas comme dans bien d'autres, la loi a été appliquée dans toute sa fermeté mais les méthodes employées ont été expéditives.

[1] voir Ch. 25 ¶ 2; [2] dans ce paragraphe l'utilisation du présent et du futur a pour but de donner une intensité dramatique à des événements passés

## Use of the passive

1 Any active construction with a subject, verb and direct object can be changed into a PASSIVE CONSTRUCTION:

**Active** sentence:     Les Amis de la terre ont alerté la presse
*The Friends of the Earth alerted the press*

**Passive** sentence:   **La presse** a été alertée par les Amis de la terre
*The press was alerted by the Friends of the Earth*

Note that **la presse**, DIRECT OBJECT of the active sentence, becomes the SUBJECT of the passive sentence.

Passive constructions are common in formal French:

Cette déclaration a été publiée par Libération
*This statement was published by Libération*
Les missiles seront bientôt prêts à être déployés
*The missiles will soon be ready to be deployed*
Leur visite aurait dû être annoncée
*Their visit should have been announced*

Shortened versions of passive constructions are also common. Note that in the last two examples the person or thing doing the action is not mentioned.

Note also that the past participle is often all that remains of a passive construction:

Une fois **publiée**, cette déclaration causera un scandale
*Once (it has been) published, this statement will cause an outcry*

2 Passive constructions consist of the verb **être** and the past participle and can be used in all tenses:

| | |
|---|---|
| *present infinitive:* | La presse devrait **être alertée** |
| *past infinitive:* | Après **avoir été alertée**, la presse a réagi |
| *present:* | La presse **est alertée** |
| *perfect:* | La presse **a été alertée** |
| *imperfect:* | La presse **était alertée** |
| *pluperfect:* | La presse **avait été alertée** |
| *future:* | La presse **sera alertée** |
| *conditional:* | La presse **serait alertée** |
| *present subjunctive:* | Il faut que la presse **soit alertée** |
| *perfect subjunctive:* | Il semble que la presse **n'ait pas été alertée** |

**3**  In a passive construction, the past participle always agrees with the subject:
  **Cette déclaration** a été publié*e* par *Libération*
  **Les missiles** seront bientôt prêts à être déployé*s*

**4**  Normal tense rules apply to passive sentences. For example, note the difference between the perfect (completed action) and the imperfect (continuing or habitual action):
  Les consignes de sécurité **ont été appliquées**
    *The safety regulations were enforced*
  Les consignes de sécurité **étaient appliquées**
    *The safety regulations were/were being/used to be enforced*

**5**  It is important to remember that active sentences can only be turned into passive sentences if the OBJECT is DIRECT:
  Le président avait prié **l'ambassadeur** de quitter le pays

can be turned into a passive because **prier** takes a DIRECT object:
  L'ambassadeur avait été prié de quitter le pays

*but* the following sentence *cannot* be turned into a passive because **demander** takes an INDIRECT OBJECT:
  Le président avait demandé à **l'ambassadeur** de quitter le pays

**6**  Other constructions can be used instead of the passive.

  **a.**  A construction with **on** can be used when a passive is not possible:
    **On** leur demandera de revenir
      *They will be asked to come back*
    **On** m'a montré l'étendue du désastre
      *I was shown the extent of the disaster*

  **b.**  Similarly, a construction with **se voir** + *infinitive* is often the equivalent of an English passive construction:
    Il **s'est vu refuser** la garde de ses enfants
      *He was refused custody of his children*

  **c.**  Other reflexive constructions are often favoured instead of passives:
    C'est un produit qui **se vend** en pharmacie
      *It is a product which is sold at the chemist*
    La transaction **s'est faite** sans trop de difficultés
      *The transaction was carried out without too many difficulties*

**A** Mettre les verbes entre parenthèses au passif en utilisant, selon le sens, soit le passé composé, soit l'imparfait, soit le plus-que-parfait:

**Deux évadés retrouvés**

Deux évadés de la prison des Baumettes (retrouver) dimanche matin dans un village de l'Hérault. Les deux hommes (localiser) grâce à un commerçant qui avait vu leur photo au journal de 20 heures et a reconnu l'un d'entre eux. Ils (interpeller) alors qu'ils s'apprêtaient à reprendre la route. Ils (ne pas armer) et n'ont opposé aucune résistance. La camionnette qui avait servi à leur évasion (retrouver) la veille près de Montélimar. Les deux détenus (condamner) pour attaques à main armée, en juin dernier.

**B** Réécrire les phrases suivantes en mettant le verbe en italique au passif:

**Vos papiers!**

1 On *a renforcé* les dispositifs de contrôle des conditions d'entrée et de séjour des étrangers en France depuis quelques mois.
2 Et le nombre des documents qu'on *exige* à l'entrée du territoire s'est multiplié.
3 Plusieurs exemples récents montrent qu'on *applique* ces dispositions avec la plus grande sévérité.
4 On *a refoulé* de nombreux ressortissants algériens au cours du mois dernier.
5 Ainsi, on *a rapatrié* de façon expéditive une vieille dame algérienne, venue rendre visite à ses enfants.
6 Dans certaines capitales arabes, on *ressent* très mal ces dispositions.

**C** Traduire:

**1 Explosion at a chemical factory**
One person was killed and a dozen others slightly injured on Friday evening, as a result of the explosion of a tank at a chemical factory. Three other tanks were also damaged. According to the police, the smoke cloud which was given off is not toxic. An inquiry into the causes of the accident has just been set up.

**2 Terrorism**
Following last week's bomb attack in Paris, some 1,000[1] soldiers have been called in to[2] patrol France's international airports and the managers of large supermarkets have been urged to[3] work with the police to improve evacuation procedures.

---

[1] voir Ch. 24 ¶ 2, 3b; [2] utiliser *faire appel à quelqu'un pour* + infinitif; [3] utiliser *conseiller vivement à quelqu'un de* + infinitif

# Chapitre 24 ....... Phénomènes socio-économiques

## ■ Diagnostic ■

**A** Traduire:

1 Dans l'ensemble de la CE, le taux de natalité a diminué en moyenne de 40% entre 1962 et 1987, passant de 2,7 enfants par couple à 1,6. Les plus de soixante-cinq ans représentaient moins de 5% de la population vers 1850. Ils sont aujourd'hui près de 14%. En 2010, prévoit-on, ils dépasseraient 20%, et parmi eux le nombre de grands vieillards serait supérieur à vingt millions.

2 Entre 1972 et 1985, le nombre des mariages chute de 416 000 à 273 000 par an. L'union libre, en revanche, est en progression. Les naissances illégitimes franchissent pour la première fois, en 1979, le seuil de 10% des naissances.

3 Plus l'homme est jeune, plus il participe aux tâches domestiques: 74% des moins de 35 ans, contre 61% des plus de 35 ans, déclarent avoir accompli au moins une tâche domestique dans les dernières 24 heures.

4 A la fin de la deuxième guerre mondiale de onze à treize millions de gens, selon les estimations, se trouvèrent en Europe éloignés de leur foyer. Aujourd'hui le nombre de réfugiés recensés par le Haut Commissariat des Nations Unies pour les réfugiés atteint 4 563 600, dont 700 000 au Liban.

5 Air Inter a annulé 6 vols sur les 290 prévus aujourd'hui et 11 demain sur les 300 prévus, en raison de la grève des contrôleurs aériens.

6 Le chômage a baissé en juin de 0,6%. A la fin du mois dernier, la France comptait 2 645 400 demandeurs d'emploi, soit 15 800 de moins qu'en mai. Au total, le taux de chômage (pourcentage de sans emploi par rapport à la population active) s'élevait à 11%, contre 11,1 le mois précédent. Sur un an, la hausse est de 4, 8%.

7 Le commerce extérieur de la France a enregistré en 1982 un déficit de 93,3 milliards de francs.

8 Le prix du cuivre a augmenté de 25% et celui du plomb a monté de plus de 20% tandis que le zinc progressait de 1, 5%.

**B** Réécrire les chiffres en toutes lettres:
e.g. Il y a *12* places de libre → Il y a *douze* places de libre

1 Nous avons eu quelque *2 800* visiteurs cette année.
2 Les ventes ont atteint un chiffre record: *7.590.000* francs.
3 Le bilan des accidents de la route a été de *380* morts en juillet.
4 Le nombre des victimes s'élève à *51*.
5 Notre club compte *155* membres.
6 Ce jeu-concours a suscité près de *1000* réponses.

# How to present figures

1 When *spelling out* numbers, remember that:

   **a.** hyphens are inserted in compound numbers *except* before and after **et**, **cent** and **mille**:

| | | |
|---|---|---|
| quarante-trois jours | *but* | quarante et un jours; |
| | | quarante et une personnes |
| quatre-vingt-un membres | *but* | soixante et onze membres |
| trente-neuf victimes | *but* | cent trente-neuf victimes |
| soixante-quinze voix | *but* | mille soixante-quinze voix |

   **b. vingt** and **cent** take an **s** when they are multiplied, *unless* they are followed by another number:

| | | |
|---|---|---|
| quatre-vingt**s** ans | *but* | quatre-vingt-onze ans |
| cinq cents blessés | *but* | cinq cent trente blessés |

   **c. mille** (1000) never takes an **s**:

      trente mille hommes      *thirty thousand men*

   **d. un** features before **millier, million** and **milliard**, but *never* before **cent** and **mille**:

| | |
|---|---|
| **un** millier **de** manifestants | *about a thousand demonstrators* |
| **un** million **de** réfugiés | *one million refugees* |
| **un** milliard **de** francs | *one thousand million francs/one billion francs* |
| *but* mille réfugiés | *one thousand refugees* |
| cent voix | *one hundred votes* |

     Note the use of **de** after **millier, million** and **milliard**.

> See Chapter 12 Section 2b.

2 Where a comma is used in French, a full stop is used in English and vice-versa:

| | |
|---|---|
| 6,5 milliards de francs | *6.5 billion francs* |
| un taux de 2,3 pour cent | *a rate of 2.3 per cent* |
| 7,50 francs le litre | *7.50 francs per litre* |
| 3 000 francs/3.000 francs | *3,000 francs* |

3 To present *approximate* numbers, use:

   **a. une dizaine, une vingtaine, une trentaine, une quarantaine, une cinquantaine, une soixantaine, une centaine** and **un millier**. There is no direct equivalent for these words in English:

| | |
|---|---|
| une dizaine d'années | *about ten years; a decade or so* |
| une centaine de jours | *about a hundred days;* |
| | *a hundred days or so* |
| un millier de victimes | *about a thousand victims;* |
| | *a thousand or so victims* |

Note that the article is not omitted when these expressions are used in the plural:

| | |
|---|---|
| **des** milliers de gens | *thousands of people* |
| **des** centaines de milliers de victimes | *hundreds of thousands of victims* |

**b.** or in other cases, **près de, autour de** or **quelque**:

près de six millions de téléspectateurs
  *about six million viewers*
autour de soixante-dix milliards de livres sterling
  *around seventy billion pounds*
quelque trois mille personnes
  *about/some three thousand people*

Note that **quelque**, in this sense, is always SINGULAR.

Note also that **environ** and **vers** tend to be used to express distance or time:

à une distance d'environ 7000 km
  *at a distance of about 7,000 km*
vers deux heures environ
  *at about two o'clock*

**4** When **plus** and **moins** *introduce* a figure they are followed by **de**:

Le prix du pétrole a connu une hausse d'un peu **plus de** 5%
  *The price of oil has increased by a little more than 5%*

Note that after the verb **être**, **supérieur à** and **inférieur à** are preferable to **de plus de** and **de moins de**:

Le nombre d'habitants est **supérieur à** cinquante-cinq millions
  *The number of inhabitants is over fifty-five million*
Le coût de l'affaire est nettement **inférieur à** 4 milliards de francs
  *The cost of the deal is well below 4 billion francs*

**5** When **plus** and **moins** *follow* a figure, they are introduced by **de**:

L'opposition a obtenu deux cents sièges **de moins** qu'aux élections précédentes
  *The opposition gained two hundred seats less than at the previous elections*

**6** To indicate a *range*, use **de . . . à**:

Le gouvernement anticipe une hausse des prix **de** 2 **à** 3 pour cent
  *The Government anticipates a price rise of 2 to 3 per cent*
Ces articles de luxe se vendent **de** 15 000 **à** 25 000 francs
  *These luxury items sell at between 15,000 and 25,000 francs*

> See Section 10a below for other uses of **à** and **de**.

**7** To present *one* figure:

   **a.** use **être à** when you indicate a *level*, or **être de** when you simply give a *figure*:

| | |
|---|---|
| L'inflation **est à** 8% | *Inflation is at 8%* |
| Le taux d'inflation **est de** 8% | *The rate of inflation is 8%* |

   **b.** to avoid repetition, use also verbs such as **s'élever à** or **atteindre**:

     Le montant des effectifs **s'élève à** 2 000 salariés

       *The total workforce is 2,000 employees*

     Le déficit du commerce extérieur **atteint** des centaines de milliards de dollars

       *The foreign trade deficit amounts to hundreds of billion dollars*

**8** To show an *upward trend*, use **augmenter de, progresser de** or **s'accroître de** to show *by how much* the number has increased:

   La population mondiale a **augmenté de** quelque 80 millions d'habitants

     *The world population has increased by some 80 million people*

**9** To show a *downward trend*, use **diminuer de, baisser de, chuter de** or **être réduit de** to show *by how much* the figure has decreased:

   Le nombre des demandeurs d'emploi **a diminué de** 0,4%

     *The number of unemployed people has dropped by 0.4%*

**10** To show a *change*, use **de** and/or **à** with **passer, tomber, relever** (see Section 13d below), **ramener** or **abaisser**:

   De 7% en 1985, l'inflation a été ramenée à 3,5% en 1987

     *Inflation was brought down from 7% in 1985 to 3.5% in 1987*

   Les importations de voitures japonaises sont passées de 30% à 30,6% en deux ans

     *Imports of Japanese cars rose **from** 30% **to** 30.6% within two years*

Note that when **de . . . à** is used with **augmenter, s'accroître, réduire, diminuer, baisser** or with the noun corresponding to each of these verbs, it indicates a **range** and therefore *means something quite different* (see Section 6 above).

   Le nombre de bidonvilles augmente chaque année de 10% à 12%

     *The number of slums rises **by between** 10% **and** 12% every year*

**11** To *contrast* figures, use **contre**:

   Les importations de voitures japonaises ont atteint 30,6% en 1987, contre 30% en 1985

     *Imports of Japanese cars reached 30.6% in 1987, as opposed to 30% in 1985*

**12** To show a *proportion*, use **sur**:

Deux salariés **sur** cinq sont syndiqués

*Two employees **out of** five belong to a trade union*

**13** The following VERBS are particularly useful when *presenting* figures and statistics:

**a.** **s'accroître** (past participle: **accru**, noun: **un accroissement**) implies some kind of build-up. Use it to indicate an increase in population, production or wealth, but *not* for prices and wages:

La production alimentaire s'est accrue de 29% en dix ans

*Food production increased by 29% within a decade*

Note that it can also be used to comment on socio-economic trends:

La popularité du président s'est accrue dernièrement

*The popularity of the president has increased lately*

L'accroissement de la violence est inquiétant

*The increase in violent crime is worrying*

The difference between **accroître** and **s'accroître** is that between action and process. **Accroître** has a direct object whereas **s'accroître** has no object.

Cette société a accru ses bénéfices

*This company has increased its profits*

Les bénéfices de cette société se sont accrus

*The profits of this company have increased*

**b.** **augmenter** (noun: **une augmentation**), which has *no* reflexive form, can be more widely used than **accroître** and **s'accroître**, and can replace them both:

Cette société a augmenté ses bénéfices

*This company has increased its profits*

Les bénéfices de cette société ont augmenté

*The profits of this company have increased*

**c.** the use of **croître (noun: la croissance)** and **décroîte** (noun: **une diminution**) is rather limited. It indicates the rate of growth:

L'économie croît au ralenti          *The economy is growing slowly*

**d.** **relever** (noun: **un relèvement**) and **abaisser** (noun: **un abaissement**), are used when an official body raises or lowers something:

Le SMIC (salaire minimum interprofessionnel de croissance) a été relevé en mars

*The minimum guaranteed wage was raised in March*

**e.** **représenter, constituer** are used in the sense of *to make up*:

Le charbon en 1937 représentait 73% de la consommation d'énergie, aujourd'hui il n'en constitue que 19,5%

*Coal made up 73% of energy consumption in 1937, today it only constitutes 19.5%*

**f.** **comprendre** is used in the sense of *to consist of, to include, to comprise*:

Le nouveau gouvernement comprend onze ministres

*The new Government consists of eleven ministers*

**A** Compléter les phrases, après avoir analysé les deux tableaux:

**L'activité professionnelle des femmes**

| Taux d'activité des femmes de 25 à 55 ans: | |
|---|---|
| — femmes sans enfants | 73,7% |
| — femmes avec 1 ou 2 enfants | 68,8% |
| — femmes avec 3 enfants ou plus | 37,1% |

| Part des femmes parmi | 1968 | 1980 | Evolution |
|---|---|---|---|
| — les ouvriers spécialisés (OS) | 25% | 28% | + 3 |
| — les ouvriers qualifiés | 14% | 11% | − 3 |

1 Parmi les femmes sans enfants, le taux d'activité est . . . . . 73%, mais parmi celles qui ont un ou deux enfants il est . . . . . 70%.
2 Lorsque les femmes ont trois enfants ou plus, leur taux d'activité . . . . . 37,1%.
3 Les femmes . . . . . 25% des OS en 1968.
4 La part des femmes parmi les OS est en . . . . .: 28% en 1980, . . . . . 25% en 1968.
5 Quant à la part des femmes parmi les ouvriers qualifiés, elle . . . . . de 14% à 11% entre 1968 et 1980, soit une . . . . . de 3%.

**B** Compléter les phrases suivantes par **être abaissé, passer, s'accroître** ou **augmenter** au temps qui convient:

1 L'âge de la retraite . . . . . de 65 à 60 ans dans les années 80.
2 Le nombre de touristes qui se rendent en Chine . . . . . considérablement.
3 Selon les estimations, la TVA devrait . . . . . de 2 à 3%.
4 Le pourcentage de réussite . . . . . de 51% à 67% en l'espace de 5 ans.

**C** Traduire:

1 From 1960 to 1985, the birth rate in developed countries dropped on average by 28.6%.
2 In France in the year 2000 people under twenty-five will make up 29.5 per cent of the working population.
3 Out of a salaried population of 17.3 million, only some 25% are members of a union.
4 They have just been awarded a 5% rise.
5 The number of unemployed young people will reach some 900,000.
6 Economic growth was averaging 5 to 6% a year in the mid eighties.
7 The inflation rate had been reduced from 15.2% in 1974 to 9.6% in 1975, but in 1976 it increased again to over 11%.

# Chapitre 25

## Pot-pourri

**1 Subjunctive after indefinite expressions**

The subjunctive is required after certain indefinite expressions:

**a. Qui que, quoi que, où que (etc.):**

| | |
|---|---|
| Qui que vous **soyez** | *Whoever you are* |
| A qui que vous **parliez** | *Who(m)ever you talk to* |
| Quoi que vous **fassiez** | *Whatever you do* |
| Où que vous **alliez** | *Wherever you go* |
| D'où que vous **veniez** | *Wherever you come from* |

Note the following use of indefinite expressions:

Avez-vous besoin de **quoi que ce soit**?
> *Do you need **anything (at all)**?*

Il a refusé de parler à **qui que ce soit**
> *He refused to talk to **anybody***

Je n'ai pas l'intention d'aller **où que ce soit**
> *I don't intend to go **anywhere***

Note also the difference in spelling and meaning between **quoi que** (two words) and **quoique** (one word):

Le parti la soutiendra **quoi qu**'il arrive
> *The party will support her **whatever** happens*

Le parti la soutiendra **quoiqu**'elle ait perdu de sa popularité
> *The party will support her **although** she is less popular*

> See Chapter 18 Section 2.

**b. Quel que:**

L'avenir, **quel qu'il soit**, nous réservera des surprises
> *Whatever the future may be, it will hold some surprises*

Nous tiendrons compte de vos objections, **quelles qu'elles soient**
> *We will take your objections into account, whatever they are*

Note that **quel** agrees with the noun to which it refers.

Note also that **quel que** and **quoi que** both mean *whatever*:

| *French:* | *English:* |
|---|---|
| **quel que soit** + noun | *whatever* + noun |
| **quoi que** + verb other than **être** | *whatever* + verb |
| **Quelle que soit** votre décision | *Whatever your decision may be* |
| **Quoi que** vous **décidiez** | *Whatever you decide* |

## 2 The conditional expressing implied reported speech

The conditional (and conditional perfect) can be used to refer to something that is implied and may or may not be true:

Le président n'a pas participé aux dernières cérémonies officielles. Son état de santé **donnerait** des inquiétudes

> *The President did not attend the recent official ceremonies. Rumour has it that his health is a matter for concern*

L'immigration clandestine semble enrayée: le nombre d'immigrés en situation irrégulière ne **s'élèverait** plus qu'à 15 000

> *Illegal immigration seems to have been checked: the number of immigrants without a valid visa is estimated at no more than 15,000*

## 3 Inversion after speech

When directly reporting someone's words, the verb and subject following the quotation are inverted:

«Nous attendons beaucoup de cette rencontre au sommet», **a déclaré le chef de la délégation israélienne**

«Nous entamons les négociations dans un esprit d'ouverture», **a souligné le ministre des Affaires étrangères**

«Mais nous avons l'intention de faire preuve de fermeté», **a-t-il précisé**

Note that unlike inversion in questions (see Chapter 8 Section 2), the subject NOUN is not repeated in a pronoun:

*Question*: **Le ministre a-t-il précisé** ses intentions?

*Quotation*: «Nous avons l'intention de faire preuve de fermeté», **a précisé le ministre**

The following verbs are frequently used after a quotation:

| | | |
|---|---|---|
| ajouter | déclarer | remarquer |
| conclure | indiquer | répondre |
| (se) demander | poursuivre | reprendre |
| (se) dire | préciser | souligner |

**4   Use of «on»**

**a.**  **On** is an indefinite subject pronoun used to refer to an unspecified person:
Maintenant **on** peut faire **ses** courses à domicile grâce à la vente télématique
> *Now one can do one's shopping at home thanks to shopping by computer*

Quand **on** est plusieurs, **on se** sent moins vulnérable
> *When there are several of you, you feel less vulnerable*

**On** nous a convoqués à une assemblée générale
> *We were asked to attend a general meeting*

Note that there is a slight difference in emphasis between a verb construction with **on** and a passive construction:
With **on** + active verb, the emphasis is on the *action*:
On l'a condamné à la réclusion à perpétuité
With a passive construction, the emphasis is on the *outcome*:
Il a été condamné à la réclusion à perpétuité

**b.**  As with the other indefinite pronouns (**chacun, personne, nul**), the emphatic pronoun **soi** is used with **on**:
Quand **on** a des enfants avec **soi**, il faut faire plus attention
> *When you have children with you, you must be more careful*

Note that **vous** is the object pronoun used:
Quand quelqu'un **vous** offre des conseils, **on** ne peut qu'écouter
> *When someone offers you advice, all you can do is listen*

**c.**  **On** is used frequently in informal French to mean *we*, in which case the object pronoun used is **nous**:
Si **on** leur téléphonait de la gare, ils viendraient peut-être **nous** chercher
> *If we called them from the station they might come and pick us up*

Note that, in this case, past participles and adjectives agree according to the meaning:
On est tombés sur quelqu'un qu'on connaissait
> *We* (masc.) *ran into someone we knew*
On était bien trop fatiguées pour sortir
> *We* (fem.) *were much too tired to go out*

> See Chapter 10 Section 5 for use of **l'** before **on**.

**5 The impersonal expressions «il suffit de» and «il s'agit de»**

**a. Il suffit de** is followed by a noun or an infinitive:

**Il suffit d'**une seule panne pour que toute la production soit arrêtée
*One breakdown is enough to stop the whole production*

Si vous avez besoin de quoi que ce soit, **il** vous **suffit de** me le faire savoir
*If you need anything (at all), just let me know*

**b. Il s'agit de** is followed by a noun, a pronoun or an infinitive:

| | |
|---|---|
| **Il** ne **s'agit** pas **d'**argent | *It is not a question/matter of money* |
| **De** quoi **s'agit-il**? | *What is this about?* |

J'ai déjà vu cette pièce mais je ne me souviens pas de ce **dont il s'agit**
*I have already seen this play but I cannot remember what it is about*

Cette pièce raconte l'histoire d'une jeune femme. **Il s'agit d'**une avocate qui part en Afrique
*This play tells the story of a young woman. She is a lawyer who goes to Africa*

Quand **il s'agit de** prendre des décisions, on ne peut pas compter sur eux
*When there are decisions to be made, one cannot rely on them*

Note that **il s'agit de** + verb has sometimes the same meaning as **il faut**:

**Il** ne **s'agit** pas **de** s'affoler
*We/You must not panic;*
*The thing (to do) is not to panic*

**Il s'agit** avant tout **de** savoir quelles sont leurs intentions
*We must first of all find out what their intentions are*

**6 Use of singular nouns**

A singular noun is used to refer to something that two or more individuals have, if *each* of them has only *one* of whatever it is:

Ils ont inscrit **leur nom** sur la liste
*They entered **their names** on the list*

**Le salaire** des femmes de ménage est dérisoire
***The wages** of cleaning ladies are ridiculous*

Note that this also applies to nouns referring to people: **femme, mari, père, mère, famille**, etc.:

Nombre de femmes de commerçants travaillent avec **leur mari** pendant la majeure partie de **leur vie** sans voir leur collaboration reconnue à l'heure de la retraite
*Many shopkeepers' wives work with their **husbands** during most of their **lives** without their participation being taken into account at retirement age.*

# Travaux pratiques

**A** Conjuguer les verbes entre parenthèses avec **on** au temps qui convient et compléter les blancs par les pronoms et adjectifs correspondants.

e.g. (— *recommander*) de signaler . . . absences aux voisins.

**On recommande** de signaler **ses** absences aux voisins.

**Voisins? Connais pas!**

Ce sont les femmes qui voisinent le plus, parce que le contact se fait avec les enfants. Et davantage encore dans les régions ensoleillées où (— *vivre*) beaucoup plus dehors. (— *voisiner*) bien aussi à la campagne et dans les petites villes.

En ville surtout, (— *rester*) chez . . ., en souvenir sans doute d'épouvantables histoires de voisinage comme (— *en voir*) au début du siècle. En partant du principe qu'à l'instar de la famille on subit bien plus . . . voisins que (— *les choisir*), (— *ne pas chercher*) à en faire des amis. Les cités-dortoirs ne sont guère plus propices au voisinage. Que dire de plus que «bonjour, bonsoir» à une personne que (— *croiser*) dans l'ascenseur aussi pressée que . . . de prendre son train ou de rentrer préparer le dîner? Et dans les quartiers aisés, (— *ne pas fréquenter*) les gens auxquels (— *ne pas être*) présenté.

Alors (— *devoir*) se plaindre de cet excès de discrétion que (— *observer*) vis-à-vis de . . . voisins? A trop vouloir éviter les problèmes de voisinage, (— *se priver*) de bien des ressources de la solidarité.

(d'après *Ecureuil* magazine, n° 26, 1987)

**B** Mettre les verbes entre parenthèses au conditionnel ou au conditionnel passé, puis traduire l'ensemble du texte:

**Le développement du travail au noir**

L'Allemagne fédérale (*compter*) près de 2 millions de travailleurs au noir et 8% des travailleurs allemands (*s'adonner*) à une activité parallèle, d'après un sondage effectué par l'Institut d'opinion de Bielefeld. Ils (*produire*) l'équivalent de 2% du produit national brut allemand, et les revenus du travail noir (*quintupler*) au cours des cinq dernières années. Une étude publiée par la revue *Intersocial* indique que ces travailleurs au noir (*réussir*) ainsi à «voler» quelque 10 milliards de Deutsch Marks au fisc et à la Sécurité sociale chaque année. [. . .]

D'après les estimations des organisations professionnelles, 70% du gros œuvre du bâtiment et 90% des travaux de peinture (*être fait*) «au noir»; les freins de plus de 2 millions de voitures, les amortisseurs et les tuyaux d'échappement de 4 millions de véhicules (*être changé*) hors des garages; jusqu'à 80% des plans de constructions (*être réalisé*) non pas par des architectes indépendants mais par des membres de la fonction publique hors de leurs attributions officielles (le meilleur moyen de s'assurer la conformité des plans avec les réglementations).

(d'après *Le Monde*, 3.3.1981)

**C** Complétez les phrases suivantes par **quoi que** ou **quel que soit** (etc.):

**Les parents de divorcés**

«Je sais bien que . . . . . il arrive, j'aurai du mal à m'habituer à la nouvelle compagne de mon fils», raconte Christian, un père effondré à l'idée de ne pas revoir sa belle-fille. On oublie trop souvent que, lorsqu'un couple se sépare, les parents qui ont établi des liens d'affection avec leur gendre ou leur belle-fille en souffrent. . . . . . les raisons de la rupture, ils éprouvent un sentiment de frustation, voire d'échec. Certains réussissent mieux que d'autres à faire face à la situation mais ils en ressentent tous douloureusement la blessure . . . . . leurs facultés d'adaptation.

**D** Dans les textes suivants réécrire les phrases en remplaçant les expressions en italique par **il suffit** ou **il s'agit**, selon le sens:

**1 Les livres pour enfants**

Naguère, un unique livre de contes *suffisait* pour exciter l'imagination des enfants. Ce n'est plus le cas aujourd'hui: les enfants lisent de moins en moins et sont, de surcroît, des consommateurs exigeants. Pour les encourager à lire, *on doit* donc les motiver; ce qui est loin d'être une tâche impossible. Le marché du livre pour enfants s'est, en effet, considérablement élargi et diversifié: bandes dessinées, aventure, mythologie, fantastique, il y en a pour tous les goûts. *Vous n'avez qu'à* choisir.

**2 L'éducation civique des enfants**

Apprendre aux jeunes à devenir de bons citoyens ne se résume pas à la simple acquisition d'une somme de connaissances. Connaître les règles de la vie collective *n'est pas une raison suffisante*, en effet, pour les appliquer. *Il faut* aussi comprendre et admettre leur utilité. Pour cela, il faut prendre conscience que la vie d'une collectivité s'appuie sur des règles qu'il convient de respecter, sous peine d'en être exclu.

**E** Traduire:

1 Whatever your children's ages and interests, you must choose their books according to the quality of the texts and illustrations.

2 Working 'on the side' can be seen in a positive light: it enables people whose wages are low to survive and improve the quality of their lives.

3 One wonders why many people never exchange more than a few words with their neighbours, particularly when their houses and gardens are next to one another.

4 The parents of divorced couples often find it extremely difficult to accept their children's new partners.

# Révision 23–25

**A** Mettre les verbes entre parenthèses à la forme passive et au temps qui convient, sans oublier que parfois le participe passé est la seule trace du passif:

**La chasse à la baleine**

Contrairement à ce que l'on croit, les baleines continuent à (harponner). Les documents officiels publiés lors de la 39$^e$ réunion de la Commission baleinière internationale sont irréfutables: 6 719 baleines (tuer) en 1986–87, dont 2 769 par les Japonais et 3 197 par les Soviétiques. Cet inventaire (réaliser) à partir des chiffres (fournir) par les chasseurs eux-mêmes. En (exclure) les espèces de cétacés qui (ne pas mentionner) dans l'Acte final de la conférence internationale sur la chasse à la baleine signé en 1946. Plus d'un million de cétacés (détruire) depuis 1946.

En un siècle de chasse industrielle, les grandes baleines à fanon (amener) à la lisière du seuil d'extinction ou de non-reproduction.

**B** Réécrire les phrases suivantes en mettant le verbe au passif pour insister sur le résultat des décisions prises par la chaîne de télévision:

**TF1: la grille de la rentrée**

1  On ne supprimera pas le film de 20h30 du dimanche.

2  On consacrera la soirée du mardi entièrement au cinéma.

3  On abordera les grands sujets d'actualité deux fois par mois, le jeudi soir, dans une émission à très gros moyens.

4  On maintiendra le grand show en direct du vendredi soir.

5  On investira près de 350 millions de francs dans la production de fictions françaises.

**C** Réécrire les phrases suivantes en mettant le nom en italique au singulier ou au pluriel selon le sens, sans oublier de faire l'accord du verbe et de l'adjectif correspondants:

**1  La drogue progresse**

Face au fléau de la drogue, les polices du monde entier semblent impuissantes. *Leur technique/Leurs techniques* est/sont de plus en plus sophistiquée/s mais souvent *inadaptée/s* car les trafiquants, eux aussi, affinent *leur méthode/leurs méthodes*. *Leur virtuosité/leurs virtuosités* et *leur audace/leurs audaces* sont sans limites. La liste des astuces est sans fin: on a trouvé de la drogue jusque dans *l'estomac/les estomacs* de cadavres rapatriés vers *leur pays d'origine/leurs pays d'origine*. Une autre technique répandue consiste à acheter une société de location de voitures. Les clients, en réalité des acheteurs de drogue, passent sans difficulté les frontières avec *leur cargaison/leurs cargaisons*. Qui aurait l'idée de vérifier et de démonter *la carrosserie/les carrosseries* et *le moteur/les moteurs* de toutes les voitures de location?

**2  Témoignage**

Dans un livre intitulé «La Drogue: ses effets, ses dangers», Eric Fantin et Claude Deschamps expliquent, à partir de *leur propre expérience/leurs propres expériences*, les effets des différents types de stupéfiants et *le danger/les dangers* qu'ils font courir. Ils parlent *de la vie/des vies* que mènent les toxicomanes et montrent *quel rôle/quels rôles* peut/peuvent jouer *la famille/les familles* de ceux qui ont «plongé» dans la drogue et en sont devenus dépendants. Il leur semble essentiel que les parents soient informés des vrais problèmes, et capables de comprendre la logique *du comportement/des comportements* des drogués. Ils soulignent que bien souvent les parents commencent à s'intéresser à *leur enfant/leurs enfants* le jour où ils découvrent qu'il/s se drogue/nt. Or il semble que certains sujets soient plus prédisposés à la drogue que d'autres et que *leur fréquentation/leurs fréquentations* ne joue/nt pas le rôle déterminant qu'on lui/leur attribue d'ordinaire. La prévention, c'est donc aussi *une affaire/des affaires* de famille.

**D**  Traduire:

1  Eighty-four people died last week as a result of[1] floods in the north-east of India. Over two million inhabitants of the State of Assam were affected. The floods caused by heavy monsoon rains destroyed hundreds of houses and devastated two hundred thousands hectares of crops.

2  It would be irresponsible to claim that certain individuals will become drug addicts whatever happens, whatever company they keep[2] and whatever the laws of the country in which they live may be. It is an illusion to believe that punishing young drug addicts will be enough to cure them of the desire to use illegal drugs.

3  Banks want above all to protect the freedom of their clients: one can deposit one million francs in small notes without being asked anything at all. It is therefore relatively easy for drug traffickers to launder the money they gain through trading in drugs. Unless the police manage to convince banks to work with them, it is difficult to see how they could succeed in the fight against drug trafficking.

4  France is the European country that launched the most vigorous campaign against cash-paid work. The number of people working 'on the side' is estimated at one million and the loss in national insurance and social security contributions may be over 18 billion francs.

[1] to die as a result of *être victime de*; [2] utiliser *les fréquentations*

# Correction

## Chapitre 1

**A** (p. 7)  *Les déménagements des Santini*

Monsieur et Madame Santini sont arrivés à Lyon **à la** fin des années 50.
**Au** début ils vivaient **au** centre-ville, dans un deux-pièces cuisine situé **au coin de la** rue Grenette et **du** quai St Antoine. Mais **à la** naissance **des** jumeaux, ils ont déménagé pour prendre un appartement dans un grand ensemble **à la** périphérie **de la** ville. Leur nouvelle installation présentait **des** avantages certains: ils avaient **de la** place et ne pouvaient pas se plaindre **du** loyer. Pourtant, ils ne sont jamais parvenus à s'habituer **au** quartier. Ils sont restés **aux** Minguettes tant que les enfants allaient **au** lycée. Mais, par la suite, comme ils rêvaient toujours de vivre **à la** campagne, ils sont allés s'installer dans une petite maison **à l'**entrée d'un village, **aux** environs de Nice.

**B** (p. 7)  *La vie en banlieue*

◆ Martine, vous **êtes** mère célibataire et vous **assurez** un emploi . . . vous **devez** avoir
. . .?/— . . . Je **me lève** . . . . Je **prépare** le petit déjeuner . . . et j'**essaie** de faire un peu de ménage . . . . La durée du trajet **varie** . . ., ça **dépend** des jours. Le bureau **ouvre**
. . . et nous **finissons** . . . . Les enfants **vont** à l'école . . . et **prennent** leur repas . . . . Le soir, ils **se rendent** chez leur grand-mère. Elle les **fait** manger si elle **s'aperçoit** que j'**ai** du retard. L'été, quand elle **sait** à quelle heure je **dois** rentrer, ils **viennent** m'attendre
. . . . je **peux** compter sur elle, ça me **permet** d'avoir l'esprit tranquille. . ./◆ Et le week-end, vous **sortez**?/— Rarement. J'**avoue** que ça ne me **dit** rien. D'abord, je **suis** fatiguée et puis je ne **conduis** pas . . .

**A** (p. 12)  See Sections 1.6 and 1.7

1 **une** ville . . . **une** agglomération. 2 **un** appartement . . . **un** logement. 3 **un** immeuble
. . . **un** bâtiment. 4 **une** résidence . . . **un** groupe d'immeubles. 5 **une/un** HLM . . . **une** habitation. 6 **un** embouteillage . . . **un** encombrement. 7 **un** complexe . . . **un** ensemble.

**B** (p. 12)

1 Nous **cherchons** (1.10) . . . 2 Les gens **finissent** (1.10) par déménager. 3 Tu **perds** (1.10)
. . . 4 Les architectes **construisent** (1.12) . . . 5 Vous **vous plaignez** (1.12) du bruit. 6 On **promet**\* d'aménager . . . 7 Les villes nouvelles **offrent** (1.12) . . . 8 Le manque . . . me **surprend**\*. 9 tu **t'aperçois** (1.11 and 1.12) des inconvénients. 10 Est-ce que vous **faites**\*
. . . 11 Nous **voyons**\* . . . 12 Elle **vit**\* . . . 13 Je ne **veux**\* pas aller . . . 14 Vous **dites**\*
. . . 15 On **sait**\* . . .
\* See Verb Tables.

**C** (p. 12)

1 Traffic in the town centre is heavy: *La* (1.3a) *circulation au* (1.5) *centre-ville est intense.*
2 In general, life in large towns appeals to young people: *En général, la* (1.3a) *vie dans les* (1.3a) *grandes agglomérations plaît aux* (1.3a and 1.5) *jeunes.* 3 Commuters dream of a detached house in the country: *Le rêve des* (1.3a and 1.4c) *banlieusards, c'est une villa à la campagne.* 4 Small well-designed homes/flats are difficult to find: *Les* (1.3a) *petits logements bien conçus sont difficiles à trouver.* 5 France and Great Britain recognise the mistakes of town planners/town planners' mistakes: *La* (1.3b) *France et la* (1.3b) *Grande Bretagne reconnaissent les erreurs des* (1.4c) *urbanistes.* 6 I have had parking problems since I moved: *J'ai des* (1.4b) *problèmes de stationnement depuis que j'ai déménagé.*

**Chapitre 2**

**A** (p. 13)  *Pour retrouver la forme*
1 vous **ferez** des repas réguliers. 2 Il vous **faudra** remplacer . . . 3 Vous **éviterez** de manger
. . . 4 Vous **boirez** de l'eau . . . 5 Vous **vous habituerez** à manger . . . 6 vous **irez** à
pied. 7 quand vous **vous sentirez** en meilleure forme, vous **pourrez** peut-être retourner. . .

**B** (p. 13)
Salade composée: Eléments de base* pour une seule personne: 2 œufs, 1 grosse tomate
ferme, 1 petite laitue, 1 tranche épaisse de jambon, . . . 1 bonne cuillerée de mayonnaise,
herbes aromatiques. . .
Faites cuire 2 œufs durs. Mettez-les ensuite dans une cuvette d'eau froide . . .: ils seront
ainsi plus faciles à écaler. Prenez 4 belles feuilles de laitue . . . Coupez les tomates et les
œufs en rondelles fines. Coupez le jambon et le gruyère en petits dés. . . . Placez le
mélange dans le saladier et garnissez-le d'herbes hachées.
* . . . des lardons frits, . . . du fromage bleu, . . . un yaourt bulgare ou de la crème
fraîche; . . . des carottes râpées, une betterave rouge . . .

**A** (p. 18)  *Les nouvelles (2.4) habitudes alimentaires (2.1) des Français*
L'image traditionnelle (2.2) . . . la réalité quotidienne (2.2). . . .'moins de baguettes croustil-
lantes (2.1) et plus de pain complet (2.3). Le plat national (2.2). . . . si la tranche de
viande est aussi grosse (2.3) qu'avant, les portions de frites sont moins copieuses (2.2). . . .
les boucheries chevalines (2.1) sont maintenant rares (2.2). . . . la consommation de
légumes et de fruits frais (2.3). Les plats et les produits surgelés (2.1), peu appréciés (2.1)
pendant long-temps, connaissent . . . un succès considérable (2.1) auprès de la ménagère
moyenne.(2.2). La consommation de vins courants (2.1) . . . un goût croissant (2.1)
pour les eaux minérales (2.2) et pour les boissons gazeuses (2.2).

**B** (p. 18)
1 elle **appréciera** (2.7) . . . 2 vous **vous mettrez** (2.7) au régime . . . 3 je te **ferai** (2.8)
. . . 4 Tu **seras** (2.8) . . . 5 on **aura** (2.8) . . . 6 Il **faudra** (2.8) réserver . . . 7 les traditions
**se perdront** (2.7) . . . 8 Nous **pourrons** (2.8) trouver . . . 9 Vous **garnirez** (2.7) . . . 10 Tu
**sauras** (2.8) bien ouvrir . . . ?

**C** (p. 18)
1 Tous (2.6) les ans, je dis que je vais me mettre (2.10) au régime. Mais cette (2.6) année,
c'est vrai. **or** Chaque année . . . 2 Tu ne pourras (2.8 and 2.9) pas trouver de supermarché
ouvert ce soir. **or** Vous ne pourrez (2.8 and 2.9) pas . . . 3 Tous (2.6) nos plats surgelés
et toutes (2.6) nos glaces sont garantis (2.1). 4 J'espère que la ménagère moyenne (2.2)
va acheter (2.10) ce (2.6) nouvel (2.4) entremets. 5 Tout le monde (2.6) a apprécié ces
(2.6) fraises fraîches (2.3). 6 Pourquoi est-ce que vous grignotez toute la journée (2.6)? **or**
Pourquoi grignotez-vous/Pourquoi est-ce que tu grignotes/Pourquoi grignotes-tu . . .?
7 Cet (2.6) intérêt pour la cuisine exotique ne durera (2.7 and 2.9) pas longtemps. 8 Merci
de cet (2.6) excellent (2.5) repas.

**Chapitre 3**

**A** (p. 19)  *Des relations familiales sans problèmes*
*Catherine*: Mes parents travaillent tous les deux: je ne **les** vois pas beaucoup . . . . Après
une journée de travail, ils ne sont pas très disponibles et je **les** (*them*)/**le** (*it*) comprends.
Il faut dire que . . . je n'ai pas le temps de **leur** parler. J'ai beaucoup de devoirs et j'essaie
de **les** faire la semaine . . . ils regardent la télévision. Moi je **la** regarde rarement. Le

samedi et le dimanche, nous essayons de **les** passer ensemble. Leurs amis ont des enfants
. . . ils **les** invitent. . . .
*Son père*: Ce que dit Catherine est vrai. On essaie bien de **lui** consacrer le plus de temps
possible et de l'encourager . . . Elle est très raisonnable et on **lui** fait confiance. On **lui**
donne la permission de sortir mais à une condition: on **lui** demande . . . de nous dire où
elle va . . . Elle **le** fait.

**B** (p. 19)
Je **n'ai pas eu** le temps . . . Mes parents **se sont disputés** . . . et ma mère **a boudé** . . . nous
**sommes allés** au restaurant . . ., elle **n'a pas voulu** venir . . . mon père **a oublié** d'apporter
. . . je **suis intervenu** . . . ça **n'a pas arrangé** la situation. . . . mon cousin nous **a fait**
attendre . . . nous **avons manqué** le début du film. Il **n'y a pas eu** un jour où nous **avons**
**été** d'accord . . . je **suis parti** me promener . . . mais **je me suis ennuyé** . . .

**A** (p. 24)   See 3.10–3.15
1 Le climat familial **s'est amélioré** . . . 2 Nous **avons vécu** chez mes beaux-parents . . .
3 Ses grands-parents **ont divorcé** . . . 4 Nous **sommes venus** passer les fêtes . . . 5 Vos
conflits familiaux, vous les **avez résolus**? 6 Ta copine **a plu** à tes parents? . . . 7 Elle
**s'est confiée** à son frère . . . 8 Il fallait prendre une décision, nous l'**avons prise** en
commun. 9 Ils **se sont conduits** comme des enfants. . .

**B** (p. 24)   *Les parents protecteurs*
1 Ils adorent leur enfant mais ne **le** (3.1 and 3.2) traitent pas comme un adulte. 2 . . . ils
veulent **lui** (3.4–6 and 3.9 *note*) donner une bonne image du couple. 3 Ils veulent **le** (3.1–2
and 3.9 *note*) préparer à la vie . . . et privilégient les qualités qui **la** (3.2) facilitent . . .
4 . . . la politique, ils **n'en** (3.8) parlent jamais . . . quant aux sujets . . . ils **les** (3.2) évitent.
5 . . . l'enfant n'est pas toujours sûr de recevoir l'autorisation de sortir lorsqu'il **la** (3.2 and
3.3) demande. 6 Ils **lui** (3.6) demandent d'être studieux car . . . son avenir . . . ils **y** (3.7)
pensent . . .

*Les parents permissifs*
7 . . . leurs propres parents . . . ils ne veulent pas **leur** (3.6) ressembler. 8 Le rôle
d'éducateur . . . ils **l'** (3.2) assument avec facilité. 9 Les qualités importantes pour eux
. . . ils **les** (3.2) encouragent. 10 Ils **lui** (3.6) racontent ce qui leur arrive et la politique
. . . ils **en** (3.8) parlent . . . 11 Ils **lui** (3.6) font confiance et . . . ne **l'** (3.2) empêchent
pas de sortir. 12 . . . les activités artistiques lui sont bénéfiques, ils l'obligent à **en** (3.9)
exercer deux ou trois.

**C** (p. 24)
1 Ils/Elles lui (3.6) ont donné des conseils, mais il n'a pas voulu les (3.2 and 3.9 *note*)
suivre 2 Pourquoi est-ce que tu leur (3.6) téléphones toutes les semaines? **or** Pourquoi leur
téléphones-tu . . .? **or** Pourquoi est-ce que vous leur téléphonez . . .? **or** Pourquoi leur
téléphonez-vous . . .? Parce qu'ils m' (3.6) ont demandé de le (3.3 *note*) faire. 3 Ma
marraine a payé (3.3) mon voyage. 4 Quand il est mort (3.12b and 3.14), ses petits-enfants
ont soigné (3.3) sa femme.

**Révision 1–3**
**A** (p. 25)   See 1.1–1.7
1 Dans **l'**immeuble, **le** vandalisme est **un** problème grave. **La** cage d'escalier est
sale, **la** lumière ne marche pas et **l'**ascenseur est en panne. 2 **Le** propriétaire ne
fait pas attention **aux** plaintes **des** locataires. 3 Dans **le** domaine de **l'**urbanisme,
il y a eu **une** amélioration nette depuis **les** années soixante. 4 **Le** rôle et **l'**influence

de **la** jeunesse dans **la** vie politique devraient gagner en importance étant donné que **les** jeunes ont **le** droit de vote à dix-huit ans. 5 **Le** phénomène de **la** cuisine minceur a changé **les** habitudes alimentaires **des** Français. 6 Il faut que **les** restaurateurs pensent non seulement **au** plaisir mais aussi à **la** santé de **la** clientèle.

**B** (p. 25)  See 1.9

1 Ces jeux électroniques ont connu beaucoup de succès. 2 Ces festivals internationaux de musique attireront les touristes. 3 Vous avez oublié des détails essentiels. 4 Les travaux de la commission seront rendus publics au cours des mois prochains. 5 Les journaux ont publié des articles explosifs. 6 Le gouvernement a respecté les vœux de la majorité.

**C** (p. 25)  See 3.1–3.8

. . . Les enfants ont mal accepté . . .: au début, ils ne **lui** faisaient pas confiance et refusaient de **lui** obéir. Ses beaux-parents, qui gardaient un bon souvenir de la première femme de Gérard, **l'**ont mal accueillie, eux aussi: Delphine ne **leur** plaisait pas parce qu'elle ne **lui** ressemblait pas. En fait, . . . elle n'avait aucun soutien alors qu'elle **en** avait bien besoin.

Une amie de Delphine **lui** a conseillé d'être patiente: «L'attitude de tes beaux-parents est tout à fait normale, ne **t'en** inquiète pas. L'important, c'est avant tout de conquérir la confiance et l'affection des enfants». . . . lorsque Delphine y est parvenue, ses beaux-parents **l'**ont adoptée . . . . elle a besoin de conseils, elle **leur** téléphone ou va **les** voir.

**D** (p. 26)  See 1.10–1.12

1 Tu te demandes . . . 2 Ils investissent dans l'immobilier. 3 Vous vous rendez compte de la situation? 4 Nous soumettons . . . 5 Cela surprend . . . 6 Je m'aperçois de son absence. 7 Elles atteignent . . . 8 Vous traduisez . . .? 9 J'offre l'apéritif à tout le monde! 10 Vous voyez . . .

**E** (p. 26)  See 2.7–2.10

1 Je commettrai . . . 2 Elles entreprendront . . . 3 Ce disque décevra . . . 4 Tu viendras . . . 5 Nous nous rétablirons . . . 6 Vous leur enverrez . . . 7 Elle pourra partir . . . 8 Ils acquerront . . . 9 Tu t'assiéras . . . 10 On saura . . .

**F** (p. 26)  See 3.10–3.15

1 Il a conçu . . . 2 Je suis arrivé(e) à les persuader. 3 Tu as souffert du froid? 4 Nous avons repeint . . . 5 Ils ont reconstruit . . . 6 Elle est née le 30 juin. 7 Je me suis détendu(e) . . . 8 Vous avez résolu . . . 9 Elles ont témoigné . . . 10 On a admis . . . 11 Vous êtes morte de faim! 12 Tu as compris . . . 13 Vous vous êtes attendri(e)(s) . . . 14 Les socialistes sont entrés au gouvernement.


**Chapitre 4**

**A** (p. 27)  *Les dix commandements de l'amitié* . . .

1 Montrez-vous toujours aimable envers **vos** copains et **vos** copines et ménagez **leur** sensibilité. 2 Si l'un d'entre **eux** ou l'une d'entre **elles** vous met en boîte, surtout ne boudez pas. 3 Si . . . quelqu'un abîme **vos** affaires, ne saccagez pas **les siennes** . . . 4 N'essayez jamais de sortir avec le flirt de **votre** meilleur(e) ami(e). 5 On doit apprendre à partager et à prêter **ses** affaires. Il ne faut pas toujours tout garder pour **soi**. 6 . . . «Je mettrai **mon** argent en commun avec celui des autres pour payer **nos** activités communes». 7 Ne refusez jamais d'accompagner les autres . . . même si **leur** choix ne vous plaît pas. 8 Chacun a **son** opinion, cessez de critiquer les idées des autres. **Les vôtres** ne sont pas infaillibles! Acceptez **les leurs**. 9 . . . vos copains ne vous confieront pas **leurs** problèmes s'il savent

que vous répétez **leurs** histoires. 10 . . ., ne laissez pas tomber **vos** copains et ne lui demandez à personne d'abandonner **les siens**.

**B** (p. 27)   *Courrier du cœur*

. . . Il **était** plus grand que les autres et il **avait** l'air de s'ennuyer: tout le monde **dansait** sauf lui. Je me suis dit qu'il **devait** être plutôt timide. Moi, par contre, je **connaissais** presque tout le monde. La soirée **s'annonçait** bien. Tout en dansant, je **surveillais** discrètement l'inconnu: il **ne bougeait pas** de son coin et vraiment il m'**intriguait**. Je me **demandais** s'il **fallait** que je l'invite quand, tout à coup, il a disparu. . . .

**A** (p. 32)   See 4.5

1 . . . il **rêvait** de faire . . . 2 **J'écrivais** . . . 3 **J'étais** . . . 4 Vous **sortiez** . . . 5 Elles **éblouissaient** . . . 6 tu **découvrais** . . . 7 Ils **feignaient** . . . 8 La même situation **se reproduisait** . . . 9 Nous **payions** . . . 10 Vous **skiiez** . . .

**B** (p. 32)

1 Je suis une fille dynamique qui tiens à mon (4.1 *note*) indépendance. Je respecte la liberté des autres et exige qu'ils respectent la mienne (4.4). 2 Tu t'ennuyais pendant tes (4.1) vacances. Tu ne comprenais pas pourquoi certains de tes camarades n'avaient jamais de temps libre alors que tu ne savais pas quoi faire du tien (4.4). 3 Quand il est allé se présenter à son (4.1) premier emploi, il n'avait pas confiance en lui (4.3 *note also*).

**C** (p. 32)

1 A cette époque-là, je faisais (4.6a) partie d'un groupe de jeunes qui se réunissait (4.6c) tous les week-ends. **or** A ce moment-là . . . 2 Elle prenait (4.6c) le maquillage de sa (4.1) mère et à deux reprises elle l'a laissé (4.6c *note*) chez une amie. **or** . . . chez un ami. 3 Quand il a passé sa (4.1) première épreuve d'examen, il était (4.6a) très anxieux. **or** Lorsqu'il a passé . . . 4 Nos deux fils aînés voulaient (4.6a) un appartement à eux (4.3) mais nous ne pouvions pas (4.6a) payer leur (4.1) loyer et le nôtre (4.4). 5 Quand il m'a parlé de son (4.1 *note*) enfance, je ne l'ai pas cru. Elle était (4.6a) tellement différente de la mienne (4.4). **or** Lorsqu'il m'a parlé de son (4.1 *note*) enfance, je ne l'ai pas cru. Elle était (4.6a) si différente de la mienne (4.4). 6 Nous buvions (4.6b) son (4.1) cognac quand il est entré. **or** On buvait (4.6b) . . . 7 Quand tu étais (4.6a) déprimé(e), tu refusais (4.6c) de sortir. **or** Lorsque vous étiez (4.6a) déprimé(e)(s), vous refusiez (4.6c) de sortir. 8 Je viens de recevoir (4.10) une lettre de Benjamin mais sa sœur ne m'a pas écrit depuis (4.8) quinze jours. 9 Elle a gagné sa première médaille il y a six mois. Elle faisait du ski depuis (4.7) cinq ans.

### Chapitre 5

**A** (p. 33)   *Patrice repart*

◆ Patrice, vous venez **de** gagner le concours du meilleur slogan publicitaire. Comment est-ce que vous **comptez dépenser** la somme d'argent que vous offre Assurtours?/— J'ai l'intention **de** passer trois mois **à** voyager à travers toute l'Europe. J'ai déjà essayé **de** le faire, il y a quelques années, mais je n'ai réussi qu'**à** voir l'Italie./◆ Ah bon? Vous **voulez** bien nous **raconter** ce qui vous est arrivé?/— J'avais décidé **de** partir en autostop. L'aventure a bien commencé puisque le premier automobiliste à s'arrêter m'a proposé **de** m'emmener jusqu'à Gênes. C'était au mois d'août, et il nous **a fallu attendre** trois heures avant **de pouvoir franchir** le Tunnel du Mont Blanc. Il commençait à faire très chaud et nous mourions de soif! J'ai donc invité mon compagnon **à** prendre quelque chose. De retour à la voiture, nous avons été stupéfaits de voir que mon sac à dos et toutes mes affaires de camping avaient disparu. On avait oublié **de** fermer la malle à clé. ◆ Et vous étiez assuré pour le vol?/— Non, malheureusement pas et la police n'est parvenue **à** rien retrouver. Mon compagnon a accepté **de** me conduire à la gare de Turin et, découragé, je suis rentré par le train. Depuis, je rêve **de** repartir. Cette aventure m'a appris **à** être plus prudent. Cette fois-ci, j'**espère** bien **ne pas rentrer** le lendemain de mon départ. Je tiens **à** remercier Assurtours **de** m'avoir offert ce prix ainsi qu'une assurance gratuite.

**B** (p. 33)
1 **Personne n'est** fier du bilan des accidents routiers . . . 2 Le feu vert **ne donne pas** au conducteur le droit de renverser les piétons. 3 Les compagnies d'assurance **n'ont jamais affirmé** que les hommes conduisaient mieux que les femmes. 4 **Rien ne vous donne** le droit de stationner sur les passages cloutés. 5 . . . vous **n'éviterez pas** de payer une amende en disant que vous étiez pressé.

**A** (p. 38)
C'est le moment du grand départ! Depuis longtemps vous rêvez **de** (5.8b) partir à la recherche du soleil et de la détente. Vous avez choisi **de** (5.8b) passer quinze jours aux Antilles où vous **espérez** (5.8c) **trouver** un ciel toujours bleu et une plage de sable blanc. Si c'est la première fois que vous prenez l'avion . . ./–arrivez à l'aéroport à l'avance si vous **préférez** (5.8c) **choisir** votre place;/–résignez-vous **à** (5.8a) avoir **à** (5.8a) faire la queue avant **de** (5.8b) passer par le contrôle de sécurité et n'oubliez pas que votre sécurité en dépend;/–évitez surtout **de** (5.8b) prendre une boisson alcoolisée si vous souffrez du mal des transports;/— soyez rassuré car les compagnies aériennes sont obligées **de** (5.8b) prendre de strictes mesures de sécurité. Votre commandant de bord et son équipage ont **dû** (5.8c) **se soumettre** à une formation rigoureuse; . . .

**B** (p. 38)
1 La compagnie d'autocars **n'a plus été** (5.2) en mesure d'assurer . . . 2 . . . la hausse du prix de l'essence **ne** les en **a pas découragés** (5.2–5.3). 3 Je **ne me suis jamais déplacé(e)** (5.2–5.3) . . .

**C** (p. 38) See 5.7
1 **Après être arrivés** à Paris, nous sommes allés . . . 2 **Après m'être renseigné** sur les horaires des trains, j'ai réservé . . . 3 **Après avoir pris** l'avion de Paris à Lyon, il s'est rendu compte . . .

**D** (p. 38)
1 Personne n'aime (5.4) les embouteillages ni les contraventions. 2 Au lieu de prendre (5.9) le train, j'ai fait le voyage en car – cela/ça coûte moins cher. 3 Aucun(e) de mes ami(e)s n'a (5.4) le permis de conduire, alors nous nous déplaçons **or** . . . alors on se déplace par le train. 4 Nous avons réussi à (5.8a) faire enregistrer les bagages sans perdre (5.9) les enfants. **or** Nous sommes parvenus à (5.8a) faire enregistrer . . . 5 Avant d'atterrir (5.9), le commandant de bord et son équipage ont essayé de (5.8b) tranquilliser les passagers.

### Chapitre 6
**A** (p. 39) *Les villages de vacances*
1 Les parents **que** nous avons interrogés . . . 2 . . . les adolescents **que** nous avons rencontrés . . . 3 Ce sont ces attitudes . . . **qui** expliquent . . . 4 . . . un endroit **où** . . . 5 Les activités **qu'**on propose . . . 6 Les familles **qui** veulent . . . 7 . . . le moment **où** . . . 8 Les parents peuvent jouir de la tranquillité **dont** ils rêvent . . . 9 Les enfants ont l'indépendance **qu'**ils souhaitent. 10 C'est . . . une formule **qui** satisfait tout le monde.

**B** (p. 39)
1 En rejoignant l'hôtel . . . 2 . . . en rentrant du Kenya. 3 Tout en ayant une voiture . . . 4 . . . en agrandissant les terrains . . . 5 Etant donné que . . .

**C** (p. 39)
1 While sunbathing on the beach, I got sunstroke. 2 While knowing that it is an easy solution, I always go on organised trips. **or** Although I know that . . . 3 You will get what you want by complaining to the hotel manager. **or** You will get satisfaction . . . 4 We had a shower on returning to the youth hostel. 5 Improve your technique by going on a sailing course this summer.

**A** (p. 44)   *Le sud-ouest: une véritable découverte*
Je garde un souvenir émerveillé des quinze jours **que** (6.3) nous avons passés . . . . Grâce à des amis **qui** (6.2) viennent de cette région . . . . Nous avons pris l'avion jusqu'à Limoges **où** (6.6) nous avons loué une voiture en arrivant. Selon le temps **qu'** (6.3) il faisait. . .
. . . une région **que** (6.3) je ne connaissais pas du tout. Les routes **que** (6.3) nous avons empruntées étaient peu fréquentées . . . . Etant donné que la distance **qui** (6.2) sépare les deux villes est d'environ 300 kilomètres, nous avons fait escale . . . dans un village **où** (6.6) l'on pouvait camper . . . . Albi, **dont** (6.5) la cathédrale est en brique rouge, m'a charmée. L'hôtel **que** (6.3) nous avons choisi était . . . et la chambre **que** (6.3) nous occupions donnait . . . au matin, l'eau **qui** (6.2) était verte la veille, avait . . .
   C'est la seule nuit **que** (6.3) nous ayons passée . . . des petites routes **qui** (6.2) traversaient des vignobles . . . nous avons fait de longues randonnées **qui** (6.2) nous ont permis de découvrir . . . je me rappelle encore les excellents repas **qu'** (6.3) on nous a servis.

**B** (p. 44)
1 Tout en admettant (6.9b) que camper peut être amusant, ça/cela ne me plaît pas (3.6). 2 En travaillant (6.7–8) pour TransEurop l'an dernier, j'ai pu visiter des endroits que (6.3) je ne connaissais pas. 3 La fille qui (6.2) porte un maillot de bain noir? C'est Michelle, dont (6.4) je suis tombé amoureux l'été dernier. 4 En y réfléchissant (6.7–8), je me rappelle où j'ai pris cette photo: c'était en allant (6.7–8) à Vienne. 5 Le jour où (6.6) nous sommes allés à Giens, j'ai perdu ma chaîne en me baignant (6.7–8). 6 L'agence de voyage dont (6.4) elle s'occupe organise des croisières. **or** L'agence de voyage dont (6.4) elle est responsable . . . 7 L'exposition qu' (6.3) on a vue (6.3 *note*) s'est déroulée au Musée d'Orsay. 8 C'est un séjour qui (6.2) allie (6.10) des activités culturelles et la découverte de paysages magnifiques. 9 Les gens qui (6.2) voyagent (6.10) hors saison ont droit à une réduction. 10 On a dû annuler la réservation qu' (6.3) on a/avait faite (6.3 *note*) en janvier dernier.

**Revision 4–6**
**A** (p. 45)   See 6.1–6.6   *Les centres de vacances*
Les centres de vacances, **qu'**on appelait . . . les «colonies de vacances», . . . les centres maternels, **qui** s'occupent des petits . . .; les centres pour mineurs, **qui** accueillent les mineurs . . . et les camps d'adolescents, **qui** s'adressent aux plus de 14 ans. Les activités **qu'**ils offrent aux jeunes sont multiples . . . ce sont les activités physiques et sportives **qui** dominent: camps de voile **où** les jeunes peuvent s'initier à la navigation à voile, camps d'équitation **où** ils apprennent à monter à cheval, etc. Les jeunes **dont** s'occupent les animateurs . . . Ce sont . . . des enfants **dont** la mère travaille. Tous ceux **que** nous avons interrogés se sont déclarés enchantés . . .

**B** (p. 45)   See 5.4
1 Personne n'a regretté d'avoir entrepris ce voyage . . . 2 Pas un des passagers n'a été malade pendant la traversée . . . 3 Rien ne paraît le surprendre. 4 Aucun des jeunes interrogés/Aucun jeune interrogé ne veut passer l'été en famille.

**C** (p. 45)   See 4.5 and 5.1

1 Elles n'étaient pas au courant. 2 Je ne conduisais jamais la nuit. 3 Vous ne vous plaigniez guère de votre travail. 4 Nous ne promettions rien. 5 Tu ne décevais personne à ce moment-là. 6 Nous ne comprenions plus les motifs de sa conduite. 7 Tu n'avais pas le courage de lui annoncer ton départ? 8 On ne se souvenait de rien. 9 Je ne voyais aucune difficulté insurmontable. 10 Il ne s'appelait ni Renaud ni Roland. 11 Elle ne souffrait nullement de la chaleur. 12 On ne pouvait le joindre nulle part.

**D** (p. 46)

1 Après avoir fait (5.6) enregistrer leurs bagages, ils m'ont aidé à (5.8a) porter les miens (4.4). 2 L'avion était sur le point de décoller (5.9) quand (l') un des réacteurs a explosé. Il n'y a eu aucun (5.1) blessé. **or** Il n'y a pas eu de (5.1 *note*) blessés. 3 Elle a décidé de (5.8b) ne pas (5.2) partir cette année pour économiser (5.9) de l'argent. 4 Après s'être renseignés (5.5–7) auprès d'une agence de voyages, ils ont fait une réservation sur Air Inter. 5 Lorsque je l'ai vue/rencontrée, elle pensait (4.6a and 5.8c) quitter l'école à seize ans pour chercher (5.9) un emploi. 6 Tout en admettant (6.9) qu'ils avaient tort, ils ont refusé de (5.8b) changer de plans. 7 Quand on est finalement arrivés à l'aéroport, le car qui (6.2) était censé nous emmener à l'hôtel venait de (4.10) partir. **or** Quand nous sommes finalement arrivés à l'aéroport . . . 8 Aux heures de pointe, nous évitions de (4.6c and 5.8b) prendre le train qui (6.2) s'arrêtait (4.6c) à toutes les gares, **or** . . . qui (6.2) desservait (4.6c) toutes les gares. **or** Aux heures de pointe, on évitait de prende l'omnibus. 9 L'Espagnol dont (6.4) nous avons loué l'appartement l'hiver dernier venait (4.6c) tous les quinze jours vérifier que tout allait bien (4.6a). 10 Il apprend (4.7) à conduire depuis Pâques, mais il n'a pas encore passé son permis.

**E** (p. 46)   *Extraits du guide du voyageur Suntours*

*La veille du départ*: Il est possible que les horaires que nous vous avons donnés au moment de votre réservation subissent des modifications par la suite. **La** veille de votre départ, prenez la précaution de vérifier ces horaires auprès de votre agent de voyages.

*Bagages*: Essayez, si possible, de voyager léger. Pour cela réfléchissez à votre style de vacances et ne vous encombrez pas de choses **dont** vous risquez de **ne** pas avoir besoin. Evitez **d'**emporter des bijoux de valeur.

*Au retour*: Nous avons effectué des enquêtes qui nous permettent de connaître l'évolution des besoins en matière de tourisme ainsi que les problèmes qui surgissent au cours des séjours organisés. Cependant, aucune information n'est aussi précise que celle que vous pouvez nous faire parvenir personnellement, aussi nous vous recommandons de bien vouloir remplir, dès votre retour, les questionnaires qui vous auront été remis. Nous vous remercions **de** votre aimable coopération et **espérons avoir** le plaisir de vous compter à nouveau parmi notre clientèle.

**Chapitre 7**

**A** (p. 47)   *Ils courent, ils courent*

1 Le nombre de coureurs de fond a **considérablement** augmenté. 2 Cela est **partiellement** dû aux campagnes d'information sur les maladies cardio-vasculaires. 3 La plupart de ces «joggers» disent, en effet, qu'ils ont besoin de se dépenser **physiquement** pour éviter le stress. 4 Ils font **habituellement** partie d'un groupe ou d'un club et s'entraînent **fréquemment**. *or* Habituellement, ils font partie d'un groupe ou d'un club . . . 5 **Généralement** âgés de trente-cinq à quarante-cinq ans, ils se soumettent **régulièrement** à un contrôle médical. 6 Ils cherchent **obsessivement** à garder leur jeunesse et sont

**entièrement/profondément** convaincus que courir est la meilleure façon d'y parvenir. 7 Mais ils savent bien que les meilleurs résultats ne s'obtiennent pas **rapidement/vite**.

**B** (p. 47)   *De bonnes résolutions*
. . . je me suis dit que je **me sentirais** mieux dans ma peau si je menais une vie plus équilibrée . . . j'ai donc décidé que . . . **j'arrêterais** de fumer, que je **sauterais** du lit à sept heures et . . . je **ferais** quelques exercices . . . . Le reste de la matinée **serait** consacré à de menus travaux . . . je **prendrais** la peine de préparer . . . . **J'aurais** le temps . . . et **j'irais** ensuite à la piscine . . . je **rejoindrais** les copains mais . . . **je proposerais** toute une série d'activités culturelles. J'étais sûr que ce nouveau rythme de vie me **conviendrait** et que je **pourrais**, ainsi, . . .

**A** (p. 52)   See 7.11–7.12
1 Il faudrait se préoccuper . . . 2 Vous seriez moins essoufflé . . . 3 elle ne lui prescrirait plus de somnifères. 4 L'alcool ne ferait de mal à personne . . . 5 Les gens souffriraient moins . . .

**B** (p. 52)   See 7.14
1 Nous aurions voulu organiser . . . 2 Il aurait pris plus d'exercice . . . 3 Tu aurais dû faire du yoga . . . 4 J'aurais préféré me faire soigner . . . 5 On aurait couru plus vite . . .

**C** (p. 52)   *Les médecines douces*
1 Les médecines «douces» ou «naturelles» ont récemment (7.4 and 7.9) connu un grand essor. **or** Récemment (7.4) les médecines «douces» ou «naturelles», ont connu un grand essor. 2 Les Français qui ont eu recours à ces techniques de diagnostic et de guérison en parlent avec enthousiasme (7.6). **or** . . . d'une façon enthousiaste (7.6) **or** . . . de façon enthousiaste (7.6). 3 Parmi celles-ci, on compte la phytothérapie, pratique fort ancienne communément (7.5 and 7.9) appelée «médecine par les plantes», et l'acuponcture, relativement (7.1–2) bien acceptée de nos jours. 4 Les gens se tournent vers les médecines douces lorsque la médecine traditionnelle s'est révélée particulièrement (7.2) inefficace. 5 Il y aura forcément (7.3) des sceptiques, mais le nombre des médecins généralistes qui croient sérieusement (7.2 and 7.8) aux bienfaits des médecines naturelles est en augmentation croissante. 6 Il semble donc que ces moyens thérapeutiques aient à l'avenir un rôle nettement (7.2) plus important à jouer.

**D** (p. 52)
1 Evidemment (7.4), s'il se mettait au régime et mangeait (see 11.13) d'une façon raisonnable/de façon raisonnable, il perdrait (7.11) rapidement/vite (7.5) du poids. 2 Je serais certainement (7.2 and 7.9) allé(e) (7.14) chez un(e) homéopathe si la médecine traditionnelle s'était vraiment (7.3 and 7.9) révélée inefficace.

**Chapitre 8**
**A** (p. 53)
1 Pourquoi est-ce qu'il peut aisément répondre à cette question? **or** Pourquoi peut-il aisément répondre à cette question? 2 Un bon prof, qu'est-ce que c'est? **or** Qu'est-ce qu'un bon prof? 3 Est-ce que leur professeur est heureuse d'enseigner? **or** Leur professeur est-elle heureuse d'enseigner? 4 Pour qui est-ce que c'est un vrai plaisir d'entrer en cours? **or** Pour qui est-ce un vrai plaisir d'entrer en cours? 5 Comment est-ce qu'elle les incite à produire un travail personnel? **or** Comment les incite-t-elle à produire un travail personnel? 6 Qu'est-ce qui le passionne maintenant? 7 Qui est-ce qui lui a donné envie de découvrir des choses nouvelles **or** Qui lui a donné envie de découvrir des choses nouvelles? 8 Quel âge a Omar Latelli? **or** Quel est l'âge d'Omar Latelli?

**B** (p. 53)   *Déçus par la vie d'étudiant*
*Jean-Maurice*: La fac, ce n'est pas ce que **j'avais imaginé** . . . Jusque-là, **j'avais vécu** dans une petite ville . . . Je **m'étais dit** . . . Je **ne m'étais pas rendu compte** de ce que serait la vie . . . Personne **ne m'avait prévenu** . . . Non vraiment si **j'avais su** . . .
*Sylvie*: Moi, je **ne m'étais pas fait** d'illusions . . .

**A** (p. 58)   *Pourquoi met-on ses enfants dans une école privée?*
1 Les enfants sont-ils plus suivis dans leurs études (8.2d)? 2 Les classes sont-elles souvent moins chargées (8.2d)? 3 Obtient-on un meilleur pourcentage de reçus . . . (8.2a)? 4 Y a-t-il un effort d'innovation pédagogique (8.2a *note* and 8.2c)? 5 Le niveau universitaire des maîtres est-il plus élevé (8.2d)? 6 Est-ce pour des raisons religieuses (8.2a)? 7 Est-ce lié à la position sociale des parents (8.2a)?

**B** (p. 58)
1 A qui (8.6a) les terminales du soir offrent-elles (8.2d) une seconde chance? **or** A qui est-ce que (8.6a and 8.6c) les terminales du soir offrent une seconde chance? 2 Pourquoi (8.5) personne ne veut-il (8.2d) de ces élèves? **or** Pourquoi est-ce que (8.5) personne ne veut de ces élèves? 3 Comment (8.5) bon nombre d'entre eux ont-ils travaillé (8.2b and 8.2d) avant (de s'inscrire à des cours du soir)? **or** Comment est-ce que (8.5) bon nombre d'entre eux ont travaillé avant . . .? 4 Que (8.4c) leur manquait-il (8.2a and 8.2c)? **or** Qu'est-ce qui (8.4a) leur manquait? 5 Quel (8.7a) rôle la solidarité des élèves joue-t-elle (8.2d)? **or** Quel (8.7a) rôle est-ce que (8.7c) la solidarité des élèves joue? 6 Quand (8.5) la solidarité aide-t-elle (8.2d) les élèves à tenir le coup? **or** Quand est-ce que (8.5) la solidarité aide les élèves à tenir le coup? 7 Combien (8.5) d'élèves réussissent au bac? **or** Combien (8.5) y a-t-il (8.2c) d'élèves qui réussissent au bac? **or** Combien est-ce qu' (8.5) il y a d'élèves qui réussissent au bac? 8 Qu'est-ce que (8.4b) font la plupart de ceux qui échouent? **or** Que (8.4c) font la plupart de ceux qui échouent?

**C** (p. 58)   See 8.8
1 Si on n'avait pas généralisé . . . 2 Les instituteurs avaient longtemps joui d'une grande considération . . . 3 Les connaissances . . . que j'avais acquises (6.3 *note*) . . . 4 Si tu n'avais pas été reçu à tes examens . . .

**D** (p. 58)
1 Quelles matières (8.7a) t'intéressent/vous intéressent? **or** A quelles matières (8.7a) t'intéresses-tu/vous intéressez-vous? **or** A quelles matières est-ce que (8.7a and 8.7c) tu t'intéresses/vous vous intéressez? 2 Sur quoi (8.6b) portait le cours? 3 Quels (8.7a) diplômes demande-t-on? **or** Quels diplômes est-ce qu' (8.7a and 8.7c) on demande? 4 A qui (8.6a) donnaient-ils/elles des cours du soir et que (8.4c) leur enseignaient-ils/elles? **or** A qui (8.6a) donnaient-ils/elles des cours, le soir, . . .? **or** A qui est-ce qu' (8.6a and 8.6c) ils/elles donnaient des cours du soir et qu'est-ce qu' (8.4) ils/elles leur enseignaient?

**Chapitre 9**
**A** (p. 59)   *Compte-rendu d'un témoignage*
1 On m'a demandé où le sinistre s'était déclaré. 2 Je n'ai pas su dire ce qui avait provoqué l'explosion. 3 J'ai indiqué quelle heure il était. 4 Il m'a fallu dire s'il y avait d'autres témoins. 5 Puis on a voulu savoir qui avait prévenu les sapeurs-pompiers. 6 On m'a fait préciser combien de temps ils avaient mis pour arriver sur les lieux. 7 Enfin, j'ai dû expliquer ce que j'avais fait en attendant.

**B** (p. 59)
**a.** *Sur la route, il est très important de bien voir et d'être vu*
1 nettoyez . . . et changez . . . 2 assurez-vous du parfait fonctionnement . . . 3 portez
. . . 4 équipez-vous d'éléments fluorescents . . .
**b.** *Recommandations à un ami à qui on a prêté son appartement*
1 arrose le pot . . . et mets-le dans l'évier. 2 coupe . . . 3 assure-toi que . . . 4 débranche
. . . 5 éteins . . . 6 n'oublie pas de fermer la porte.

**A** (p. 62)
1 J'ai tout d'abord demandé au ministre ce qu' (9.2c) il pensait (9.3a) de l'œuvre du CNPP.
2 Il m'a répondu qu'il éprouvait (9.3a) un très grand intérêt à l'égard des multiples activités
du CNPP et de ses initiatives en faveur de la sécurité. 3 Je lui ai ensuite demandé si (9.1)
notre environnement était (9.3a) plus dangereux qu'auparavant. 4 Il m'a affirmé qu'il y
avait (9.3a), sans aucun doute, une évolution préoccupante, mais en ajoutant qu'il espérait
que les efforts des responsables de la sécurité permettraient (9.3c), tout de même, de
restreindre l'étendue des périls. 5 J'ai voulu savoir ce qui (9.2b) favoriserait (9.3c), selon
lui, la réduction du nombre d'accidents dans les années à venir. 6 Il a déclaré qu'il fallait
(9.3a) avant tout mettre en place un réseau très dense d'information afin de rendre les
Français plus responsables de leur sécurité. 7 Je lui ai enfin demandé quelle (9.1)
impression générale ce congrès lui avait laissée (9.3b). 8 Il a dit pour conclure que, dans le
domaine de l'information et de la prévention, l'action du CNPP était (9.3a) exemplaire.

**B** (p. 62)   See 9.7   *Skieurs oubliez tout sauf votre sécurité*
1 Ne **les** surestimez pas . . . 2 . . . consultez-**les**. 3 Vérifiez-**le**. 4 Pensez-**y** . . . 5 . . . ne
vous **en** écartez pas. 6 . . . engagez-**en** un.


**Révision 7–9**
**A** (p. 63)   *Fusillade en plein jour à Tours*
— Une patrouille de gardiens de la paix circulant à bord d'une voiture de service remarque
*une fourgonnette qui vient de griller un feu rouge*: Qu'est-ce que la patrouille remarque
(8.4b.)? **or** Que remarque la patrouille (8.4c)?/— Elle se lance à sa poursuite et prévient
*une seconde patrouille* qui . . .: Qui est-ce qu'elle prévient (8.4b)? **or** Qui prévient-elle
(8.4c)?/— Quatre hommes, armés *de pistolets de gros calibre*, en descendent
précipitamment . . .: De quoi les quatre hommes sont-ils armés (8.2d and 8.6b)? **or** De
quoi est-ce que les quatre hommes sont armés (8.6c)?/— Poursuivis *par les policiers*, les
fugitifs parviennent à atteindre le coin de la rue . . .: Par qui les fugitifs sont-ils poursuivis
(8.2d and 8.6a)? **or** Par qui est-ce que les fugitifs sont poursuivis (8.6c)?/— Un policier
tire du trottoir *sur l'un des braqueurs* qui se trouve à bord de l'autobus . . .: Sur qui
le policier tire-t-il (8.2d and 8.6a)? **or** Sur qui est-ce que le policier tire (8.6c)?/— Les
quatre hommes contraignent alors *le chauffeur* à démarrer: Qui est-ce que les quatre
hommes contraignent à démarrer (8.4b)? **only other form likely to be used**: Qui con-
traignent-ils à démarrer (8.4c)?

**B** (p. 63)   See 3.1–9 and 9.7   *Ceci est un médicament*
1 ne **le** laissez pas . . . 2 n'**en** abusez jamais. 3 consultez-**le**. 4 ne l'interrompez pas, ne **le**
reprenez pas . . . 5 demandez-**lui** des conseils.

**C** (p. 63)   See 8.8–9
1 Elle s'était présentée au concours . . . 2 Les lycéens étaient descendus . . . 3 . . . nous
avions vécu . . . 4 On avait ouvert . . . 5 Si vous aviez suivi . . .

**D** (p. 64)  See 7.11–12

1 . . . beaucoup plus d'enfants mourraient de faim. 2 Il vaudrait mieux retirer . . . 3 Nous le verrions bien . . . 4 Vous feriez bien de vous assurer . . . 5 Je résoudrais . . .

**E** (p. 64)  See 7.14

1 Il aurait suffi de faire . . . 2 Vous auriez dû vous renseigner . . . 3 . . . on aurait pu prévoir . . . 4 Ils seraient morts de froid . . . 5 Nous n'aurions pas pris . . .

**F** (p. 64)  *Fusillade en plein jour à Tours (suite)*

— La *première* patrouille, arrivée entre-temps sur les lieux de la fusillade, intercepte l'autobus: Quelle patrouille intercepte l'autobus (8.7a)? **or** Laquelle des deux patrouilles intercepte l'autobus (8.7b)?/— La première patrouille, arrivée entre-temps sur les lieux de la fusillade, intercepte *l'autobus* quelques centaines de mètres plus loin: Qu'est-ce que la patrouille intercepte (8.4b)? **only other form likely to be used**: Qu'intercepte-t-elle (8.4c)?/— Les braqueurs tirent sur les policiers qui ripostent, blessant légèrement *une des passagères* au bras: Qui est-ce que les policiers blessent au bras (8.4b)? **only other form likely to be used**: Qui blessent-ils au bras? (8.4c)/— La confusion qui suit la fusillade permet aux quatre hommes de quitter le bus: deux d'entre eux disparaissent, semble-t-il, dans la foule tandis que les deux autres prennent en otage *un automobiliste* qui pilotait une Peugeot: Qui est-ce que les deux autres prennent en otage (8.4b)? **only other form likely to be used**: Qui prennent-ils en otage (8.4c)?/— Ce dernier sera relâché un peu plus loin et *le véhicule* sera retrouvé peu après vide de tout occupant: Qu'est-ce qui sera retrouvé peu après (8.4a)? **(only form)**/— Il semble que les quatre hommes en question avaient pénétré dans une agence du Crédit Agricole *quelques heures auparavant*: Quand les quatre hommes avaient-ils pénétré dans une agence du Crédit Agricole (8.2d and 8.5)? **or** Quand est-ce que les quatre hommes avaient pénétré dans une agence du Crédit Agricole (8.5)?/— . . . et s'étaient emparés *du contenu de la caisse*: De quoi les quatre hommes s'étaient-ils emparés (8.2d and 8.6b)? **or** De quoi est-ce que les quatre hommes s'étaient emparés (8.6c)?

**G** (p. 64)  See 7.1–7.10  *Mort d'un voyageur*

1 La direction de la SNCF a **vivement** regretté l'accident d'hier soir qui a fait une victime . . . 2 D'après les témoins, M. Perrier ne possédait pas de titre de transport et a **violemment** réagi lorsque deux contrôleurs l'ont taxé d'une amende. 3 Un autre voyageur est **gentiment** intervenu pour essayer de le calmer mais sans résultat. **or** Un autre voyageur est intervenu pour essayer de le calmer **gentiment** mais sans résultat. 4 Au cours de l'altercation qui a suivi, il semble que M. Perrier soit **accidentellement** tombé du dernier wagon en gare de Drancy. 5 Il a été **immédiatement** transporté à l'hôpital mais a succombé pendant le trajet.

**H** (p. 65)  See 9.5–9.7

1 Sachez vous reposer . . . 2 Ayez soin de vous protéger . . . 3 Ne buvez que des boissons . . . 4 Munissez-vous d'un désinfectant . . . 5 Ne vous baignez jamais . . .

**I** (p. 65)  See 9.3–9.4

1 42% des personnes interrogées ont déclaré que la formation des enseignants de l'enseignement public était suffisante. 2 50% considéraient que les enseignants s'intéressaient plutôt aux élèves les plus doués. 3 40% estimaient que les enseignants projetaient leurs idées politiques et philosophiques dans leurs cours. 4 Seuls 37% des Français semblaient convaincus que, dans les années à venir, les enseignants devraient faire preuve d'un plus grand esprit d'innovation.

**J** (p. 65)

1 Les sapeurs-pompiers leur ont demandé s'il (9.1) y avait eu (9.3b) d'autres témoins. 2 Le journaliste voulait savoir avec qui (9.1) le ministre avait discuté (9.3b) ses projets. 3 Les propriétaires se demandaient ce qui (9.2b) était arrivé (9.3b) pendant leur absence. **or** Les propriétaires se sont demandé ce qui (9.2b) s'était passé (9.3) pendant leur absence. 4 Qui la police recherche-t-elle (8.2d and 8.4c) et pourquoi (8.5) est-elle (8.2a) ici? **or** Qui est-ce que la police recherche (8.4b) et pourquoi est-ce qu'elle est ici (8.5)? 5 Le directeur m'a récemment (7.4 and 7.9) demandé ce que (9.2c) j'aimerais (7.11 and 9.3c) faire l'année prochaine. **or** Le directeur m'a récemment (7.4 and 7.9) demandé ce que (9.2c) je voudrais (7.12 and 9.3c) faire l'année prochaine.

## Chapitre 10

**A** (p. 71)   *Les peines de substitution*

Les tribunaux s'efforcent à l'heure actuelle de substituer à l'emprisonnement des peines de travail d'utilité publique. **Ainsi**, par exemple, deux jeunes délinquants de Grenoble viennent-ils d'être condamnés à cent heures de travail . . .

Ces nouvelles dispositions ont l'approbation de nombreux magistrats. La majorité d'entre eux considèrent, **en effet**, que condamner un petit voleur à quelques semaines de prison n'a rien de rédempteur. Eviter aux petits délinquants le contact avec l'univers carcéral peut, **par contre**, avoir quelque chose de salutaire, **d'autant plus que** les prisons françaises sont surpeuplées. **Mais** encore faut-il que les prévenus soient consentants **car** la loi précise que l'on peut refuser cette forme de condamnation . . .

**B** (p. 71)   *Les femmes et la dépression*

[. . .] Ils ont **d'abord** découvert une vérité d'évidence, à savoir qu'une femme soigne son mari souffrant à domicile **alors qu'**elle se voit hospitalisée si elle est elle-même atteinte. **De plus**, les femmes font plus souvent appel au médecin . . .

Ils ont **ensuite** examiné le rôle de l'environnement professionnel ou familial. . . . les femmes seules ne sont pas plus atteintes par la dépression que les hommes. Les femmes mariées, elles, le sont, **tandis que** les hommes mariés ont des dépressions moins fréquentes . . .

**En outre**, les dépressions sont moins fréquentes chez les épouses qui travaillent que chez les femmes au foyer.

**En somme**, dans ce domaine comme dans bien d'autres, on aurait tort . . .

**C** (p. 72)

1 . . . ce que je demande c'est qu'on m'offre (10.2) . . . 2 Il faudrait que tu ailles (10.3) . . . 3 Il est possible qu'ils retiennent (10.4) . . . 4 Il est regrettable que vous ne soyez pas (10.3) . . . 5 Il faut que nous trouvions (10.2) . . . 6 Ils auraient voulu que je fasse (10.3) . . . 7 Il vaudrait mieux que vous sachiez (10.3) . . . 8 Voulez-vous que je remplisse (10.2) . . .? 9 . . . pour qu'on puisse (10.3) . . . 10 . . . bien que je n'aie pas (10.3) . . .

**D** (p. 72)

1 En Europe occidentale, les problèmes que pose l'intégration des travailleurs étrangers font l'objet de vives discussions (10.7a). **ou** En Europe occidentale l'intégration des travailleurs étrangers fait l'objet de vives discussions (10.7a). 2 Il faut insister sur le fait que l'étranger n'est jamais vu d'un bon œil en période de difficultés économiques (10.7a). 3 Il est exact que les gouvernements ont encouragé les étrangers à retourner dans leur pays d'origine, cependant le pays d'origine est rarement désireux de récupérer ses émigrants (10.7c). 4 Au lieu d'accepter le phénomène de rejet exploité notamment par les partis d'extrême droite, il faut que la France s'engage résolument dans la voie de l'interculturalité

(10.7d). 5 Il est possible que l'assimilation culturelle des immigrés soit la seule solution, pourtant elle risque d'entraîner une déculturation et une perte d'identité dangereuses surtout chez les jeunes Français d'origine maghrébine (10.7c). 6 Il apparaît donc que les hommes d'Etat et les citoyens doivent adopter une démarche interculturelle pour maintenir l'identité des immigrés et assurer leur insertion dans une société plurielle (10.7e).

E (p. 72)
1 Peut-être devrait-on (10.6 *note*) aborder la question d'une manière totalement différente. **or** Peut-être devraient-ils (10.6 *note*) aborder le problème d'une façon complètement différente. 2 Le ministère de l'Environnement voudrait que les communes prennent (10.1 and 10.4) des mesures immédiates (pour lutter) contre la pollution des rivières. 3 Sans doute les pays occidentaux enverront-ils (10.6 *note*) de l'aide aux pays du tiers monde touchés par la sécheresse. 4 Si l'on (10.5) ne fait rien pour lutter contre le trafic de la drogue/des stupéfiants, la situation deviendra bientôt impossible. 5 Il faut trouver des alternatives à la prison pour que les petits voleurs ne deviennent (10.1 and 10.4) pas des criminels endurcis. **or** Il faut que l'on (10.5) trouve (10.1 and 10.2) . . . **or** Il faut que nous trouvions (10.1 and 10.2) . . .

### Chapitre 11
A (p. 73)
1 Pourquoi vous plaignez-vous de la politique . . .? 2 Cet argument convainc . . . 3 Je reçois . . . 4 . . . remplissez-vous . . . 5 Je suis les conférences . . . 6 Tu te rappelles notre discussion . . .? 7 Nous protégeons . . .

B (p. 73) *La Cinquième République*
**La** constitution de la V$^e$ République, rédigée sous l'impulsion **du** général de Gaulle, fut approuvée par référendum **le** 28 septembre 1958, et modifiée en 1962. Elle instaure un régime parlementaire de type présidentiel. **Le** Parlement est composé de deux chambres: l'Assemblée nationale, où siègent **les** députés, et **le** Sénat. **Le** président de la République nomme **le** premier ministre et joue un rôle primordial.

Que pensent aujourd'hui **les** Français de la V$^e$ République? **Les** sondages d'opinion indiquent que **la** majorité d'entre eux en sont satisfaits. De même que dans le régime présidentiel **des** Etats-Unis, **le** président est élu par tous **les** citoyens: ceci convient à plus de 80% d'entre eux. De même que dans le régime parlementaire **de la** Grande Bretagne, l'Assemblée nationale peut renverser **le** gouvernement: plus de **la** moitié des Français s'en félicite. De même que dans **la** démocratie suisse, **le** président peut consulter **les** électeurs par référendum: **les** trois-quarts d'entre eux sont favorables à cette disposition.

C (p. 73)
1 La politique m'ennuie et je déteste les discussions politiques. 2 Le président Nixon est rentré aux Etats-Unis le 31 août, et est parti pour la Chine le 1$^{er}$ septembre. 3 Beaucoup d'hommes politiques parlent anglais ou allemand mais ne comprennent pas le hollandais/le néerlandais. 4 La conférence de presse aura lieu vendredi et non aujourd'hui comme prévu. 5 Le conseil des ministres se réunit le mercredi, en général le matin. **ou** Le conseil des ministres se réunit le mercredi, habituellement/normalement le matin. 6 Plus de la moitié de nos députés est favorable aux mesures proposées. 7 Ils veulent que le budget soit débattu au Parlement le mois prochain. **ou** On veut que . . . 8 Sans doute la France et l'Italie s'intéresseront-elles à ce projet.

A (p. 78) *La campagne électorale*
Si l'on en croit **les** (11.1) sondages, **l'**\*opposition possède aujourd'hui, sur **la**\* majorité sortante, une avance sans précédent. **Le**\* président sortant et **le**\* premier ministre ne sont

plus populaires auprès de l'*électorat. Les leaders de l'*opposition ne soulèvent guère d'enthousiasme non plus, tandis que certaines mesures adoptées par le* gouvernement actuel reçoivent l'*approbation de nombreux électeurs. En fait, il semble que le (11.10) tiers environ de la population hésite encore: on aurait donc tort de croire que l'*opposition est assurée de la (11.1) victoire.

On note néanmoins que le (11.1) libéralisme est une valeur appréciée: la (11.11) France est aujourd'hui une France modérée. Les (11.1) thèmes comme le (11.1) dirigisme, les (11.1) nationalisations, le (11.1) protectionnisme et les* syndicats possèdent désormais une image négative tandis que la* privatisation des universités et même la liberté des (11.1) prix suscitent des inquiétudes. Il faudra attendre le (11.6) 14 mars pour voir si cette tendance se confirme.

*même utilisation qu'en anglais

**B** (p. 78)
1 Près des (11.10) deux tiers de la population rejettent (11.16) les mesures adoptées par le gouvernement actuel. **ou** Les deux tiers environ . . . 2 Le (11.6) 22 décembre, le porte-parole de l'Elysée avait fait la déclaration suivante: «Le président veut que les électeurs sachent que son gouvernement résout (*verbe irrégulier*) progressivement les problèmes économiques de la (11.11) France». **ou** . . . «Le président de la République veut que les électeurs sachent que son gouvernement résout (*verbe irrégulier*) peu à peu les problèmes économiques de la (11.11) France». 3 A la (11.1) télévision et à la (11.1) radio, la (11.5) semaine dernière, le leader de l'opposition renforçait (11.14) sa position en décontenançant (11.14) ses adversaires à plusieurs reprises. 4 «Poursuivre ses études jusqu'à dix-huit ans n'affaiblit pas les chances des (11.1) jeunes de trouver du travail», a déclaré, mercredi, le ministre de l' (11.1) Education. 5 Les (11.1) partis politiques considèrent (11.13) que les (11.1) sondages d'opinion ne reflètent (11.13) pas les idées du grand public. 6 Je vous rappelle (11.16) que nous protégeons (11.14) les intérêts de la majorité. **ou** Puis-je vous rappeler que . . . 7 L' (11.1) inflation et la baisse de la (11.1) production industrielle suscitent des inquiétudes, et soulèvent (11.15) la question de la (11.1) reprise économique. 8 Notre correspondant au Tchad (11.12) a déclaré: «Je vois les habitants qui lèvent (11.15) le (11.9) poing en signe de défi pendant que les tanks détruisent le village».

## Chapitre 12
**A** (p. 79)  *«Kal»: jeudi 16 octobre à 22h 50 sur FR3*
Jean-Jacques Flori a effectué bon nombre **de** séjours **en** Inde et lui a déjà consacré **des** films remarquables. Son dernier documentaire, intitulé «Kal», joue sur **les** contrastes et nous montre **l'**image d'un pays à deux vitesses. D'un côté: **la** pauvreté, **les** traditions, **la** religion. De l'autre: **la** télévision, l'informatique, la conquête **de** l'espace. D'un côté: **le** fatalisme d'une majorité de ruraux. De l'autre: **le** dynamisme d'une classe moyenne qui découvre **les** plaisirs de la société **de** consommation et qui a confiance en **l'**avenir d'un pays comptant près de 800 millions **d'**habitants.

En juxtaposant, en images, l'Inde millénaire et l'Inde moderne, Flori pose **de** multiples questions mais ne propose pas **de** solutions. D'où l'effet troublant de cette émission qui a connu tant **de** succès auprès **des** téléspectateurs lors de sa première diffusion.

**B** (p. 79)
1 Si vous **tenez** à voir le film . . ., je vous l'enregistrerai . . . 2 La presse écrite ne **pourrait** pas survivre si elle ne faisait pas de publicité. 3 Si cette chaîne veut se maintenir, elle **doit/devra** diversifier ses programmes. 4 Si les médias n'avaient pas monté cette affaire en épingle, personne ne s'y **serait intéressé.**

**C** (p. 79)

1 Il a travaillé comme photographe de presse au Mans et ensuite (comme) journaliste de télévision à Paris. **ou** Il a travaillé en tant que photographe de presse au Mans et ensuite (en tant que) journaliste de télévision à Paris. 2 J'ai entendu M. Gerland à la radio: il a parlé de la Belgique avec un enthousiasme débordant et une grande clarté. **ou** . . . et beaucoup de clarté. 3 Nous avons eu de la peine à croire qu'ils/elles n'avaient ni poste de radio ni téléviseur/poste de télévision. 4 En France, dans les années soixante/60, le gouvernement est devenu/devint (20.6) la cible favorite de bon nombre de dessinateurs humoristiques. 5 Un groupe de touristes de Grande Bretagne est venu visiter le studio d'enregistrement. 6 De jeunes journalistes ont exprimé leur inquiétude à propos de l'exactitude des reportages en provenance des Philippines. **ou** Quelques jeunes reporters. . .

**A** (p. 84) Voir 12.13

1 Si les taux d'audience **continuent** à baisser, cette émission de variétés devra sans doute être supprimée. 2 Si les ventes de magazines spécialisés n'avaient pas tant augmenté, le tirage des quotidiens **se serait** peut-être **maintenu**. 3 Les radios libres **auraient** sans doute **continué** à proliférer, si on n'avait pas autorisé l'existence de radios locales privées. 4 Si l'on **tenait** vraiment à préserver la pluralité de l'information, on empêcherait la constitution de monopoles de presse.

**B** (p. 84) *L'explosion vidéo*

En quelques années on a assisté à une véritable explosion **du** marché vidéo. Des millions **de** (12.9) foyers sont maintenant équipés d'un magnétoscope. Si, pour la majorité **des** (12.9 *exception*) utilisateurs, le magnétoscope sert avant tout à enregistrer des émissions **de** (12.4) télévision, la location **de** (12.4) cassettes préenregistrées n'est pas un phénomène négligeable. Grâce aux vidéo clubs, les propriétaires **de** (12.4) magnétoscopes ont un choix très diversifié **de** (12.4) programmes: les longs métrages ne sont pas seuls à figurer dans les catalogues, on y trouve aussi bien des œuvres **de** (12.4) télévision et des films **d'**animation (12.4) que des cours **de** (12.4) tennis ou **de** (12.4) langue, sans oublier les programmes **de** (12.4) jeux. Mais loin de n'être qu'un instrument **de** (12.4) reproduction, la vidéo est également devenue un outil **d'** (12.4) expression ainsi qu'un moyen **de** (12.4) production et **de** (12.4) diffusion dans des secteurs comme la formation **du** (12.4 *note*) personnel et l'enseignement à distance.

**C** (p. 84) Voir «Acute and grave accents over 'e'» pp. 204–205

1 Beaucoup des (12.9 *note*) téléspectateurs interrogés étaient en faveur du maintien de cette émission de variétés le vendredi soir. **ou** Bon nombre des (12.9 *note*) téléspectateurs interrogés se sont prononcés en faveur du maintien de cette émission de variétés le vendredi soir. 2 Bien que la société ait changé de (12.10) direction, on continue à utiliser la vidéo pour la formation du (12.4 *note*) personnel. **ou** Bien que l'entreprise ait changé de (12.10) direction, on utilise toujours/encore la vidéo pour la formation du (12.4 *note*) personnel. 3 De (12.8) nouvelles chaînes de (12.4) télévision ont été créées, qui ne diffusent ni bulletins d'information détaillés ni (12.5) émissions d'actualités. 4 Si vous possédez un magnétoscope vous pouvez louer des cassettes préenregistrées: bon nombre de (12.9)/beaucoup de (12.9) long métrages récents sont disponibles dans les vidéo clubs. **ou** Si l'on possède un magnétoscope, on peut louer . . . **ou** Si vous êtes possesseur/ propriétaire d'un magnétoscope, vous pouvez . . . 5 Cet hebdomadaire de (12.4) droite a publié des documents confidentiels sans (12.5) autorisation. La plupart des (12.9 *exception*) lecteurs pensent qu'il a eu raison de le faire. 6 Comme (12.3)/En tant que rédacteur en chef, il est très efficace. Il dirige le quotidien avec une (12.6) conviction étonnante et

beaucoup de (12.9) courage. C'est la raison pour laquelle/C'est pourquoi la majorité des (12.9 *exception*) journalistes le traite avec tant de (12.9) respect.

**Chapitre 13**

**A** (p. 85)  *Le SIDA: un véritable fléau*
Le SIDA **est devenu** . . . les pays atteints **se sont dotés** des moyens . . . . Une véritable course . . . **s'est engagée** . . .: dix-huit mois . . . **se sont écoulés** . . . le moment où l'on **a signalé** la maladie . . . on **a pu** suivre . . . ce qui **n'a pas manqué** d'affoler l'opinion. Devant les réactions . . . que les médias **ont provoquées** et **entretenues** . . ., les associations d'homosexuels **se sont rendu compte** . . . Cette attitude responsable, les pouvoirs publics l'**ont adoptée** . . .

**B** (p. 85)  *Le drame des réfugiés*
Anyone who has visited the refugee camps of south-east Asia is not likely to forget either the destitution or the dignity of these victims of history.

The wave of refugees swells from week to week: they arrive either on foot in pitiful columns or crammed into ox-drawn carts. As soon as they arrive at the camps, the refugees are dealt with by humanitarian agencies. Life, however, is precarious for these uprooted people who have nothing left and nowhere to go. Malnutrition and epidemics are rife. In addition, they are not safe from violence either. The camps may indeed become prey to armed gangs: at night, when the representatives of the international organisations have left, the families hiding in their shacks are no longer protected by anyone.

Such deprivation is hardly imaginable for those who live in plenty. The task of the humanitarian agencies is huge and the funds at their disposal limited. It is unfortunate that filmed reports often have the effect not of alerting the international community but of making suffering commonplace.

**A** (p. 90)  *Nucléaire: les inquiétudes persistent*
Le moment **n'est-il pas venu** (13.7a) de réexaminer . . .? «Non», **a répondu** (13.6) le ministre . . . . A la suite des accidents qui **sont récemment survenus** (13.7a et 7.9) . . ., divers groupes de pression **se sont** cependant **mobilisés** (13.7b) . . . . les responsables . . . **n'ont pas procédé** (13.6) à l'arrêt . . . . Quand . . . on les **a accusés** (13.6) d'avoir négligé . . ., ils **ont reconnu** (13.6) . . . . La fuite de sodium que l'on **a découverte** (13.6) . . . les installations **ont continué** (13.6) à fonctionner . . . et les techniciens **se sont donné** (13.8) un an . . . . «Les scientifiques que j'**ai rencontrés** (13.6) m'**ont affirmé** (13.6) . . .», **a déclaré** (13.6) le ministre . . . on **a** toujours **fait** (13.6) confiance aux scientifiques . . . . Cela **s'est** déjà **vu** (13.7b et 7.9).

**B** (p. 90)  Voir 13.2c–d
1 . . . est convaincu que non. 2 . . . a admis que si. 3 . . . affirment que non. 4 Il semble bien que oui.

**C** (p. 90)
1 . . . Le gouvernement n'est prêt ni à réexaminer la politique en matière d'énergie nucléaire ni (13.4) à créer un organisme indépendant pour effectuer des contrôles de sécurité. **ou** Les pouvoirs publics ne sont prêts . . . 2 Il est possible que la campagne d'information lancée en Grande Bretagne ait (10.1 et 10.3) un rôle déterminant à jouer dans la lutte contre le SIDA. 3 Loin de rassurer le public, les déclarations du ministre n'ont fait que (13.3b) susciter de nouvelles inquiétudes. 4 Bien que les associations humanitaires soient présentes (10.1 et 10.3) dans tous les camps de réfugiés, les conditions de vie des réfugiés sont en train de se détériorer.

**Révision 11–13**

**A** (p. 91)   Voir 13.5–8

1 Je n'ai pas eu l'occasion de voir l'émission documentaire que votre société a produite.
2 Ils sont morts sans avoir entendu le reportage que la radio locale leur avait consacré.
3 Cet article de fond nous aurait convaincu(e)s ... 4 Les actualités télévisées se sont
achevées ... 5 Les connaissances que j'avais acquises ... 6 Les feuilletons américains
ne les ont jamais enthousiasmé(e)s. 7 On aurait cru qu'à la suite de cette campagne de
publicité de nombreux retraités se seraient offert une croisière. 8 Quelles émissions de
télévision avait-on recommandées ... 9 Les chiffres d'audience ont permis de connaître
les attentes ...

**B** (p. 91)   Voir 11.1–12 et 12.1–2   *Médias et sondages*

Pour l'année dernière, marquée en France par **des** élections importantes, nous avons
dénombré presque un millier **de** sondages d'opinion publiés par **les** médias. Même hors de
périodes électorales, **la** tendance de la plupart **des** médias à publier **des** sondages reste
forte. Est-ce un phénomène **de** mode? Ou est-ce une façon de chercher à faire pression sur
l'opinion?

Chacun sait que **les** réponses aux sondages dépendent **des** questions posées. Un exemple:
l'analyse **des** aspirations et **des** frustrations **des** Français est un thème **de** sondage qui
revient avec **une** régularité remarquable. Mais la liste **des** rubriques soumises à
l'appréciation des personnes interrogées peut varier fortement selon l'orientation **du**
journal. Que les sondeurs le veuillent ou non, il faut constater que **le** sondage peut être
utilisé comme un moyen **de** pression. Cette constatation devrait inciter **le** journaliste à se
poser nombre **de** questions sur **la** validité et les limites **des** résultats **de** sondages.

Dans ce domaine, comme dans beaucoup **d'**autres, il y a **de** bons et **de** moins bons
artisans: **le/un** questionnaire établi sans précautions cesse d'être un outil **d'**information.
**La** meilleure école **de** sondage ne peut remplacer **de** longues années **d'**expérience.

**C** (p. 92)   Voir 3.10, 4.6a et 13.5–8

*Recrudescence de la maladie du sommeil en Afrique*

... la trypanosomiase ... **décimait** ... les médecins **contre-attaquaient** et **obtenaient**
.... En 1944, on **considérait** .... La maladie du sommeil **a-t-elle** donc aujourd'hui
**disparu?** ... si aucun progrès n'**a été** enregistré ..., les techniques ... **ont connu** ...
l'attention **s'est relâchée.**

**D** (p. 92)   Voir 13.1 et 13.3–4   *La procréation artificielle*

1 Jusqu'ici les êtres humains **n'**avaient **que** deux certitudes: celle d'avoir une mère et d'être
mortels. Bientôt, avec la procréation artificielle ils **n'**en auront **plus qu'**une. 2 Peut-on
imaginer une situation où l'incertitude sur le sexe de l'enfant à venir **n'**existerait **plus** pour
**personne?** 3 Dans le débat sur les mères porteuses, on ne mentionne **jamais (ni)** le dialogue
**ni** l'échange qui s'établissent entre la mère et l'enfant pendant la grossesse. 4 Certaines des
premières mères porteuses ont déclaré qu'elles **ne** répèteraient **plus jamais** une telle
expérience. 5 Les pouvoirs publics **ne** permettront **plus jamais** à **personne** de se livrer à
des manipulations jugées dangereuses pour l'avenir de l'espèce humaine.

**E** (p. 92)

1 Il est possible que le comité présidé par le (11.3) docteur Franju interdise (10.1–2)
certains types de manipulations génétiques pour des raisons éthiques. 2 Le Conseil national
de l'ordre des médecins rappelle (11.16) à ses membres que l'embryon ne peut être traité
ni comme un matériel de laboratoire ni (13.1 et 13.4) comme une denrée. 3 Nombre de
(12.9) Français adultes lisent des livres de bandes dessinées qu'ils ne considèrent (11.13)

ni superficiels ni (13.1 et 13.4) puérils. Ces livres diffèrent (11.13) sensiblement des bandes dessinées publiées par la plupart des (12.9 *exception*) hebdomadaires pour enfants. 4 Si cet homme politique devenait (12.12–13) président, il ne tiendrait pas (12.12–13) ses promesses électorales.

### Chapitre 14
**A** (p. 93)   *Les origines de la CE*
. . . des hommes soucieux **d'**assurer . . . capable **d'**empêcher . . . prêts **à** participer . . . responsable **de** l'échec . . . défavorable **à** la création . . . chargée **de** préparer . . .

**B** (p. 93)
1 Les institutions européennes sont devenues plus efficaces. 2 Il sera d'une importance capitale. 3 Notre collaboration industrielle s'est révélée fructueuse. 4 Où en sont les négociations commerciales entre la CE et le Japon? 5 Le projet définitif a été adopté à l'unanimité. 6 Il faut réduire les déséquilibres régionaux. 7 Les cinq prochaines années seront cruciales pour l'avenir de l'Europe.

**C** (p. 93)
1 The attitude of France (has) disappointed some of her European partners. 2 In the course of the various negotiations on agricultural prices, Greece and Portugal adopted different strategies. 3 The British are no longer the only ones who are dissatisfied with the Common Agricultural Policy (CAP). 4 Only a complete reworking of the CAP will put an end to the surpluses.

**A** (p. 98)   Voir 14.6   *La révolution grise*
. . . Inutile, donc, **de** rêver à un nouveau «baby boom». Il est, au contraire, souhaitable **de** développer des politiques appropriées à ce vieillissement . . . les gouvernements européens ne semblent pas disposés **à** repenser leur politique . . . . Les salariés âgés continuent à être exclus **du** marché du travail . . . . Est-ce à dire qu'il est utopique **d'**imaginer une nouvelle organisation du travail? . . . une réforme . . . sera longue **à** mettre en place mais ce n'est pas impossible **à** envisager. Puisque tôt ou tard les gouvernements européens seront contraints **d'**innover, il vaudrait mieux qu'ils se montrent prêts, dès à présent, **à** faire un effort d'imagination.

**B** (p. 98)
1 L'ancienne (14.2 et 14.10c) présidente du Parlement européen est favorable aux dernières (14.2) mesures proposées. 2 Ce sont les pauvres (14.2) ministres des Affaires étrangères qui sont chargés de régler les conflits actuels (14.10b). 3 Depuis un certain (14.2) temps, le volume des échanges commerciaux (14.10a) entre la CE et le bloc soviétique a augmenté. 4 Les régions pauvres (14.2) ont bénéficié de subventions exceptionnelles (14.10b) au cours de la semaine dernière (14.2). 5 L'élargissement progressif (14.10d) de la Communauté européenne (14.10c) a fait l'objet de vives (14.3 et 14.10d) discussions. 6 Quelles seront les conséquences éventuelles (14.10b) de cet élargissement sur la scène internationale (14.10a)? 7 L'Allemagne s'est montrée réceptive (14.10d) aux suggestions de la France en matière de stratégie industrielle (14.10b). 8 Les décisions unilatérales (14.10a) comportent toujours de gros (14.1b) risques potentiels (14.1b et 14.10b). 9 La Grèce et l'Italie ont fini par adopter la même (14.2) attitude alors qu'au départ elles avaient des positions différentes (14.2).

### Chapitre 15
**A** (p. 99)   *Marier le sérieux avec l'humour*
. . . Sans doute *est-il naturel* que le sport n'**échappe** pas à ce fléau.

. . . Fort de cette constatation, on pourrait *s'attendre à ce que* nos sportifs **sachent** faire preuve de moins de retenue que la moyenne de leurs concitoyens. . . .

*Il est désolant que* la fantaisie, susceptible d'apporter tant de sel à l'existence, **soit** non seulement de moins en moins appréciée mais **vaille** à ceux qui l'exercent encore l'étiquette méprisante de «dilettante». *Il est important que* le sport **se fasse** l'un des ultimes remparts contre la morosité. *Il est vital* à cet égard *que* la notion de jeu, qui se trouve intimement mêlée à l'existence du sport, **soit** préservée le plus possible. *Il faut que* nos champions **viennent** sans cesse nous rappeler que l'alliance de la fantaisie avec la rigueur n'est nullement préjudiciable à la qualité du jeu, bien au contraire.

. . . *Il serait rassurant qu'*elle **puisse** être mise en pratique sans relâche.

**B** (p. 99)   *Interview: ce qu'on demande parfois aux sportifs*
1 Je voudrais que vous nous **parliez** de votre dernière saison. 2 Il semble que vous **soyez** moins décontractée que l'an dernier. 3 Est-il vrai que vous **ayez** l'intention de vous retirer prochainement de la compétition? 4 Comprenez-vous qu'un champion, saturé de compétition, **ressente** parfois le besoin de faire une pause? 5 Est-il possible qu'à l'avenir vous **preniez** part à des manifestations anti-nucléaires? 6 Pensez-vous qu'une championne comme vous **ait** un rôle social à jouer?

**A** (p. 104)
1 Je serais surpris qu'un joueur de tennis **rejoigne** (15.7 *note*), à l'avenir, Budge et Laver. 2 Cette finale du Championnat de France est bien l'une des plus belles auxquelles on **ait jamais assisté** (15.6–7). 3 Je ne crois pas qu'on **ait vu** (15.6–7) l'équipe tricolore en si bonne forme depuis longtemps. 4 On ne s'attendait pas à ce que le record de France **soit** (15.7 *note*) pulvérisé aujourd'hui. 5 C'est le seul cycliste qui **ait remporté** (15.6–7) cinq Tours de France consécutifs. 6 Le directeur du club a insisté pour que les joueurs **se soumettent** (15.7 *note*) à un entraînement plus intensif. 7 C'est un miracle que l'ancien champion du monde des conducteurs **soit sorti** (15.6–7) indemne de sa voiture en flammes après la collision d'hier. 8 Le public a dû regretter que notre champion national **n'ait pas pu** (15.6–7) disputer cette épreuve.

**B** (p. 104)   *Le sport et l'argent font bon ménage*
1 Il est certain que le sport et l'argent **vont** désormais de pair. 2 Voilà, en effet, plus de vingt ans que les athlètes consentent à ce qu'on les **transforme** (*subjonctif*: 15.2c) en hommes-sandwichs. 3 A l'origine, il semble que ce **soient** (15.3) les sportifs à la recherche de financement qui **sont allés** tirer les sonnettes des responsables du marketing. 4 Aujourd'hui, force est de reconnaître que la France **doit** nombre de ses succès sportifs au parrainage, même si on a parfois l'impression que les vœux des sponsors **ont** plus d'importance que ceux du public, 5 Ne croyez pas, pour autant, que les sponsors **soient** (15.5) des philanthropes. 6 Ce sont au contraire des hommes d'affaires qui espèrent que leur association au sport **améliorera** (15.2 *note*) leur image de marque. 7 «Il nous semble que le meilleur moyen de nous démarquer de la concurrence **est** (15.3 *note*) de montrer un visage sympa», déclare un de ces «parrains».

**C** (p. 104)
1 Il avait peur que le directeur de l'équipe ne le sélectionne (15.2b) pas pour le match de championnat à cause de sa blessure à la jambe. 2 Il semble que la plupart des pilotes de course aient choisi (15.3 et 15.7) de vivre à Monaco. 3 Elle aurait aimé se retirer (15.1) de la compétition mais son entraîneur a insisté pour qu'elle fasse (15.2c et 15.7 *note*) une nouvelle saison. **ou** . . . une autre saison. **ou** . . . encore une saison.

**Chapitre 16**

**A** (p. 105)  *La création d'entreprises*

1 . . . nombreuses sont les grandes entreprises **qui** suppriment des emplois. Et les PME **dont** on dépendait pour la création d'emplois, n'embauchent plus guère. 2 . . . les entreprises nouvelles sont . . . susceptibles de créer les emplois **dont** on a tant besoin. 3 . . . cela à condition qu'elles puissent obtenir les aides nécessaires . . ., **ce qui** n'est pas toujours le cas. 4 Aider les créateurs . . ., c'est . . . **ce que** l'association . . . tente de réaliser. 5 Pour atteindre cet objectif, la première tâche à **laquelle** elle a dû se consacrer a été de reunir les sommes nécessaires . . . A une époque **où** «le chacun pour soi» est souvent la règle, ce n'est pas chose facile . . . 6 Les sommes . . . sont . . . redistribuées . . . aux créateurs d'entreprises **dont** le dossier a été accepté. 7 Des . . . dossiers sur **lesquels** l'association s'est penchée . . . une centaines de projets ont déjà été retenus. 8 Cette association, sans l'aide de **laquelle** nombre de nouvelles entreprises . . . ne se seraient pas montées, a de **quoi** être satisfaite . . .

**B** (p. 105)  *Devenir commerçant*

La CCI fournira **au** futur commerçant les renseignements qui **lui** permettront **de** prendre . . . les décisions nécessaires . . . . Elle **lui** suggérera . . . **d'**établir un plan de financement . . . et . . . elle **lui** conseillera **de** contracter un emprunt . . . . Le futur chef d'entreprise pourra également demander **à** la CCI **de** contacter certains organismes à sa place.

**A** (p. 110)  *Le nombre des faillites monte en flèche*

1 Le nombre des faillites **que** (6.3) l'on a enregistrées . . . s'élève à . . . 2 Cette situation a **de quoi** (16.5d. *note*) inquiéter . . . 3 . . . les victimes ne sont pas seulement les . . . salariés **qui** (6.2) perdent leur emploi mais aussi les fournisseurs **dont** (6.5) les factures ne sont presque jamais réglées. 4 . . . toute la région **où** (16.3)/**dans laquelle** elle est implantée se trouve sinistrée. 5 C'est **ce qui** (16.5a) s'est passé notamment avec Creusot-Loire, numéro un de l'équipement lourd français **dont** (6.5) le ʲchiffres d'affaires s'élevait à . . . et **auquel** (16.2 *note*) le gouvernement de l'époque a refusé de porter secours. 6 . . . ce sont . . . les contribuables et les cotisants . . . **qui** (6.2) paient. 7 . . . nombreux sont les bons gestionnaires **que** (6.3) des circonstances imprévisibles mènent à la faillite. 8 . . . il existe également des fraudeurs **pour qui** (16.1) déposer leur bilan est une façon de . . . 9 En effet, le système, à l'intérieur **duquel** (16.4b) fonctionnent les entreprises, rend parfois la faillite avantageuse. 10 Que le dépôt de bilan soit enseigné . . ., voilà **ce que** (16.5b) craignent certains spécialistes. 11 C'est la raison **pour laquelle** (16.2) le gouvernement est en train de . . .

**B** (p. 110)

1 Une faillite sur deux touche une entreprise qui (6.2) existe depuis moins de cinq ans. C'est la raison pour laquelle (16.2) il est impératif que les nouveaux chefs d'entreprise soient (15.3) avant tout de (12.8) bons gestionnaires. **ou** Une faillite sur deux touche une entreprise qui (6.2) a moins de cinq ans d'existence. . . . 2 La comptabilité informatisée permet au (16.7) chef d'entreprise de se faire une idée précise de la situation de l'entreprise au jour le jour, ce qui (16.5a) est indispensable dans les conditions actuelles. **ou** La comptabilité sur ordinateur permet . . ., ce qui (16.5a) est indispensable dans la conjoncture actuelle. 3 Notre Chambre de Commerce a promis (16.7) d'offrir des cours d'initiation à la gestion auxquels (16.2 *note*) on peut s'inscrire gratuitement. 4 Il existe également des conseillers en gestion aux services de qui (16.1 *note*) on peut faire appel en cas de difficulté. **ou** Il y a également des conseillers . . .

**Révision 14–16**

**A** (p. 111)   Voir 14.1–2 et 14.10

1 Les relations familiales . . . un rôle primordial . . . 2 La médecine tropicale . . . des progrès phénoménaux. 3 . . . une solution originale . . . problèmes sociaux. 4 Le salaire mensuel des cadres moyens . . . 5 La production industrielle européenne . . . 6 L'amélioration des relations internationales . . . certains effets paradoxaux. 7 . . . une hausse exceptionnelle des tarifs postaux. 8 Les bénéfices annuels des lignes aériennes . . . 9 un nouveau type de scrutin proportionnel aux prochaines élections. 10 ne . . . pas tenir compte des intérêts financiers individuels ni des petits problèmes personnels. 11 L'opinion publique . . . ces négociations secrètes.

**B** (p. 111)   Voir 14.6–7 et 14.9   *Nouvelles d'Afrique du Sud*

. . . il est impossible **de** réformer l'apartheid . . . le dialogue est nécessaire **à** la lutte . . . . Rien **de** surprenant à ce que . . . disposée **à** faire des concessions . . . inquiète **du** développement . . . responsable **du** cercle vicieux . . . prêt **à** arrondir les angles . . . trop importante **pour** ne pas provoquer . . . ses sentiments **envers** les «traîtres» blancs. . . . satisfaits **du** voyage . . . impressionnés **de** voir . . . quelque chose **d'**étonnant.

**C** (p. 112)   Voir 15.6

1 . . . surpris que tu n'**aies** pas **pu** me prévenir . . . 2 . . . étonnant que nous **soyons parvenu(e)s** . . . à un accord. 3 On craignait que vous n'**ayez eu** un accident . . . 4 Ne croyez pas que cela **ait été** aisé. 5 Il semble que la situation **ait empiré** . . . 6 . . . naturel que vous vous **soyez affolé(e)(s)**. 7 . . . les plus convaincants que j'**aie découverts**. . . 8 On doute qu'il y **ait eu** fraude. 9 . . . la seule fois où il se **soit produit** une fuite . . .

**D** (p. 112)

1 les difficultés **auxquelles** (16.2 *note*) nous nous sommes heurtés . . . 2 un film **dont** (6.4 et 16.8b) on a beaucoup entendu parler mais **dont** (6.5) le titre m'échappe. 3 Le juge d'instruction **à qui** (16.1) on avait confié cette affaire. . . 4 **ce à quoi** (16.5d) s'attendait la majorité du public. 5 il y avait **de quoi** (16.5d *note*) alerter l'opinion.

**E** (p. 112)

1 Savez-vous la raison pour laquelle (16.2 *note*) la politique agricole commune a été mise en place progressivement/d'une façon progressive? 2 Grâce à l'utilisation des satellites de télécommunications, on espère que les échanges culturels entre les divers/différents pays européens s'amélioreront (15.2a *note*). 3 Bien que la coopération industrielle ait réussi (10.1 et 15.6–7), l'unité politique de l'Europe est encore à construire. 4 La résolution qu'a adoptée (13.6) le Parlement européen en 1986 portait sur la reconnaissance mutuelle des diplômes professionnels. 5 Il est grand temps que les barrières nationales et les obstacles administratifs qui empêchent les étudiants de suivre des enseignements dans plusieurs pays soient supprimés/abolis (15.3). 6 Est-il vrai que seul le départ du général de Gaulle ait rendu (14.8 et 15.5–15.7) possible l'entrée de la Grande Bretagne dans le Marché commun? 7 En ce qui concerne la sécurité, le plus dur (14.5) est de prévoir l'impossible (14.5) **ou** Dans le domaine de la sécurité, le plus dur c'est de . . . 8 Il est aberrant qu'une semaine après l'explosion les équipes de sécurité n'aient trouvé (15.3 et 15.6–7) de fuite nulle part. **on** . . . les services de sécurité n'aient trouvé (15.3 et 15.6–7) aucune fuite nulle part.

**Chapitre 17**

**A** (p. 113)

1 l'eau minérale **la plus riche en magnésium**. 2 les produits d'entretien **les plus économiques**. 3 les opérations **les plus complexes et les plus longues** . . . 4 Le modèle **le**

**plus récent** . . . 5 avec **le plus grand** soin et **la plus grande** légèreté. 6 la façon **la plus naturelle** . . .

**B** (p. 113)
1 . . . est celui qui se vend **le mieux** . . . 2 Notre assurance voyages ne vous empêchera pas d'avoir **les pires** ennuis . . . 3 Le moins cher n'est pas toujours **le meilleur**. 4 Un des avantages de ce lave-vaisselle, et non **le moindre**, c'est sa rapidité. 5 Organisez-vous **mieux** . . . 6 . . . l'une des dix **meilleures** voitures de l'année.

**C** (p. 113)   *Publicité: les secrets de la réussite*
The good adman is the one who believes that he is the best, who says that he is the best but, deep down, has doubts about himself. You cannot afford to doze off, you must always do better. The secret of success is to enjoy taking risks and to become totally involved in your job without taking yourself too seriously. The French advertising industry has made a tremendous leap in the past few years. It is now one of the most innovative in the world. Why? Because it has understood that the less risks you take the less chance you have of being successful. Only greatly exaggerated images will capture the attention of the public. You must always go one step further, even at the risk of slipping up. After all, amazing successes compensate for less successful campaigns. But to make a big campaign successful, it is not enough to be the best, you must let it be known. The best product of the advertiser is himself: he must know how to advertise advertising.

**A** (p. 118)   Voir 17.10
1 Pour préparer votre voyage dans de **meilleures** conditions . . . 2 . . . la **meilleure** façon de gagner du temps . . . 3 . . . bronzez **mieux** en vous exposant moins. 4 . . . encore faut-il posséder les **meilleurs** outils. 5 Pour **mieux** connaître les formules de financement . . . 6 . . . c'est celle qui lave **le mieux**. 7 une qualité incomparable aux **meilleurs** prix. 8 . . . ce qui se fait de **mieux** . . .

**B** (p. 118)   Voir 17.15
1 Le but d'une campagne publicitaire est de **faire** vendre. *The aim of an advertising campaign is to sell.* 2 Elle y parvient en **faisant** mieux connaître les produits nouveaux. *It manages to do so by making people more familiar with new products.* 3 Mais est-il bien nécessaire de **faire** voir une femme nue pour vendre un parfum? *But is it really necessary to show a naked woman in order to sell a perfume?* 4 Il est essentiel de créer une identité de marque si l'on veut **se faire** une réputation mondiale. *It is essential to create a brand identity if you want to make a world-wide reputation for yourself.* 5 Les agences de publicité françaises ont mis longtemps à **se faire** accepter sur le marché américain. *It was a long time before French advertising agencies were accepted on the American market.* 6 Le Bureau de Vérification de la Publicité a parfois de la peine à **faire** respecter la réglementation sur la publicité mensongère. *The advertising standards authority* (Bureau de Vérification de la Publicité) *sometimes finds it difficult to ensure that the regulations about misleading advertising are respected.*

**C** (p. 118)
1 Parfois les contraintes peuvent être plus stimulantes qu' (17.2) une absence totale de censure: elles obligent les publicitaires à être plus créatifs (17.2). Par exemple, les mesures visant à limiter la publicité pour les cigarettes les ont amenés à créer quelques-unes des plus belles campagnes (17.4a) de publicité que l'on ait vues (17.5). **ou** . . . les mesures qui visaient à . . . 2 Pour un acteur célèbre, un film publicitaire de trente secondes peut être plus rémunérateur que (17.2) n'importe quel long métrage. Il y a dix ans une telle activité aurait représenté la pire (17.6) des humiliations pour une vedette. 3 Perdre (17.12) du poids est devenu une obsession pour beaucoup de femmes. La plupart des gens s'accordent

pour dire que la publicité est en partie responsable de ce phénomène. **ou** Perdre (17.12) des kilos . . . 4 Il est de plus en plus souhaitable (17.2 *note*) que le consommateur soit informé aussi clairement que possible (17.7) des qualités d'un produit. Mais ce n'est pas l'objectif principal/primordial de la publicité.

### Chapitre 18

**A** (p. 119)  *Les syndicats aujourd'hui*
1 *Bien que* les centrales syndicales **exercent** d'importantes responsabilités . . . 2 Le syndicalisme français est encore faible et divisé. *Non qu*'il **ait refusé** de s'engager dans la voie de l'adaptation . . . *A moins qu*'ils ne **fassent** de rapides progrès dans cette voie, les syndicats risquent de perdre encore du terrain. 3 . . . Cela se fera *à condition qu*'ils **tiennent** compte des différences de besoins selon les catégories professionnelles . . .

**B** (p. 119)  *La grève des contrôleurs aériens*
Les aiguilleurs du ciel suspendront leur mouvement de grève pour le week-end **afin que** le retour des vacances de Pâques se fasse normalement. . . . «Après avoir essayé de négocier tout l'hiver, **sans que** le gouvernement ait fait aucune concession, nous avons décidé de poursuivre notre mouvement de grève **jusqu'à ce que** nos revendications soient satisfaites», explique le responsable . . . . La plus importante de ces revendications concerne, rappelons-le, la prise en compte des primes mensuelles dans le calcul de la retraite. Ces primes sont en effet assez importantes **puisqu'**elles peuvent représenter près du tiers du revenu total du salarié. Mais l'administration s'y oppose formellement **de peur que** cela ne fasse boule de neige dans la fonction publique. Les grévistes exigent également une revalorisation de la fonction contrôle **de manière à ce que** la différence entre le travail «sur écran» et le travail «dans les bureaux» soit reconnue. . .

**A** (p. 122)  *L'emploi en mutation: ce que l'avenir nous réserve*
1 La production des entreprises sera mieux adaptée aux besoins **puisque** (18.4) l'intelligence artificielle donnera une grande souplesse . . . 2 Les bureaux d'études pourront . . . simuler complètement une ligne de production **avant qu'** (18.2) elle soit réalisée. 3 **Au fur et à mesure que** (18.4) le processus d'automatisation se développera dans les usines, l'intervention directe de l'homme . . . s'amenuisera. 4 La robotique aura un rôle considérable à jouer **sans que** (18.2) les entreprises soient pour autant peuplées de robots. 5 L'automatisation rendra, en effet, le maintien d'une intervention humaine indispensable **vu que** (18.4) les risques de panne seront sensiblement accrus. 6 Des emplois d'ouvriers de maintenance se créeront **alors que** (18.4) les effectifs d'ouvriers qualifiés diminueront. 7 . . . l'informatisation sera également la règle partout, **de sorte que** (18.3) chaque employé disposera d'un terminal . . . 8 . . . l'entreprise devra bouleverser sa conception de la formation permanente **de sorte que** (18.3)/**afin que** (18.2) les salariés puissent s'adapter rapidement aux nouvelles techniques . . .

**B** (p. 122)  Voir «Acute and grave accents over 'e'» pp. 204–205
Dans la plupart des entreprises, les salaires individuels ne sont pas divulgués officiellement, bien que certaines entreprises aient maintenant décidé (18.2) d'afficher ces informations. **ou** Dans la plupart des entreprises, les salaires individuels ne sont pas dévoilés officiellement, bien que certaines d'entre elles aient maintenant pris (18.2) la décision d'afficher ces informations.

«Ici chaque employé est actionnaire. Il est donc normal qu'il ou elle ait (15.3) accès à toutes les informations économiques et sociales sur/concernant l'entreprise, dit un PDG, et c'est la meilleure (17.6 et 17.10) façon d'éliminer toutes sortes de rumeurs sur les salaires». Un conseiller en management souligne que la transparence améliore les relations entre la direction et les salariés.

Apprendre (17.12) ce que gagnent les autres encourage certains employés à s'inscrire à un stage de formation ou à faire preuve de plus d'initiative. Pour d'autres, cependant, savoir (17.12) qu'ils ont atteint le plafond de leur fourchette de salaire est décourageant. «Quand j'apprends que le contre-maître a encore eu une augmentation, ça me reste en travers de la gorge», dit Mariama Ali, OS dans une petite usine d'électronique.

### Chapitre 19
**A** (p. 123)   *Ecrire en collaboration*
*Marie-Christine*: C'est moi qui **en** ai eu l'idée. J'étais sûre que Natasha s'**y** intéresserait avant même de **lui en** parler. J'ai tout de suite pensé à **elle**.
*Natasha*: Dès qu'elle me **l'**a soumis, son projet m'a tentée. Mais je **lui** ai tout de même demandé de me donner une semaine pour **y** réfléchir. En fait, je **lui** ai téléphoné dès le lendemain pour **lui** dire que j'acceptais.
*Marie-Christine*: Non. . . . On se retrouvait donc avec deux versions de chaque chapitre. On **les** comparait, on **en** discutait et petit à petit on arrivait à une version unique.
*Natasha*: D'abord, la collaboration exige que chacun accepte les critiques de l'autre et ne s'**en** offusque pas. On **le** savait dès le début. . . . Mais il nous est arrivé d'être incapables de choisir entre les versions successives: aucune d'**elles** ne nous plaisait. . . .
*Marie-Christine*: . . . Rock était curieux de lire le roman. On **lui** a donc offert la possibilité de devenir notre premier lecteur. On n'a vraiment pas regretté d'avoir fait appel à **lui**. Il a été formidable.

**B** (p. 123)   *Homosexuel et agriculteur*
. . . Dans une communauté rurale, seule la discrétion permet **à** l'homosexuel **de** mener une vie sans histoires. «Il serait impensable de parler **de** son homosexualité, mieux vaut la cacher **aux** autres», nous dit Gérard. Il joue les célibataires endurcis et profite **des** fins de semaine pour retrouver quelques amis dans une des villes voisines. A quand une plus grande ouverture? Cela dépendra **de** l'évolution des mœurs.

**A** (p. 128)   *Une période d'adaptation*
. . . «Je m'**y** (19.3 *note*) attendais, on **en** (19.4 *note*) parlait depuis un certain temps. Mais tout de même **se** (19.6 *note*) voir mettre au rencart à 56 ans, ça fait un choc . . .». La préretraite était préférable au licenciement et, à son âge, René a pu **en** (19.4 *note*) bénéficier. Juliette, sa femme, tire un bilan positif de leur situation: «La vie est faite d'étapes successives. La retraite est l'une d'**elles** (4.3) . . .».
   Les premières difficultés ont été financières. Ils **en** (19.4 *note*) ont discuté tous les deux puis avec leurs enfants. Pourquoi, en effet, **leur** (19.8a) cacher la triste vérité? Ceux-ci **leur** (19.3) ont d'**eux**-mêmes (19.6) promis de mettre un frein à leurs dépenses . . . «Cette période de crise n'a fait, on s'**en** (19.5) est aperçus, que resserrer les liens familiaux».
   . . . «on a besoin d'une certaine période d'adaptation, comme je **le** (19.7) disais tout à l'heure, reprend Juliette. Pour une femme au foyer, avoir son mari à la maison à temps complet bouleverse pas mal d'habitudes. J'ai eu du mal à m'**y** (19.5) habituer. Quoi que je fasse, il faut qu'il s'**en** (19.4 *note*) mêle». **Se** (19.6 *note*) retrouver 24 heures sur 24 en tête-à-tête peut, on s'**en** (19.5) doute, devenir un enfer . . . René et Juliette **y** (19.3 *note*) ont pourtant échappé. Comment? «Il faut savoir **se** (19.6 *note*) montrer patient, explique Juliette . . .».

**B** (p. 128)
1 Les femmes, pour qui la liberté sexuelle était une conquête récente, étaient d'autant plus décidées à s'**en** (19.4) servir et certains magazines féminins ne manquaient pas de les **y** (19.5) encourager **ou** de les encourager à le faire. Mais elles **le** (19.7a) sont moins de nos jours. Comme l'**(19.7d)** indiquent de récents sondages, la plupart d'entre elles se

rendent compte que la liberté sexuelle ne fait pas le bonheur même si elle y (19.3 *note*) contribue. 2 L'homosexualité, longtemps considérée comme une anomalie, voire une maladie, est en train d'obtenir droit de cité. Il en résulte que les homosexuels ont moins tendance à cacher aux (19.8a) autres la nature de leurs relations et plusieurs magazines qui leur (19.3) sont destinés sont en vente libre. Les homosexuels devraient progressivement être mieux intégrés à la société, du moins ils l' (19.7c) espèrent. 3 L'adolescence commence souvent plus tôt que les parents ne l' (19.7e) imaginent et les expériences sexuelles des adolescents d'aujourd'hui sont plus complexes qu'elles ne l' (19.7e) étaient il y a trente ans. Cela devrait leur (16.7) permettre d'atteindre dans leur vie adulte un équilibre que beaucoup de leurs parents n'ont pas connu.

### Révision 17–19

**A** (p. 129)   *L'entreprise et la clientèle*

. . . Le service consiste à procurer au client l'objet dont il a besoin, **au meilleur** (17.4, 17.6 et 17.10) prix et dans **la meilleure** (17.4, 17.6 et 17.10) qualité, tout en se mettant à sa disposition pour lui faciliter son achat. . . . La technique **la plus en faveur** (17.4b *note also*) pour l'étude du marché est celle du sondage d'opinion. Une fois . . . que l'on sait dans quelles conditions cet objet se vend et s'achète **le plus couramment** (17.8), il est possible de fabriquer un objet conforme au goût de la clientèle, de le lui offrir dans les conditions **les plus favorables** (17.4) et d'utiliser les arguments publicitaires qui retiennent **le mieux** (17.9 et 17.10) l'attention et qui sont **les plus efficaces** (17.4).

**B** (p. 129)   *Embauche: les nouvelles méthodes de recrutement des cadres*

. . . Sachez que si la première sélection se fait sur la base de votre CV, la seconde **sera** sans doute réalisée par un graphologue. . . . «Bien que près de 85% des entreprises européennes **aient** (18.2) recours à cette technique, les études scientifiques montrent que les conclusions tirées de l'analyse de l'écriture n'ont aucune validité» . . . Phase suivante: la photographie. Il y a bien des chances pour qu'elle **soit** (18.2) adressée à un morpho-psychologue . . . . Non que la validité de la méthode **ait été** (18.2, 15.6 et 15.7) prouvée . . . Les psychologues du travail s'accordent pour dire qu'un entretien pourrait largement suffire à condition toutefois qu'il **soit** (18.2) mené par une personne compétente . . . . Parce que pour un patron l'embauche **est** un risque. Il en charge donc son service du personnel. Celui-ci s'adressera à des recruteurs professionnels. En cas d'erreur, ils **seront** responsables.

**C** (p. 130)   Voir la construction des verbes et des adjectifs pp. 218 à 226 et dans un dictionnaire

*Les plaisirs du célibat*

Nombreux sont les célibataires qui ont choisi **de** conjuguer leur vie au singulier. Ils tiennent à leur indépendance et refusent **de** la perdre.

Marie-France . . . Son désir d'indépendance résiste **au** temps et à l'amour. Pourtant, Michel, son amant depuis deux ans, est très désireux **de** bâtir un couple avec elle: «Il essaie **de** me convaincre **d'**habiter chez lui sous prétexte **de** faire des économies . . . je ne peux me résoudre **à** le faire». Pour Marie-France, le célibat se résume **à** la possibilité **de** se retirer seule dans son appartement où elle n'est obligée **de** penser à personne d'autre, ni **de** s'habituer **aux** manies de quelqu'un d'autre.

. . . Vivre seul coûte cher, et la possibilité **de** choisir ce mode de vie dépend en quelque sorte **du** salaire dont on dispose. . . . Quand on est malade, on n'a personne **à** qui s'en remettre. On ne peut pas demander **à** son amant **de** venir jouer les garde-malades . . . . . . les amis. Dans les moments de crise, c'est **vers** eux que l'on se tourne. Il faut bien avoir quelqu'un **à** qui se confier, **sur** qui s'appuyer.

**D** (p. 130)   Voir 17.7 *note   L'enfant et la télévision: quelques constatations*
1 **Plus** les enfants grandissent, **plus** ils sont nombreux à dire que la télévision leur permet de s'ouvrir au monde extérieur. 2 **Plus** leurs parents s'occupent d'eux, **moins** les enfants regardent la télévision. *ou* **Moins** leurs parents s'occupent d'eux, **plus** les enfants regardent la télévision. 3 **Plus** leurs parents parlent avec eux de ce qu'ils ont vu, **plus** ils deviennent des spectateurs intelligents.

**E** (p. 130)
1 La publicité française est devenue plus compétitive qu'on ne l' (17.3) aurait cru possible il y a dix ans: c'est aujourd'hui (l')une des (17.4) plus créatives du (17.4 *note*) monde.
2 «La direction n'a aucune intention de retirer aux (19.8a) syndicats le droit de s'opposer aux décisions, au contraire elle a l'intention de leur (19.2) accorder plus de pouvoir», a précisé le PDG de la société/l'entreprise. 3 Notre entreprise prévoit d'offrir des stages de formation au plus grand (17.4) nombre possible (17.11) de salariés afin de leur (16.7) permettre de s'adapter rapidement aux nouvelles techniques de production et de gestion. **ou** Notre société a l'intention d'offrir des stages de formation à autant de salariés que possible pour leur (16.7) permettre de s'adapter rapidement aux nouvelles techniques de production et de gestion.

## Chapitre 20
**A** (p. 131)   *La guerre des fusées spatiales fait rage*
1 . . . un lanceur capable de concurrencer la navette spatiale américaine en répondant point par point aux avantages de **celle-ci**. 2 Les Etats-Unis . . . ont réagi en apportant de nombreuses modifications à leur navette. Pour le cas où **celles-ci** ne s'avéreraient décidément pas suffisantes, ils préparent de nouvelles fusées classiques. 3 Pourquoi cette lutte entre les Etats-Unis et les pays européens? **Ceux-ci** pourraient bien se contenter d'utiliser la navette de leur allié. 4 . . . ils n'acceptaient de lancer un engin étranger que lorsque **celui-ci** n'allait pas à l'encontre de leurs intérêts politiques ou commerciaux.

**B** (p. 131)   *Le général de Gaulle: une certaine conception de la défense*
*se fit*: se faire; *essaya*: essayer; *se heurta*: se heurter; *fut*: être; *revint*: revenir; *détermina*: déterminer; *annonça*: annoncer; *remirent*: remettre

General de Gaulle became known in the thirties through his writings on political history and military strategy. He tried to make his contemporaries aware of the pressing need to modernise the army but for over fifteen years he was faced with the lack of understanding of the military leaders of the time. When he was finally appointed Under-Secretary for National Defence by Paul Reynaud on 6 June 1940, it was unfortunately too late to mechanise the army and resist the enemy.

There is no doubt that when he returned to power in 1958 it was the memory of the 1940 disaster that induced General de Gaulle to equip the defence forces with the most advanced techniques. On 2 November 1959, he announced the setting up of a national deterrent, capable of safeguarding national independence. Successive governments were never to question the necessity for nuclear arms.

**A** (p. 134)   Voir 20.7   *Les projets de tunnels sous la Manche au XIX^e siècle*
. . . Son plan date de 1802, année où la paix d'Amiens **marqua** (20.7) un bref répit dans l'enchaînement des guerres napoléoniennes. La reprise des hostilités **mit** (20.7) un terme aux spéculations sur le tunnel et **jeta** (20.7) surtout une ombre permanente . . . . La concentration de l'armée napoléonienne au camp de Boulogne **laissa** (20.7), en effet, un souvenir quasi indélébile . . . . Albert Mathieu avait du moins ouvert la voie à des générations de visionnaires qui **allaient** (2.10 *note*) creuser son idée.

Les projets **se succédèrent** (20.7) au cours du XIXᵉ siècle. . . . Sir Edward Watkins, habile financier qui **put** (20.7) entreprendre le forage de puits . . . . La galerie effectivement creusée **atteignait** (4.6a) environ deux kilomètres . . . . **C'était** (4.6a) compter sans les alarmistes. Le risque d'invasion . . . **devint** (20.7) un des thèmes majeurs de la violente campagne de presse qui **prit** (20.7) le projet de tunnel pour cible . . . . Le projet de Watkins **tomba** (20.7) à l'eau . . .

**B** (p. 134)   Voir 20.1–2
1 Nombreux sont **ceux que** l'idée d'un tunnel a fascinés. 2 Sir Edward Watkins entreprit le forage de galeries près de Douvres. **Celle qui** fut creusée mesurait deux kilomètres. 3 Ni le projet de tunnel d'Albert Mathieu, ni **celui de** Sir Edward Watkins ne furent réalisés. 4 L'entreprise de Watkins est **celle qui** fut le plus près d'aboutir. 5 Les objections des militaires et **celles des** isolationnistes l'emportèrent.

**C** (p. 134)
1 Au récent concert de pop, tout ce que (20.3 *note*) nous avons vu et tous ceux à qui (20.3) nous avons parlé nous ont convaincus que le dialogue entre les jeunes est aussi important pour la coopération internationale que celui qui (20.2a) existe entre les chefs d'Etat. 2 Depuis 1960, la France poursuit une politique active de coopération économique avec la Chine fondée sur le renforcement des relations diplomatiques. Celles-ci (20.4) ont été renouées en 1964. **ou** Celles-ci (20.4) furent (20.7) renouées. . .

### Chapitre 21
**A** (p. 135)   *La technologie fille de la guerre*
1 Ainsi, par exemple, **c'est à la suite de l'humiliation de Pearl Harbour**, en 1941, **que** l'Amérique s'est intéressée aux recherches sur l'atome. 2 De même, **c'est la mise au point des bombes volantes V1 et V2** en Allemagne **qui** a ouvert la voie à la conquête de l'espace. 3 **C'est pour calculer la trajectoire des premiers missiles balistiques intercontinentaux que** le premier calculateur électronique, lui, fut construit. 4 Plus récemment, **ce sont les crédits militaires qui** ont permis à l'informatique et, plus généralement, à l'électronique de développer à une allure stupéfiante.

**B** (p. 135)   *Pesticides*
1 De tout temps, **il a été impératif** pour l'homme **de se protéger** contre tous les animaux nuisibles . . . 2 **Il est surtout difficile de** contrôler la prolifération des insectes ravageurs. 3 **Il est enfin possible de** contrecarrer le «boom démographique» de certains insectes grâce . . . 4 Cependant, **il s'est avéré dangereux** pour les insectes utiles et la santé de l'homme **de** recourir à des armes . . .

**C** (p. 135)
1 Tant que les partenaires européens **ne conjugueront pas** leurs efforts, l'Europe ne sera pas en mesure de relever le défi technologique. 2 Lorsqu'on **parle** de technologie avancée, on pense surtout à la télématique . . . 3 Dès qu'une stratégie commune **aura été adoptée**, les scientifiques pourront rassembler le potentiel humain et financier dont ils ont besoin . . .

**A** (p. 140)   *Sciences et techniques: quelques définitions*
1 *La biotechnologie*   Un mot désigne l'utilisation des propriétés de la matière vivante dans l'industrie: **ce** (21.2) sont les biotechnologies. **Elles** touchent des domaines extrêmement variés mais **c'est** (21.6c) dans les secteurs de la santé, de l'agriculture et de l'alimentation qu'**elles** sont les plus performantes. Les activités traditionnelles s'en trouvent si transformées qu'**il** (21.4a) serait difficile de ne pas y voir un secteur de pointe.

2 *Les matériaux composites* ... **Ce** (21.2) sont, comme leur nom l'indique, des matériaux dans lesquels plusieurs constituants sont associés .... **Ils** permettent, entre autres, de réaliser de grandes structures .... **Il** (21.4a) est clair, dès aujourd'hui, que ces nouveaux matériaux de structure seront très présents .... **C'est** (21.6c) grâce à eux, par exemple, que la voiture de demain ...

3 *Les matières plastiques* **Elles** symbolisent la civilisation du XXᵉ siècle. **Ce** (21.2) sont des polymères presque exclusivement produits à partir du pétrole. **Ils** remplacent les produits plus traditionnels .... **Il** s'agit, en effet, d'un matériau aux applications multiples .... Aussi extraordinaire que **cela** (21.5) puisse paraître, **il** existe maintenant un plastique à mémoire .... **C'est** (21.2) un plastique capable de retrouver sous l'effet de la chaleur une forme qu'**il** a mémorisée.

**B** (p. 140)   Voir «Acute and grave accents over 'e'» pp. 204–205

Eurêka est une initiative française: c'est (21.2) Roland Dumas, alors ministre des Relations extérieures qui (21.6a) lança/a lancé l'idée d'un grand programme européen de recherche en 1985. Il était convaincu que dès que les gouvernements européens auraient réussi (21.9) à encourager un échange intensif d'informations entre (les) entreprises et (les) instituts de recherche, la productivité et la compétitivité de l'industrie européenne s'amélioreraient considérablement. Certains de ses critiques affirmaient/soutenaient qu'en général il (21.4a) est extrêmement difficile de demander à des concurrents de partager leurs secrets et que c'est (21.2) une erreur de croire que les programmes de coopération dus à l'initiative des gouvernements ont plus de chances de réussir que la coopération spontanée. Aussi surprenant que cela (21.5) puisse paraître, étant donné la position de Mme Thatcher sur ce point/à ce sujet, ce (21.2) sont les Britanniques qui (21.6a) ont soutenu le projet le plus vivement/vigoureusement/fermement à la conférence de Londres l'année suivante.

## Chapitre 22

**A** (p. 141)   *Partez gagnant aux sports d'hiver*

1 Si vous suivez un traitement médical, consultez votre médecin **avant de prendre le chemin des stations**. 2 Une mise en condition physique s'impose **avant que vous vous lanciez sur les pistes/avant de vous lancer sur les pistes**, si vous êtes un sportif occasionnel. 3 Respectez une progression dans la difficulté des exercices **jusqu'à ce que vous vous sentiez en pleine possession de vos moyens**. 4 **Après avoir passé une journée sur les planches**, donnez-vous le temps du repos.

**B** (p. 141)

*Extract from the law on data privacy*: Article 1. 'Information technology must be to the benefit of every citizen. It must not undermine a person's identity, human rights, the right to privacy, or individual or public freedom.'

*What you need to know about the existence of computer files*: Hundreds of thousands of files exist in France. Personal information about each of us is stored on several hundred files. It is often useful: thanks to them, for example, a patient can receive, in the shortest time possible, the transplant of a kidney from a driver killed in a car accident. But it can cause concern: information that is out of date, false or malicious may stay on your file or be used against you; files may be used improperly by a third party.

*What you need to know about your right of access and your right to correct these files*: The National Commission on Information Technology and Civil Liberties (CNIL) can help you find out if your name appears on any files since all personal files and databanks must be registered with them. You may, if you so wish, consult your file. In order to do so you must get in touch with the organisation concerned. You can have the information about you changed if it is inaccurate. Point out the mistakes. If the person responsible for the file is unable to prove that he/she is right, then he/she must make the corrections and send a corrected version to those concerned.

**A** (p. 146)   Voir 22.1–4 et la table de conjugaisons pp. 207 à 217
*Au restaurant: vos droits*
Q. . . . Le propriétaire a accepté de la rectifier. S'il ne l'avait pas fait, quelle attitude **aurais-je dû** adopter? R. Vous **auriez pu** lui payer ce que vous estimiez lui devoir. S'il avait refusé votre argent, **il aurait** alors **fallu** prévenir la Direction départementale de la Concurrence et de la Consommation. Q. Le nom du plat que j'avais commandé ne correspondait pas du tout à ce que l'on m'a servi. **Fallait-il** refuser de le payer? R. On **aurait dû**, en principe, vous servir autre chose à la place. La prochaine fois, **il faudrait** insister. . .

**B** (p. 146)   *Accession à la propriété*
L'achat d'un logement compte parmi les gestes les plus importants de la vie. Si on **veut** (22.3a) le réussir, **il faut** (22.4b) mettre toutes les chances de son côté. . . . quand on a choisi d'accéder à la propriété, **il faut** (22.4b) être capable de gérer un budget. Le coût de l'installation **doit** (22.1.a) être examiné avec soin. Un couple qui dispose de solides revenus **peut** (22.2a) parfaitement s'en tirer moins bien qu'un ménage plus modeste qui, lui, **sait** (22.2a *note*) épargner. . . . les conséquences psychologiques **peuvent** (22.2c) être désastreuses. . . . Si l'on ne **veut** (22.3a) pas s'empoisonner la vie, la première question qu'**il faut** (22.4b) se poser, c'est «j'achète où?» . . . . . . . Autant de questions auxquelles on **peut** (22.2a) répondre en se rendant à la mairie. On **doit** (22.1a) ensuite se demander si ce dont on a envie correspond à ce dont on a besoin. Et là encore, **il faut** (22.4b) faire preuve avant tout de réalisme.

**C** (p. 146)
Ce qu'il faut (22.4b) savoir avant de projeter des vacances à l'étranger:
*Passeports*   Chaque membre de la famille devrait (22.1a) avoir son propre passeport. Une femme peut (22.2b) figurer sur le passeport de son mari, mais elle ne peut (22.2b) pas s'en servir quand elle est seule. C'est la même chose pour les enfants.
*Visas*   Vous pouvez (22.2c) avoir besoin d'un visa. **ou** Il se peut que (15.3) vous ayez besoin d'un visa. Adressez-vous au consulat du pays concerné longtemps à l'avance. N'attendez pas qu'il soit (22.9a *note*) trop tard pour faire votre demande.
*Devises*   Pendant (22.8) votre séjour à l'étranger, vous pouvez (22.2a) retirer de l'argent dans les distributeurs de billets de toutes les banques avec votre Carte Bleue. **ou** A l'étranger on peut (22.2a) retirer de l'argent dans les distributeurs de billets de toutes les banques avec la Carte Bleue.

**Révision 20–22**
**A** (p. 147)   Voir table de conjugaisons et 20.7 *note*
*Pays-Bas: la bataille contre la mer*
. . . Dans la nuit du 31 janvier au 1ᵉʳ février **se produit** la conjonction d'une grande marée . . . . Des centaines de digues **se rompent** et la région du delta **est** presque complètement submergée . . . . Le bilan **est** lourd: 1850 morts . . . . Plus jamais cela! **décident** les Hollandais. Et c'est ainsi qu'**est** élaboré, puis adopté par le Parlement en 1958, le plan Delta. L'objectif était d'édifier des barrages . . . A l'origine, le plan Delta devait être complètement réalisé en 1978. Mais en 1976 **surgit** un obstacle imprévu: les écologistes. Ils **donnent** l'alarme en rappelant que la fermeture des bouches du delta risquait/**risque** d'entraîner une profonde transformation . . . . . . . le mouvement d'opinion suscité par

les écologistes **est** le plus fort, et le gouvernement **doit** réviser ses plans. Le Parlement **vote** en 1976 une modification du plan Delta . . . .

**B** (p. 147)
1 **C'est de 1953 que** (21.6c) date la dernière catastrophe. 2 **Ce sont les écologistes qui** (21.6a) ont donné l'alarme. 3 **C'est le mouvement d'opinion suscité par les écologistes qui** (21.6a) s'est révélé le plus fort. 4 **Ce sont/c'étaient** (21.7) **les risques de gaspillage de fonds publics que** (21.6b) craignaient les financiers. 5 **C'est pour satisfaire les uns et les autres que** (21.6c) le Parlement a voté une modification du plan Delta.

**C** (p. 147)
1 L'introduction de nouvelles variétés de céréales a pu aider à lutter contre la faim dans le tiers monde, mais on ne devrait (22.1a) pas oublier qu'elle a aussi causé une profonde transformation de l'environnement. **ou** . . . il ne faudrait (22.4b) pas oublier qu'elle a également causé . . . 2 De nombreux écologistes craignent que les gouvernements ne continuent à exploiter les combustibles fossiles jusqu'à ce que (22.9) toutes les ressources soient (22.9) épuisées, sans suffisamment investir dans des sources alternatives d'énergie autres que le nucléaire. «Notre environnement sera en danger tant que cette attitude prévaudra (21.8–9)», a déclaré l'un d'entre eux. **ou** . . . n'exploitent les combustibles fossiles jusqu'à (22.9) l'épuisement de toutes les ressources . . . «Notre environnement sera en danger tant qu'une telle attitude prévaudra (21.8–9)», a déclaré l'un d'eux.

**D** (p. 148) *Minitel: la télématique dans votre salon*
«Un Minitel à quoi **ça** (20.5) sert?» Pour répondre à **cette** (2.6) question, nous avons interrogé le directeur des relations publiques aux PTT: «**c'est** (21.2) un petit terminal informatique . . . . Mais le terminal Minitel ne servira pas qu'à **cela** (20.5). Vous pourrez aussi l'utiliser pour interroger plus d'une centaine de services . . . .: **ceux** (20.2b) de la SNCF, des journaux, des banques etc. L'installation de **ce** (2.6) terminal chez vous marque . . . . . . . Nous avons tous vu, dans un bureau de poste ou une agence de voyage, une opératrice se servir d'un terminal. Mais **cette** (2.6) télématique était réservée aux professionnels, **elle** exigeait des matériels coûteux . . . . Le Minitel vous évite **ces** (2.6) difficultés, car **il** appartient à une nouvelle génération de télématique: **celle** (20.2a) qui est baptisée «vidéotex». Il s'agit d'un système . . . . **Cela** (21.5) signifie que le dialogue avec l'ordinateur a été simplifié. **Cet** (2.6) instrument grand public n'en est qu'à ses débuts et **il** a encore bien des défauts, mais la plupart de **ceux** (20.2a) qui ont accepté de remplacer leur ancien annuaire papier par **cet** (2.6) annuaire électronique se déclarent plutôt satisfaits.

**E** (p. 148) *Un acteur répond à nos questions*
Q. Pour quelles raisons **avez-vous** (8.1 et 8.2b) accepté de tourner le film qui sort cette semaine? R. J'ai accepté par estime pour le réalisateur. Et en raison, aussi, de la qualité des autres participants. **Il** (21.4a) est rare qu'un film réunisse les meilleurs comédiens d'un pays. Q. Vous avez souvent déclaré choisir vos films en fonction du metteur en scène. J'ai l'impression que ça (21.1 *note* et 21.2) été une constante chez vous. R. **Cela** (21.5) m'a toujours paru essentiel. **Cela** (21.5) correspond, chez moi, à une certaine idée du cinéma. **Il** (21.4a) est important de travailler avec des gens intègres qui ne font pas n'importe quoi sous prétexte de remplir les salles. Q. **Est-ce** (8.1 et 8.2a) pour des raisons semblables que vous êtes passé de l'autre côté de la caméra pour devenir vous-même réalisateur? R. C'était (21.2) une progression naturelle. Et puis j'aime les acteurs. Les voir travailler [, c']est extraordinaire.

**Chapitre 23**

**A** (p. 149)   *Sécurité: les contrôles d'identité se multiplient*
Les contrôles d'identité **déclenchés** par le ministre de l'Intérieur ont entraîné une augmentation sensible de la présence policière dans la rue. . . . Plusieurs bavures ont été **signalées**. Deux jeunes Maghrébins **contrôlés** à Marseille montrent leurs papiers mais refusent de se laisser fouiller. . . . Autre anecdote: cinq mineurs . . . ont passé la nuit au poste de police sans que leurs parents soient **alertés**. Le ministre délégué à la sécurité affirme que tout ceci n'est qu'une campagne politique **dirigée** contre le gouvernement. . . . Certains considèrent qu'une poignée de bavures ont été **montées** en épingle. D'autres estiment que leurs collègues sont **poussés** à faire des interpellations et s'en inquiètent.

**B** (p. 149)
Necmettin Erim, his wife and three children, were expelled from France last Monday. They did not have valid residence permits. It is believed that they had been reported by their landlord. Necmettin Erim, who was an active trade-unionist in Turkey, arrived in France in 1982 and was refused the refugee status which had however been granted to his brother on similar grounds.

His request was finally turned down last autumn and on 13th April the authorities signed his deportation order. On that very day, Mrs Erim and her children were arrested at their home in the absence of the head of the family. On his return, he rushed to his lawyer, who refused to hand him over to the police who had come in the meantime to arrest him. It took more than three hours of negotiations to get the authorities to relax their attitude. If Mr Erim agreed to give himself up he would not be handcuffed and would be granted a few hours to sell his possessions and go to his bank.

In this case, as in many others, the law was implemented with all due firmness but the methods used were hasty.

**A** (p. 152)   Voir 23.2–4   *Deux évadés retrouvés*
Deux évadés de la prison des Baumettes **ont été retrouvés** . . . . Les deux hommes **ont été localisés** grâce à un commerçant . . . . Ils **ont été interpellés** . . . . Ils **n'étaient pas armés** et n'ont opposé aucune résistance. La camionnette . . . **avait été retrouvée** . . . . Les deux détenus **avaient été condamnés** pour attaques à main armée, en juin dernier.

**B** (p. 152)   Voir 23.2–4   *Vos papiers!*
1 Les dispositifs de contrôle des conditions d'entrée et de séjour des étrangers en France **ont été** depuis quelques mois **renforcés**. 2 Le nombre des documents [qui **sont**] **exigés** à l'entrée du territoire s'est multiplié. 3 Plusieurs exemples récents montrent que ces dispositions **sont appliquées** avec la plus grande sévérité. 4 De nombreux ressortissants algériens **ont été refoulés** au cours du mois dernier. 5 Ainsi, une vieille dame algérienne, venue rendre visite à ses enfants, **a été rapatriée** de façon expéditive. 6 Ces dispositions **sont** très mal **ressenties** dans certaines capitales arabes.

**C** (p. 152)   Voir 23.2–4
1 *Explosion dans une usine chimique*   Une personne a été tuée (23.2–4) et une douzaine d'autres légèrement blessées (23.2–4) vendredi soir, à la suite de l'explosion d'un réservoir dans une usine chimique. Trois autres réservoirs ont également été endommagés (23.2–4). Selon la gendarmerie, le nuage de fumée qui s'est dégagé (23.6c) n'est pas toxique. Une enquête sur les causes de l'accident vient d'être ouverte (23.2–4).
2 *Terrorisme*   A la suite de l'attentat [à la bombe] de la semaine dernière à Paris, on a fait appel (23.5–6) à quelque 1 000 soldats pour patrouiller les aéroports internationaux français et on a vivement conseillé (16.7 et 23.5–6) aux directeurs de grandes surfaces de coopérer avec la police pour améliorer les mesures d'évacuation.

**Chapitre 24**

**A** (p. 153)

1 In the whole of the EC, the birth rate has dropped on average by 40% between 1960 and 1987, from 2.7 children per couple to 1.6. Those over 65 made up less than 5% of the population in around 1850. Now they constitute nearly 14%. In 2010, it is thought that they will make up over 20%, and among them the very old will number over 20 million. 2 Between 1972 and 1985, the number of marriages fell from 416,000 to 273,000 per year. The number of couples living together, on the contrary, rose. In 1979, for the first time, the number of illegitimate births rose to over 10% of all births. 3 The younger a man is, the more he participates in housework. 74% of those under 35, as opposed to 61% of those over 35, say that they have performed at least one household task in the past 24 hours. 4 At the end of the Second World War, between 11 and 13 million people were homeless in Europe, according to estimates. Today the number of refugees recorded by the United Nations High Commission for Refugees is as high as 4,563,600, of which 700,000 are in [the] Lebanon. 5 Air Inter cancelled six of the 290 flights scheduled for today and 11 of the 300 scheduled for tomorrow because of the air controllers' strike. 6 Unemployment went down by 0.6% in June. At the end of last month, there were 2,645,400 registered unemployed in France, that is 15,800 less than in May. Overall, the unemployment rate (the percentage of unemployed people in relation to the working population) was 11%, as opposed to 11.1% the previous month. Over the year, this is an increase of 4.8%. 7 France had a foreign trade deficit of 93.3 billion francs in 1982. 8 The price of copper went up by 25% and that of lead by more than 20% while zinc rose by 1.5%.

**B** (p. 153)

1 deux mille huit cents (2 800); 2 sept millions cinq cent quatre-vingt-dix mille (7.590.000); 3 trois cent quatre-vingts (380); 4 cinquante et un (51); 5 cent cinquante-cinq (155); 6 mille (1000)

**A** (p. 158)

1 Parmi les femmes sans enfants, le taux d'activité est **supérieur** (24.4 *note*) à 73%, mais parmi celles qui ont un ou deux enfants il est **inférieur** (24.4 *note*) à 70%. *ou* Parmi les femmes sans enfants le taux d'activité **de plus de** (24.4) 73%, mais parmi celles qui ont un ou deux enfants il est **de moins de** (24.4) 70%.
2 Lorsque les femmes ont trois enfants ou plus, leur traux d'activité **tombe à** (24.10) 37,1%. *ou* . . . leur taux d'activité **chute à** (24.10) 37,1%.
3 Les femmes **représentaient** (24.13e) 25% des OS en 1968. *ou* Les femmes **constituaient** (24.13e) 25% . . .
4 La part des femmes parmi les OS est en **progression**: 28% en 1980, **contre** (24.11) 25% en 1968. *ou* . . . est en **augmentation** . . . *ou* . . . est en **hausse** . . .
5 Quant à la part des femmes parmi les ouvriers qualifiés, elle **est passée** de 14% à 11% (24.10) entre 1968 et 1980, soit une **réduction** de (24.9) 3%. *ou* . . . elle **est tombée** de 14% à 11% (14.20) entre 1968 et 1980, soit une **diminution** de (24.9) 3%. *ou* . . . elle **a chuté** de 14% à 11% (24.10) entre 1968 et 1980, soit une **baisse** de (24.9) 3%.

**B** (p. 158)

1 L'âge de la retraite **a été abaissé** de (24.10 et 24.13.d) 65 à 60 ans dans les années 80.
2 Le nombre de touristes qui se rendent en Chine **s'est** considérablement **accru** (24.13a) . . . *ou* . . . **a** considérablement **augmenté** (24.13b). 3 Selon les estimations, la TVA devrait **augmenter** (24.6 et 24.10 *note*) de 2 à 3% (*i.e. an increase of between 2 and 3%*). 4 Le pourcentage de réussite **est passé** de 51% à 67% (24.10) en l'espace de cinq ans.

**C** (p. 158)

1 De 1960 à 1985, le taux de natalité dans les pays développés a diminué en moyenne de (24.9) 28,6%. 2 En France en l'an 2 000 les moins de vingt-cinq ans constitueront (24.13e) 29,5 pour cent de la population active. **ou** . . . les moins de vingt-cinq ans représenteront (24.13e) 29,5% [du nombre] des actifs. 3 Sur (24.12) une population salariée de 17,3 millions, seuls quelque (24.3b) 25% sont syndiqués. 4 On vient de leur accorder une augmentation de (24.8) 5%. **ou** Une augmentation de (24.8) 5% vient de leur être accordée. 5 Le nombre des jeunes chômeurs atteindra (24.7b.) près de (24.3b) 900 000. **ou** . . . s'élèvera à (24.7b.) quelque (24.3b) 900 000. **ou** . . . s'élèvera à quelque (24.3b) neuf cent mille (24.1c). 6 La croissance économique était de 5 à 6% (24.6) en moyenne vers le milieu des années 80. 7 Le taux d'inflation avait été ramené de 15,2% en 1974 à (24.10) 9,6% en 1975, mais en 1976 il est de nouveau passé à (24.10) plus de 11%. **ou** Le taux d'inflation était passé de 15,2% en 1974 à (24.10) 9,6% en 1975, mais en 1976 il était de nouveau à (24.7a) plus de 11%. **ou** . . . il a de nouveau franchi le seuil/la barre/le cap des 11%.

### Chapitre 25

**A** (p. 163)   Voir 25.4a et b et 10.5   *Voisins? Connais pas!*

Ce sont les femmes qui voisinent le plus, . . . . Et davantage encore dans les régions ensoleillées où **l'on vit** beaucoup plus dehors. **On voisine** bien aussi à la campagne . . . . En ville surtout, **on reste** chez **soi**, en souvenir sans doute d'épouvantables histoires de voisinage comme **on en voyait** au début du siècle. En partant du principe qu'à l'instar de la famille on subit bien plus **ses** voisins qu'**on ne** (17.3 et 17.7) **les choisit, on ne cherche pas** à en faire des amis. . . . Que dire de plus que «bonjour, bonsoir» à une personne que **l'on croise** dans l'ascenseur aussi pressée que **vous** . . .? Et dans les quartiers aisés, **on ne fréquente pas** les gens auxquels **on n'a pas été** présenté. Alors **doit-on** se plaindre de cet excès de discrétion que **l'on observe** vis-à-vis de **ses** voisins? A trop vouloir éviter les problèmes de voisinage, **on se prive** de bien des ressources de la solidarité.

**B** (p. 163)   Voir 25.2   *Le développement du travail au noir*

L'Allemagne fédérale **compterait** près de deux millions de travailleurs au noir et 8% des travailleurs allemands **s'adonneraient** à une activité parallèle . . . . Ils **produiraient** l'équivalent de 2% du produit national brut allemand, et les revenus du travail noir **auraient quintuplé** au cours des cinq dernières années. . . . ces travailleurs au noir **réussiraient** ainsi à «voler» quelque 10 milliards de DM au fisc . . . D'après les estimations des organisations professionnelles, 70% du gros œuvre du bâtiment et 90% des travaux de peinture **seraient faits** «au noir»; les freins de plus de deux millions de voitures . . . **seraient changés** hors des garages; jusqu'à 80% des plans de construction **seraient réalisés** non pas par des architectes . . .

In the German Federal Republic, the number of black economy workers is estimated at nearly two million and 8% of German workers are doing undeclared work, according to a survey carried out by the Survey Institute in Bielefeld. They [are said to] produce the equivalent of 2% of the German gross national product: income from cash-paid work has increased fivefold in the last five years. A report published in the journal *Intersocial* indicates that these black economy workers manage to 'steal' some 10 billion Deutsch Marks in taxes and national insurance contributions each year.

According to estimates from trade organisations, 70% of heavy construction work and 90% of painting and decorating is done 'on the side', the brakes of over two million cars and the suspension and exhaust systems of four million vehicles are not replaced in garages; up to 80% of building plans are drawn up not by independent architects but by civil servants outside their normal working hours (the best way of making sure that the plans are in accordance with regulations).

**C** (p. 164)   Voir 25.1   *Les parents de divorcés*
«Je sais bien que **quoi qu'**il arrive, j'aurai du mal à m'habituer à la nouvelle compagne de mon fils», raconte Christian . . . **Quelles que soient** les raisons de la rupture, ils éprouvent un sentiment de frustation . . . ils en ressentent tous douloureusement la blessure **quelles que soient** leurs facultés d'adaptation.

**D** (p. 164)   Voir 25.5
1 *Les livres pour enfants*   Naguère, **il suffisait d'**un unique livre de contes pour exciter l'imagination des enfants. Ce n'est plus le cas . . . **il s'àgit** donc **de** les motiver . . . bandes dessinées, aventure, mythologie, fantastique, il y en a pour tous les goûts. **Il suffit de** choisir.
2 *L'éducation civique des enfants*   Apprendre aux jeunes à devenir de bons citoyens ne se résume pas à la simple acquisition d'une somme de connaissances. **Il ne suffit pas,** en effet, **de** connaître les règles de la vie collective pour les appliquer. **Il s'agit** aussi **de** comprendre et **d'**admettre leur utilité. . . .

**E** (p. 164)
1 Quels que soient (25.1b *note*) l'âge (25.6) et les centres d'intérêt de vos enfants, vous devez choisir leurs livres en fonction de la qualité du texte (25.6) et des illustrations. **ou** . . . il faut choisir leurs livres . . . 2 Le travail au noir peut être vu sous un angle positif: il permet aux gens dont le salaire est bas de survivre et d'améliorer la qualité de leur vie (25.6). 3 On se demande pourquoi nombre de gens n'échangent jamais plus de quelques mots avec leurs voisins surtout lorsque leur maison (25.6) et leur jardin (25.6) sont attenants. **ou** On se demande pourquoi beaucoup de gens n'échangent jamais plus de quelques mots avec leur voisin (25.6) . . . 4 Les parents de (couples) divorcés ont souvent beaucoup de mal à accepter le nouveau partenaire (25.6) de leur enfant (25.6). **ou** Les parents de (couples) divorcés ont souvent beaucoup de peine à accepter le nouveau partenaire (25.6) de leurs enfants.

### Révision 23–25
**A** (p. 165)   Voir 23.1–4   *La chasse à la baleine*
Contrairement à ce que l'on croit, les baleines continuent à **être harponnées**. . . . 6 719 baleines **ont été tuées** en 1986–87 . . . . Cet inventaire **a été réalisé** à partir des chiffres **fournis** par les chasseurs eux-mêmes. En **sont exclues** les espèces de cétacés qui **n'ont pas été mentionnées** dans l'Acte final . . . . Plus d'un million de cétacés **ont été détruits** depuis 1946. . . . les grandes baleines à fanon **ont été amenées** à la lisière du seuil d'extinction ou de non-reproduction.

**B** (p. 165)   Voir 23.1   *TF1: La grille de la rentrée*
1 Le film de 20h30 du dimanche ne sera pas supprimé. 2 La soirée du mardi sera entièrement consacrée au cinéma. 3 Les grands sujets d'actualité seront abordés deux fois par mois, le jeudi soir, dans une émission à très gros moyens. 4 Le grand show en direct du vendredi soir sera maintenu. 5 Près de 350 millions de francs seront investis dans la production de fictions françaises.

**C** (p. 165)   Voir 25.6
*1 La drogue progresse*
Face au fléau de la drogue, les polices du monde entier semblent impuissantes. **Leurs techniques sont** de plus en plus sophisti**quées** mais souvent inadapt**ées** car les trafiquants, eux

aussi, affinent **leurs méthodes**. **Leur virtuosité** et **leur audace** sont sans limites. La liste des astuces est sans fin: on a trouvé de la drogue jusque dans **l'estomac** de cadavres rapatriés vers **leur pays d'origine**. Une autre technique répandue consiste à acheter une société de location de voitures. Les clients, en réalité des acheteurs de drogue, passent sans difficulté les frontières avec **leur cargaison**. Qui aurait l'idée de vérifier et de démonter **la carrosserie** et **le moteur** de toutes les voitures de location?

*2 Témoignage*
Dans un livre intitulé «La Drogue: ses effets, ses dangers», Eric Fantin et Claude Deschamps expliquent, à partir de **leur propre expérience**, les effets des différents types de stupéfiants et **les dangers** qu'ils font courir. Ils parlent **de la vie** que mènent les toxicomanes et montrent **quel rôle peut** jouer **la famille** de ceux qui ont «plongé» dans la drogue et en sont devenus dépendants. Il leur semble essentiel que les parents soient informés des vrais problèmes, et capables de comprendre la logique **du comportement** des drogués. Ils soulignent que bien souvent les parents commencent à s'intéresser à **leur enfant** le jour où ils découvrent qu'**il se drogue**. Or il semble que certains sujets soient plus prédisposés à la drogue que d'autres et que **leurs fréquentations** ne **jouent** pas le rôle déterminant qu'on **leur** attribue d'ordinaire. La prévention, c'est donc aussi **une affaire** de famille.

**D** (p. 166)
1 Quatre-vingt-quatre (24.1a) personnes ont été victimes d'inondations, au cours de la semaine dernière, dans le nord-est de l'Inde. Plus de deux millions d' (24.1d *note*) habitants de l'Etat d'Assam ont été sinistrés. Les inondations dues (23.1) à de fortes pluies de mousson, ont détruit des centaines (24.3a) de maisons et dévasté deux cent mille (24.1c) hectares de cultures. 2 Il serait irresponsable d'affirmer que certains individus deviendront toxicomanes quoi qu'il arrive (25.1a et 25.1b *note*) et quelles que soient (25.1b) leurs fréquentations et la législation du pays où/dans lequel ils vivent. Il est illusoire de croire qu'il suffira de (25.5a) punir les jeunes toxicomanes pour les guérir de l'envie d'utiliser des drogues illicites. **ou** Il est illusoire de croire qu'il suffira de (25.5a) punir les jeunes qui se droguent pour les guérir. . . 3 Les banques veulent avant tout protéger la liberté de leurs clients: on peut déposer un million de (24.1d) francs en petites coupures, sans qu'on (23.6a) vous (25.4b *note*) demande quoi que ce soit (25.1a). Il est par conséquent relativement facile pour les trafiquants (de drogue) de blanchir l'argent qu'ils gagnent grâce au commerce/trafic de la drogue. A moins que la police ne parvienne à convaincre les banques de coopérer avec elle, il est difficile de voir comment elle pourrait réussir dans la lutte contre le trafic de stupéfiants. 4 La France est le pays d'Europe qui a lancé la campagne la plus virulente contre le travail au noir. Le nombre des travailleurs clandestins s'élèverait (25.2) à un million et la perte de cotisations à la Sécurité sociale et à l'assurance-chômage serait (25.2) supérieure à (24.4 *note*) 18 milliards de (24.1d *note*) francs. **ou** Le nombre des travailleurs clandestins est estimé à un million et la perte . . . est peut-être supérieure à (24.4 *note*) . . .

# Appendix

**Contents**

# Acute and grave accents over 'e'

Knowing when an accent is required and when it is not is important if you are to write correct French.

In the dictionary, you will find various symbols to indicate the pronunciation of the letter **e**:

[ɛ] indicates that the sound is the same as the one found in *père* and *lait*.

[e] indicates that the sound is the same as the one found in *thé* and *les*.

The following lists will tell you whether the letter **e** requires an acute accent (**é**), a grave accent (**è**) or no accent at all. **This will depend on which letters follow the letter *e* and on its position in the word.**

NO ACCENT REQUIRED

Unless indicated otherwise, the sound is [ɛ]

| *Beginning or middle of word* | | *End of word* | |
|---|---|---|---|
| (. . .)ecc. . . | impeccable [e] | . . .ec | un échec, sec |
| . . .echn. . . | technique | | |
| (. . .)ect(. . .) | électrique, le respect | | |
| (. . .)ecz. . . | l'eczéma | . . .ed | un pied [e] |
| (. . .)eff. . . | un effet [e], effacer [e] | . . .ef | un relief, bref |
| . . .egm. . . | un segment | | |
| . . .eill. . . | un surveillant | . . .eil | un réveil |
| (. . .)ell. . . | une appellation, naturelle (*fem.*) | . . .el | naturel (*masc.*) |
| (. . .)elt. . . | svelte | | |
| (. . .)emm. . . | une femme [a][1] emmener [ã][2] | | |
| (. . .)enn. . . | un ennemi, un ennui [ã][2] | | |
| . . .epp. . . | Dieppe | . . .ep | un cep |
| . . .ept(. . .) | le scepticisme, un concept | | |
| (. . .)erc(h). . . | un cercle, percevoir, percher | . . .er | envoyer [e], léger [e] |
| (. . .)erg. . . | une énergie | | |
| (. . .)erm. . . | une fermeture | | |
| (. . .)err. . . | une erreur, méditerranéen | | |
| . . .erv. . . | énerver | | |
| (. . .)esb. . . | l'esbroufe | | |
| (. . .)esc. . . | un escroc, effervescent | | |
| (. . .)esp. . . | un espoir | | |
| (. . .)esq. . . | esquisser | | |
| (. . .)ess. . . | essayer [e], la presse, successif [e] | | |
| (. . .)est(. . .) | il est, surestimer | | |
| . . .ett. . . | promettre, nette (*fem.*) | . . .et | un regret, net, discret |
| (. . .)ex. . . | une expérience, exécuter | | |

[1] [a]: same sound as in *canne* and *mal*
[2] [ã]: nasalised [a] as in *sans* and *temps*

Note that **un** *téléspectateur* [telesp. . .], **un** *téléscope* [telesk. . .] and all words similarly formed are an exception to the rule.

[204]

| acute accent – sound [e] | | grave accent – sound [ɛ] | |
|---|---|---|---|
| *Beginning or middle of word* | | *End of word* | |
| (. . .)éb. . . | ébahir | . . .èbe | un éphèbe |
| (. . .)ébr. . . | débrancher, célébrer | . . .èbre | funèbre, célèbre |
| (. . .)éc. . . | écarter, nécessaire | . . .èce | une espèce |
| (. . .)éch. . . | échapper, sécher, la sécheresse | . . .èche | une crèche, sèche(ment) |
| (. . .)écl. . . | éclater | . . .ècle | le siècle |
| (. . .)écr. . . | écraser, exécrer | . . .ècre | il exècre |
| (. . .)éd. . . | un éditeur, la tiédeur | . . .ède | un bipède, tiède |
| (. . .)édr. . . | un édredon | . . .èdre | Phèdre |
| (. . .)éf. . . | un défaut, la méfiance | | |
| (. . .)éfl. . . | réfléchir | . . .èfle | un trèfle |
| (. . .)éfr. . . | défricher | | |
| (. . .)ég. . . | égaler, régional, piéger | . . .ège | un collège, un piège |
| (. . .)égl. . . | l'église, régler, la réglementation | . . .ègle | une règle (un règlement) |
| (. . .)égr. . . | égrener | . . .ègre | allègre(ment) |
| (. . .)égu. . . | un délégué | . . .ègue | un collègue |
| (. . .)éi. . . | réitérer, un séisme | | |
| (. . .)éj. . . | éjecter, un séjour | | |
| (. . .)él. . . | une élection, la délation | . . .èle | le zèle |
| (. . .)ém. . . | une émission, problématique | . . .ème | deuxième(ment), un problème |
| (. . .)én. . . | énoncer, phénoménal, un événement | . . .ène | un phénomène, un avènement |
| (. . .)éo. . . | éolien | | |
| (. . .)ép. . . | épais, se dépêcher | . . .èpe | un cèpe |
| (. . .)épl. . . | éplucher, déplorer | | |
| (. . .)épr. . . | éprouver | . . .èpre | la lèpre |
| (. . .)équ. . . | le déséquilibre | . . .èque | une bibliothèque |
| (. . .)ér. . . | une éruption, une période | . . .ère | une filière, légère (la légèreté) |
| (. . .)és. . . | hésiter, désabusé | . . .ès | dès, très, près, un succès |
| | | . . .èse | une hypothèse, une synthèse |
| (. . .)ét. . . | établir, le pétrole, synthétique | . . .ète | un interprète, discrète(ment) |
| (. . .)étr. . . | détruire, le kilométrage | . . .ètre | un kilomètre |
| (. . .)év. . . | éventuel, une dévaluation | . . .ève | une grève, brève, la brièveté |

Note that **un *événe*ment** is pronounced [evenəmā] and **la sécheresse** [seʃrɛs].

Note that when **-ment** or **-té** are added to a word, the accent is unchanged.

# VERB TABLES

| Infinitive and Present Participle | Present Indicative | | Perfect | Imperfect | Future and Conditional |
|---|---|---|---|---|---|
| avoir | ai | avons | j'ai eu | j'avais | j'aurai |
| | as | avez | | | |
| ayant | a | ont | | | j'aurais |
| être | suis | sommes | ai été | étais | serai |
| | es | êtes | | | |
| étant | est | sont | | | serais |
| **Regular verbs** | | | | | |
| cesser | cesse | cessons | ai cessé | cessais | cesserai |
| | cesses | cessez | | | |
| cessant | cesse | cessent | | | cesserais |
| établir | établis | établissons | ai établi | établissais | établirai |
| | établis | établissez | | | |
| établissant | établit | établissent | | | établirais |
| rendre | rends | rendons | ai rendu | rendais | rendrai |
| | rends | rendez | | | |
| rendant | rend | rendent | | | rendrais |

| Present Subjunctive | | Past Historic | | Imperative | Verbs similarly formed |
|---|---|---|---|---|---|
| aie | ayons | eus | eûmes | aie | |
| aies | ayez | eus | eûtes | ayons | |
| ait | aient | eut | eurent | ayez | |
| sois | soyons | fus | fûmes | sois | |
| sois | soyez | fus | fûtes | soyons | |
| soit | soient | fut | furent | soient | |
| cesse | cessions | cessai | cessâmes | cesse | |
| cesses | cessiez | cessas | cessâtes | cessons | |
| cesse | cessent | cessa | cessèrent | cessez | |
| établisse | établissions | établis | établîmes | établis | |
| établisses | établissiez | établis | établîtes | établissons | |
| établisse | établissent | établit | établirent | établissez | |
| rende | rendions | rendis | rendîmes | rends | |
| rendes | rendiez | rendis | rendîtes | rendons | |
| rende | rendent | rendit | rendirent | rendez | |

| Infinitive and Present Participle | Present Indicative | | Perfect | Imperfect | Future and Conditional |
|---|---|---|---|---|---|
| **-er verbs with spelling changes** | | | | | |
| annoncer | annonce | annonçons | j'ai annoncé | j'annonçais | j'annoncerai |
| | annonces | annoncez | | | |
| annonçant | annonce | annoncent | | | j'annoncerais |
| partager | partage | partageons | ai partagé | partageais | partagerai |
| | partages | partagez | | | |
| partageant | partage | partagent | | | partagerais |
| considérer | considère | considérons | ai considéré | considérais | considérerai |
| | considères | considérez | | | |
| considérant | considère | considèrent | | | considérerais |
| soulever | soulève | soulevons | ai soulevé | soulevais | soulèverai |
| | soulèves | soulevez | | | |
| soulevant | soulève | soulèvent | | | soulèverais |
| projeter | projette | projetons | ai projeté | projetais | projetterai |
| | projettes | projetez | | | |
| projetant | projette | projettent | | | projetterais |
| appeler | appelle | appelons | ai appelé | appelais | appellerai |
| | appelles | appelez | | | |
| appelant | appelle | appellent | | | appellerais |
| employer | emploie | employons | ai employé | employais | emploierai |
| | emploies | employez | | | |
| employant | emploie | emploient | | | emploierais |
| **Irregular verb groups** | | | | | |
| conduire | conduis | conduisons | ai conduit | conduisais | conduirai |
| | conduis | conduisez | | | |
| conduisant | conduit | conduisent | | | conduirais |
| craindre | crains | craignons | ai craint | craignais | craindrai |
| | crains | craignez | | | |
| craignant | craint | craignent | | | craindrais |
| ouvrir | ouvre | ouvrons | ai ouvert | ouvrais | ouvrirai |
| | ouvres | ouvrez | | | |
| ouvrant | ouvre | ouvrent | | | ouvrirais |

| Present Subjunctive | | Past Historic | | Imperative | Verbs similarly formed |
|---|---|---|---|---|---|
| annonce | annoncions | annonçai | annonçâmes | annonce | *see* |
| annonces | annonciez | annonças | annonçâtes | annonçons | Chapter 11 |
| annonce | annoncent | annonça | annoncèrent | annoncez | Section 14 |
| partage | partagions | partageai | partageâmes | partage | *see* |
| partages | partagiez | partageas | partageâtes | partageons | Chapter 11 |
| partage | partagent | partagea | partagèrent | partagez | Section 14 |
| considère | considérions | considérai | considérâmes | considère | *see* |
| considères | considériez | considéras | considérâtes | considérons | Chapter 11 |
| considère | considèrent | considéra | considérèrent | considérez | Section 13 |
| soulève | soulevions | soulevai | soulevâmes | soulève | *see* |
| soulèves | souleviez | soulevas | soulevâtes | soulevons | Chapter 11 |
| soulève | soulèvent | souleva | soulevèrent | soulevez | Section 15 |
| projette | projetions | projetai | projetâmes | projette | *see* |
| projettes | projetiez | projetas | projetâtes | projetons | Chapter 11 |
| projette | projettent | projeta | projetèrent | projetez | Section 16 |
| appelle | appelions | appelai | appelâmes | appelle | *see* |
| appelles | appeliez | appelas | appelâtes | appelons | Chapter 11 |
| appelle | appellent | appela | appelèrent | appelez | Section 16 |
| emploie | employions | employai | employâmes | emploie | *see* |
| emploies | employiez | employas | employâtes | employons | Chapter 11 |
| emploie | emploient | employa | employèrent | employez | Section 17 |
| conduise | conduisions | conduisis | conduisîmes | conduis | *see* list in |
| conduises | conduisiez | conduisis | conduisîtes | conduisons | Chapter 1 |
| conduise | conduisent | conduisit | conduisirent | conduisez | Section 12 |
| craigne | craignions | craignis | craignîmes | crains | *see* list in |
| craignes | craigniez | craignis | craignîtes | craignons | Chapter 1 |
| craigne | craignent | craignit | craignirent | craignez | Section 12 |
| ouvre | ouvrions | ouvris | ouvrîmes | ouvre | *see* list in |
| ouvres | ouvriez | ouvris | ouvrîtes | ouvrons | Chapter 1 |
| ouvre | ouvrent | ouvrit | ouvrirent | ouvrez | Section 12 |

| Infinitive and Present Participle | Present Indicative | | Perfect | Imperfect | Future and Conditional |
|---|---|---|---|---|---|
| partir | pars | partons | je suis | je partais | je partirai |
| | pars | partez | parti(e) | | |
| partant | part | partent | | | je partirais |
| recevoir | reçois | recevons | ai reçu | recevais | recevrai |
| | reçois | recevez | | | |
| recevant | reçoit | reçoivent | | | recevrais |

**Common irregular verbs**

| Infinitive and Present Participle | Present Indicative | | Perfect | Imperfect | Future and Conditional |
|---|---|---|---|---|---|
| accroître | accrois | accroissons | ai accru | accroissais | accroîtrai |
| | accrois | accroissez | | | |
| accroissant | accroît | accroissent | | | accroîtrais |
| accueillir | accueille | accueillons | ai accueilli | accueillais | accueillerai |
| | accueilles | accueillez | | | |
| accueillant | accueille | accueillent | | | accueillerais |
| acquérir | acquiers | acquérons | ai acquis | acquérais | acquerrai |
| | acquiers | acquérez | | | |
| acquérant | acquiert | acquièrent | | | acquerrais |
| aller | vais | allons | suis allé(e) | allais | irai |
| | vas | allez | | | |
| allant | va | vont | | | irais |
| asseoir | assieds | asseyons | ai assis | asseyais | assiérai |
| | assieds | asseyez | | | |
| asseyant | assied | asseyent | | | assiérais |
| battre | bats | battons | ai battu | battais | battrai |
| | bats | battez | | | |
| battant | bat | battent | | | battrais |
| boire | bois | buvons | ai bu | buvais | boirai |
| | bois | buvez | | | |
| buvant | boit | boivent | | | boirais |
| connaître | connais | connaissons | ai connu | connaissais | connaîtrai |
| | connais | connaissez | | | |
| connaissant | connaît | connaissent | | | connaîtrais |
| convaincre | convaincs | convainquons | ai convaincu | convainquais | convaincrai |
| | convaincs | convainquez | | | |
| convainquant | convainc | convainquent | | | convaincrais |

| Present Subjunctive | | Past Historic | | Imperative | Verbs similarly formed |
|---|---|---|---|---|---|
| parte | partions | partis | partîmes | pars | see list in |
| partes | partiez | partis | partîtes | partons | Chapter 1 |
| parte | partent | partit | partirent | partez | Section 12 |
| reçoive | recevions | reçus | reçûmes | reçois | see list in |
| reçoives | receviez | reçus | reçûtes | recevons | Chapter 1 |
| reçoive | reçoivent | reçut | reçurent | recevez | Section 12 |
| accroisse | accroissions | accrus | accrûmes | accrois | croître* |
| accroisses | accroissiez | accrus | accrûtes | accroissons | décroître |
| accroisse | accroissent | accrut | accrurent | accroissez | |
| accueille | accueillions | accueillis | accueillîmes | accueille | cueillir |
| accueilles | accueilliez | accueillis | accueillîtes | accueillons | recueillir |
| accueille | accueillent | accueillit | accueillirent | accueillez | |
| acquière | acquérions | acquis | acquîmes | acquiers | conquérir |
| acquières | acquériez | acquis | acquîtes | acquérons | requérir |
| acquière | acquièrent | acquit | acquirent | acquérez | |
| aille | allions | allai | allâmes | va (note: vas-y) | |
| ailles | alliez | allas | allâtes | allons | |
| aille | aillent | alla | allèrent | allez | |
| asseye | asseyions | assis | assîmes | assieds | s'asseoir |
| asseyes | asseyiez | assis | assîtes | asseyons | |
| asseye | asseyent | assit | assirent | asseyez | |
| batte | battions | battis | battîmes | bats | abattre |
| battes | battiez | battis | battîtes | battons | combattre |
| batte | battent | battit | battirent | battez | débattre etc. |
| boive | buvions | bus | bûmes | bois | |
| boives | buviez | bus | bûtes | buvons | |
| boive | boivent | but | burent | buvez | |
| connaisse | connaissions | connus | connûmes | connais | (ap)paraître |
| connaisses | connaissiez | connus | connûtes | connaissons | disparaître |
| connaisse | connaissent | connut | connurent | connaissez | reconnaître etc. |
| convainque | convainquions | convainquis | convainquîmes | convaincs | vaincre |
| convainques | convainquiez | convainquis | convainquîtes | convainquons | |
| convainque | convainquent | convainquit | convainquirent | convainquez | |

*croître: *past participle* **crû**

| Infinitive and Present Participle | Present Indicative | | Perfect | Imperfect | Future and Conditional |
|---|---|---|---|---|---|
| courir | cours | courons | j'ai couru | je courais | je courrai |
| | cours | courez | | | |
| courant | court | courent | | | je courrais |
| croire | crois | croyons | ai cru | croyais | croirai |
| | crois | croyez | | | |
| croyant | croit | croient | | | croirais |
| devoir | dois | devons | ai dû* | devais | devrai |
| | dois | devez | | | |
| devant | doit | doivent | | | devrais |
| dire | dis | disons | ai dit | disais | dirai |
| | dis | dites | | | |
| disant | dit | disent | | | dirais |
| écrire | écris | écrivons | ai écrit | écrivais | écrirai |
| | écris | écrivez | | | |
| écrivant | écrit | écrivent | | | écrirais |
| envoyer | envoie | envoyons | ai envoyé | envoyais | enverrai |
| | envoies | envoyez | | | |
| envoyant | envoie | envoient | | | enverrais |
| faire | fais | faisons | ai fait | faisais | ferai |
| | fais | faites | | | |
| faisant | fait | font | | | ferais |
| falloir | il faut | | il a fallu | il fallait | il faudra |
| | | | | | il faudrait |
| fuir | fuis | fuyons | ai fui | fuyais | fuirai |
| | fuis | fuyez | | | |
| fuyant | fuit | fuient | | | fuirais |
| lire | lis | lisons | ai lu | lisais | lirai |
| | lis | lisez | | | |
| lisant | lit | lisent | | | lirais |
| mettre | mets | mettons | ai mis | mettais | mettrai |
| | mets | mettez | | | |
| mettant | met | mettent | | | mettrais |

*Note that there is no circumflex accent when an agreement is made with the preceding direct object: **due, dus, dues**

| Present Subjunctive | | Past Historic | | Imperative | Verbs similarly formed |
|---|---|---|---|---|---|
| coure | courions | courus | courûmes | cours | accourir |
| coures | couriez | courus | courûtes | courons | recourir |
| coure | courent | courut | coururent | courez | |
| croie | croyions | crus | crûmes | crois | |
| croies | croyiez | crus | crûtes | croyons | |
| croie | croient | crut | crurent | croyez | |
| doive | devions | dus | dûmes | dois | |
| doives | deviéz | dus | dûtes | devons | |
| doive | doivent | dut | durent | devez | |
| dise | disions | dis | dîmes | dis | contredire* |
| dises | disiez | dis | dîtes | disons | interdire* |
| dise | disent | dit | dirent | dites | prédire* |
| écrive | écrivions | écrivis | écrivîmes | écris | décrire |
| écrives | écriviez | écrivis | écrivîtes | écrivons | inscrire |
| écrive | écrivent | écrivit | écrivirent | écrivez | prescrire etc. |
| envoie | envoyions | envoyai | envoyâmes | envoie | renvoyer |
| envoies | envoyiez | envoyas | envoyâtes | envoyons | |
| envoie | envoient | envoya | envoyèrent | envoyez | |
| fasse | fassions | fis | fîmes | fais | défaire |
| fasses | fassiez | fis | fîtes | faisons | refaire |
| fasse | fassent | fit | firent | faites | satisfaire |
| il faille | | il fallut | | — | |
| fuie | fuyions | fuis | fuîmes | fuis | s'enfuir |
| fuies | fuyiez | fuis | fuîtes | fuyons | |
| fuie | fuient | fuit | fuirent | fuyez | |
| lise | lisions | lus | lûmes | lis | relire |
| lises | lisiez | lus | lûtes | lisons | élire |
| lise | lisent | lut | lurent | lisez | réélire |
| mette | mettions | mis | mîmes | mets | admettre |
| mettes | mettiez | mis | mîtes | mettons | commettre |
| mette | mettent | mit | mirent | mettez | permettre etc. |

*Present and imperative*: (vous) **contredisez, interdisez, prédisez**

| Infinitive and Present Participle | Present Indicative | | Perfect | Imperfect | Future and Conditional |
|---|---|---|---|---|---|
| mourir | meurs | mourons | je suis mort(e) | je mourais | je mourrai |
| | meurs | mourez | | | |
| mourant | meurt | meurent | | | je mourrais |
| naître | nais | naissons | suis né(e) | naissais | naîtrai |
| | nais | naissez | | | |
| naissant | naît | naissent | | | naîtrais |
| plaire | plais | plaisons | ai plu | plaisais | plairai |
| | plais | plaisez | | | |
| plaisant | plaît | plaisent | | | plairais |
| pleuvoir | il pleut | | il a plu | il pleuvait | il pleuvra |
| | | | | | il pleuvrait |
| pouvoir | peux* | pouvons | ai pu | pouvais | pourrai |
| | peux | pouvez | | | |
| pouvant | peut | peuvent | | | pourrais |
| prendre | prends | prenons | ai pris | prenais | prendrai |
| | prends | prenez | | | |
| prenant | prend | prennent | | | prendrais |
| résoudre | résous | résolvons | ai résolu | résolvais | résoudrai |
| | résous | résolvez | | | |
| résolvant | résout | résolvent | | | résoudrais |
| revêtir | revêts | revêtons | ai revêtu | revêtais | revêtirai |
| | revêts | revêtez | | | |
| revêtant | revêt | revêtent | | | revêtirais |
| rire | ris | rions | ai ri | riais | rirai |
| | ris | riez | | | |
| riant | rit | rient | | | rirais |
| rompre | romps | rompons | ai rompu | rompais | romprai |
| | romps | rompez | | | |
| rompant | rompt | rompent | | | romprais |
| savoir | sais | savons | ai su | savais | saurai |
| | sais | savez | | | |
| sachant | sait | savent | | | saurais |

*inverted form: **puis-je . . .?** *(see Chapter 8 Section 2)*

| Present Subjunctive | | Past Historic | | Imperative | Verbs similarly formed |
|---|---|---|---|---|---|
| meure | mourions | mourus | mourûmes | meurs | |
| meures | mouriez | mourus | mourûtes | mourons | |
| meure | meurent | mourut | moururent | mourez | |
| naisse | naissions | naquis | naquîmes | nais | renaître |
| naisses | naissiez | naquis | naquîtes | naissons | |
| naisse | naissent | naquit | naquirent | naissez | |
| plaise | plaisions | plus | plûmes | plais | déplaire |
| plaises | plaisiez | plus | plûtes | plaisons | |
| plaise | plaisent | plut | plurent | plaisez | |
| il pleuve | | il plut | | — | |
| puisse | puissions | pus | pûmes | — | |
| puisses | puissiez | pus | pûtes | | |
| puisse | puissent | put | purent | | |
| prenne | prenions | pris | prîmes | prends | apprendre |
| prennes | preniez | pris | prîtes | prenons | comprendre |
| prenne | prennent | prit | prirent | prenez | entreprendre etc. |
| résolve | résolvions | résolus | résolûmes | résous | absoudre* |
| résolves | résolviez | résolus | résolûtes | résolvons | |
| résolve | résolvent | résolut | résolurent | résolvez | dissoudre* |
| revête | revêtions | revêtis | revêtîmes | revêts | vêtir |
| revêtes | revêtiez | revêtis | revêtîtes | revêtons | |
| revête | revêtent | revêtit | revêtirent | revêtez | |
| rie | riions | ris | rîmes | ris | sourire |
| ries | riiez | ris | rîtes | rions | |
| rie | rient | rit | rirent | riez | |
| rompe | rompions | rompis | rompîmes | romps | corrompre |
| rompes | rompiez | rompis | rompîtes | rompons | interrompre |
| rompe | rompent | rompit | rompirent | rompez | |
| sache | sachions | sus | sûmes | sache | |
| saches | sachiez | sus | sûtes | sachons | |
| sache | sachent | sut | surent | sachez | |

*Past participle: absous/absoute; dissous/dissoute

[215]

| Infinitive and Present Participle | Present Indicative | | Perfect | Imperfect | Future and Conditional |
|---|---|---|---|---|---|
| suffire | suffis | suffisons | j'ai suffi | je suffisais | je suffirai |
| | suffis | suffisez | | | |
| suffisant | suffit | suffisent | | | je suffirais |
| suivre | suis | suivons | ai suivi | suivais | suivrai |
| | suis | suivez | | | |
| suivant | suit | suivent | | | suivrais |
| taire | tais | taisons | ai tu | taisais | tairai |
| | tais | taisez | | | |
| taisant | tait | taisent | | | tairais |
| tenir | tiens | tenons | ai tenu | tenais | tiendrai |
| | tiens | tenez | | | |
| tenant | tient | tiennent | | | tiendrais |
| valoir | vaux | valons | ai valu | valais | vaudrai |
| | vaux | valez | | | |
| valant | vaut | valent | | | vaudrais |
| venir | viens | venons | suis venu(e) | venais | viendrai |
| | viens | venez | | | |
| venant | vient | viennent | | | viendrais |
| vivre | vis | vivons | ai vécu | vivais | vivrai |
| | vis | vivez | | | |
| vivant | vit | vivent | | | vivrais |
| voir | vois | voyons | ai vu | voyais | verrai* |
| | vois | voyez | | | |
| voyant | voit | voient | | | verrais* |
| vouloir | veux | voulons | ai voulu | voulais | voudrai |
| | veux | voulez | | | |
| voulant | veut | veulent | | | voudrais |

*Note that the future and conditional of **prévoir** *are:* **je prévoirai** etc., *and* **je prévoirais** etc.

| Present Subjunctive | | Past Historic | | Imperative | Verbs similarly formed |
|---|---|---|---|---|---|
| suffise | suffisions | suffis | suffîmes | suffis | se suffire |
| suffises | suffisiez | suffis | suffîtes | suffisons | |
| suffise | suffisent | suffit | suffirent | suffisez | |
| suive | suivions | suivis | suivîmes | suis | poursuivre |
| suives | suiviez | suivis | suivîtes | suivons | |
| suive | suivent | suivit | suivirent | suivez | |
| taise | taisions | tus | tûmes | tais | se taire |
| taises | taisiez | tus | tûtes | taisons | |
| taise | taisent | tut | turent | taisez | |
| tienne | tenions | tins | tînmes | tiens | appartenir |
| tiennes | teniez | tins | tîntes | tenons | contenir |
| tienne | tiennent | tint | tinrent | tenez | maintenir etc. |
| vaille | valions | valus | valûmes | vaux | prévaloir |
| vailles | valiez | valus | valûtes | valons | revaloir |
| vaille | vaillent | valut | valurent | valez | |
| vienne | venions | vins | vînmes | viens | devenir |
| viennes | veniez | vins | vîntes | venons | intervenir |
| vienne | viennent | vint | vinrent | venez | revenir etc.* |
| vive | vivions | vécus | vécûmes | vis | survivre |
| vives | viviez | vécus | vécûtes | vivons | revivre |
| vive | vivent | vécut | vécurent | vivez | |
| voie | voyions | vis | vîmes | vois | entrevoir |
| voies | voyiez | vis | vîtes | voyons | prévoir |
| voie | voient | vit | virent | voyez | revoir etc. |
| veuille | voulions | voulus | voulûmes | veuille | |
| veuilles | vouliez | voulus | voulûtes | veuillons | |
| veuille | veuillent | voulut | voulurent | veuillez | |

*convenir, prévenir, subvenir take the auxiliary verb **avoir**

# Common verbs and their constructions

aboutir à qch.
lead to, result in, end in sth.

s'abstenir de qch.
abstain from sth.

s'abstenir de faire qch.
abstain from doing sth.

abuser de qch.
use sth. excessively, misuse sth., take advantage of sth./s.o.

accepter de faire qch.
agree to do sth.

accorder qch. à qn.
give, grant, award sth. to s.o.

accuser qn de qch.
accuse s.o. of sth.

accuser qn d'avoir fait qch.
accuse s.o. of having done sth.

acheter qch. à qn
buy s.o. sth., buy sth. from s.o. (see 19.8)

s'adonner à qch.
devote oneself to, go in for sth.

s'adresser à qn
speak to, address s.o., come/go to s.o., come/go and ask s.o., be aimed at, intended for s.o. (see also 19.3)

s'agir: il s'agit de qch., de faire qch.
see 25.5b

aider qn à faire qch.
help s.o. to do sth.

aimer faire qch.
like to do sth., enjoy doing sth.

aller faire qch.
go to do sth., go and do sth., be going to do sth. (see 2.10)

amener qn à faire qch.
induce, lead, bring s.o. to do sth.

apercevoir qn faire qch.
notice, see s.o. doing sth.

s'apercevoir de qch.
become aware of, notice sth.

apprendre à faire qch.
learn to do sth.

approuver qch./qn
approve sth./s.o., agree with sth./s.o., approve of sth./s.o.

s'appuyer sur qch./qn
lean on, rely on the support of sth./s.o.

arracher qch. à qn
snatch, grab sth. from s.o. (see 19.8a)

s'arrêter de faire qch.
stop doing sth.

arriver à qch./qn
happen to sth./s.o.

arriver à faire qch.
manage to, succeed in doing sth.

assister à qch.
attend, witness sth.

s'assurer de qch.
make sure of, check, ascertain sth.

attendre qch./qn
wait for sth./s.o.

attendre de faire qch.
to wait until it is time to do sth., to wait until one does sth.

s'attendre à qch.
expect sth.

s'attendre à faire qch.
expect to do sth.

s'attendre à ce que qn fasse qch.
expect s.o. to do sth.

s'attendrir sur qch./qn.
be moved by sth./s.o.; feel sorry for, pity for s.o.

attribuer qch. à qn
grant, award s.o. sth., attribute sth. to s.o., credit s.o. with sth.

s'avérer qch.
prove to be, turn out to be sth.

avoir à faire qch.
have to do sth.

avoir besoin de qch./qn
need sth./s.o.

avoir droit à qch.
be entitled to, have a right to sth.

avoir de la peine à faire qch.
have trouble doing, difficulty in doing sth.

avoir de quoi faire qch.
see 16.5d

avoir du mal à faire qch.
have trouble doing sth., find it difficult to do sth.

avoir envie de qch.
feel like, want sth.

avoir envie de faire qch.
feel like doing, want to do sth.

avoir la chance de faire qch.
be lucky enough, fortunate enough to do sth.

avoir le courage de faire qch.
be brave enough to, have the heart to do sth.

avoir le droit de faire qch.
be allowed to, have the right to do sth.

avoir le temps de faire qch.
have time to do sth.

| | |
|---|---|
| avoir les moyens de faire qch. | be able to, can afford to do sth. |
| avoir l'intention de faire qch. | intend to do sth. |
| avoir l'occasion de faire qch. | have a chance to, the opportunity to do sth. |
| avoir peur de qch./qn | be afraid of, frightened of sth./s.o. |
| avoir raison de faire qch. | be right to do sth. |
| avoir soin de faire qch. | take care to do sth. |
| avoir soin de qch./qn | take care of sth./s.o. |
| avoir tendance à faire qch. | tend to, be inclined to do sth. |
| avoir tort de faire qch. | be wrong to do sth. |
| | |
| bénéficier de qch. | get, have, enjoy sth., benefit from sth. |
| | |
| cacher qch. à qn | hide, conceal sth. from s.o. (*see* 19.8a) |
| cesser de faire qch. | cease, stop doing sth. |
| changer de qch. | change, replace sth. |
| changer qch. | change, modify sth. |
| charger qn de qch. | entrust s.o. with sth., put sth. in the hands of s.o. |
| charger qn de faire qch. | entrust s.o. with doing sth. |
| se charger de qch. | undertake sth. |
| se charger de faire qch. | undertake to do sth. |
| chasser qch./qn | chase, chase away, hunt sth./s.o. |
| chercher qch./qn | look for sth./s.o. |
| chercher à faire qch. | try to, attempt to do sth. |
| choisir de faire qch. | choose to do sth. |
| commander à qn de faire qch. | order s.o. to do sth. (*see* 16.7) |
| commencer à faire qch. | begin to, start to do sth. |
| commencer par faire qch. | begin by, start by doing sth. |
| comparer qch./qn à qch./qn | compare sth./s.o. with sth./s.o. (*see* 19.3) |
| compter faire qch. | intend to, plan to, mean to do sth. |
| concurrencer qch./qn | compete with sth./s.o. |
| se confier à qn | confide in s.o. |
| confier qch. à qn | entrust s.o. with sth., put sth. in the hands of s.o. |
| conseiller qn. | give advice to, counsel s.o. |
| conseiller à qn de faire qch. | advise s.o. to do sth. (*see* 16.7) |
| consentir à qch. | consent to sth. |
| consentir à faire qch. | consent to do sth. |
| consentir à ce que qn fasse qch. | consent to s.o. doing sth. |
| consister à faire qch. | consist in doing sth. |
| se contenter de qch. | make do with sth. |
| se contenter de faire qch. | content oneself with doing sth. |
| continuer à faire qch. | continue to do sth. |
| contraindre qn à faire qch. | force, compel s.o. to do sth. |
| convaincre qn de faire qch. | persuade s.o. to do sth. |
| | |
| décider de qch. | decide on sth. |
| décider de faire qch. | decide to do sth. |
| se décider à faire qch. | make up one's mind to do sth. |
| déconseiller à qn de faire qch. | advise s.o. against doing sth. (*see* 16.7) |
| décourager qn de qch. | discourage s.o. from sth. |
| décourager qn de faire qch. | discourage s.o. from doing sth. |
| défendre qch. à qn. | forbid s.o. sth. |
| défendre à qn de faire qch. | forbid s.o. to do sth. (*see* 16.7) |
| demander à qn de faire qch. | ask s.o. to do sth. (*see* 16.7) |
| demander qch. à qn | ask s.o. for sth. |
| dépendre de qch./qn | depend on sth./s.o. |
| déterminer qn à faire qch. | decide, determine s.o. to do sth. |
| devoir faire qch. | have to, must do sth. (*see* 22.1 *and* 5) |
| différer de qch./qn | differ from, be different from sth./s.o. |

| | |
|---|---|
| dire faire qch., avoir fait qch. | say that one does sth., that one has done sth. |
| dire à qn de faire qch. | tell s.o. to do sth. (*see* 16.7) |
| dire qch. à qn | tell s.o. sth., say sth. to s.o. |
| se diriger vers qch./qn | make for, make one's way towards sth./s.o. |
| discuter de qch. | argue about, discuss, debate sth. |
| disposer de qch. | have the use of sth., have sth. at one's disposal |
| dissuader qn de faire qch. | dissuade s.o. from doing sth., convince s.o. not to do sth. |
| donner qch. à qn | give s.o. sth. |
| donner à qn envie de faire qch. | make s.o. want to do sth., make s.o. feel like doing sth. |
| donner à qn la permission de faire qch. | give s.o. permission to do sth. |
| doter qch./qn de qch. | equip sth./s.o. with sth. |
| douter de qch./qn | doubt, question sth./s.o. |
| se douter de qch. | suspect sth. |
| échapper à qch./qn | escape from sth./s.o. |
| échouer à (un examen) | fail (an exam) |
| écouter qch./qn | listen to sth./s.o. |
| s'efforcer de faire qch. | do one's best to, strive to, make an effort to do sth. |
| s'emparer de qch. | get hold of, seize sth. |
| empêcher qn de faire qch. | prevent, stop s.o. from doing sth. |
| employer qn à faire qch. | employ s.o. to do sth. |
| emprunter qch. à qn | borrow sth. from s.o. (*see* 19.8a) |
| s'encombrer de qch. | load, burden oneself with sth. |
| encourager qn à faire qch. | encourage s.o. to do sth. |
| s'engager à faire qch. | commit oneself to doing sth., undertake to do sth. |
| s'engager dans qch. | enter into, embark on sth. |
| enlever qch. à qn | take sth. away from s.o. (*see* 19.8a) |
| s'entendre bien avec qn | get on well with s.o. |
| entendre dire qch. | hear sth. (*see* 16.8) |
| entendre parler de qch./qn | hear about sth./s.o. (*see* 16.8) |
| entendre qn faire qch. | hear s.o. doing sth. |
| entrer à qch. (institution) | go to (institution) |
| entrer dans qch. | enter sth. |
| espérer qch. | hope for sth. |
| espérer faire qch. | hope to do sth. |
| essayer de faire qch. | try to do sth. |
| être en droit de faire qch. | have a right to, the right to do sth., be entitled to do sth. |
| être en mesure de faire qch. | be in a position to do sth. |
| être en train de faire qch. | be (in the middle of) doing sth. |
| être sur le point de faire qch. | be about to do sth. |
| éviter qch. | avoid sth. |
| éviter à qn de faire qch. | save s.o. the trouble of doing sth. |
| éviter qch. à qn | spare s.o. sth. |
| éviter de faire qch. | avoid doing sth. |
| s'excuser de qch. | apologise for sth. |
| s'excuser d'avoir fait qch. | apologise for doing sth. |
| faire appel à qch./qn | appeal to, call on sth./s.o., call for sth./s.o. (*see* 19.3) |
| faire attention à qch./qn | pay attention to, be careful of sth./s.o. (*see* 19.3) |
| faire bien de faire qch. | do well to do sth. |
| faire confiance à qch./qn | trust sth./s.o. |

| | |
|---|---|
| faire du mal à qn | hurt, harm s.o. |
| faire faire qch. | *see* 17.15 |
| se faire faire qch. | *see* 17.15 |
| faire mieux de faire qch. | have better do sth., do better to do sth. (*see* 5.9) |
| faire partie de qch. | belong to sth., be a member of sth. |
| faire pression sur qch./qn | put pressure on, influence sth./s.o. |
| faire preuve de qch. | show (evidence of) sth. |
| faire la preuve de qch. | prove sth. |
| falloir: il faut faire qch. | *see* 22.4 *and* 5 |
| féliciter qn de qch. | congratulate s.o. for sth. |
| se féliciter de qch. | be pleased with sth., congratulate oneself on sth. |
| se féliciter d'avoir fait qch. | congratulate oneself on having done sth. |
| finir de faire qch. | finish doing sth. |
| finir par faire qch. | do sth. in the end, eventually |
| fournir qch. à qn | provide, supply s.o. with sth. |
| | |
| garder qch./qn | look after sth./so., keep sth. |
| | |
| s'habituer à qch./qn | become, get used to sth./s.o. (*see* 19.3) |
| s'habituer à faire qch. | become, get used to doing sth. |
| hésiter à faire qch. | hesitate to do sth. |
| heurter qch. | collide with sth. |
| se heurter à qch. | come up against, meet with sth. |
| | |
| importer: il importe de faire qch. | it is important to do sth. |
| inciter qn à faire qch. | urge, incite s.o. to do sth. |
| influer sur qch./qn | affect, influence sth./s.o. |
| informer qn de qch. | inform s.o. about sth. |
| s'inscrire à qch. | enrol for, put one's name down for sth. |
| s'intégrer à qch. | be, become integrated into sth. |
| s'intéresser à qch./qn | be interested in sth./s.o. (*see* 19.3) |
| interdire à qn de faire qch. | forbid s.o. to do sth. (*see* 16.7) |
| inviter qn à qch. | invite s.o. to sth. |
| inviter qn à faire qch | invite s.o. to do sth. |
| | |
| jouir de qch. | enjoy sth. |
| | |
| se livrer à qch. | engage in, be engaged in sth., practise sth., indulge sth. |
| | |
| ne pas manquer de faire qch. | be sure to do sth., do sth. without fail |
| manquer de qch. | be short of, lack sth. |
| se méfier de qch./qn | be careful about, mistrust sth./s.o. |
| mêler qch. à qch. | mix sth. with sth. |
| se mêler de qch. | meddle with, interfere with sth. |
| menacer qn de qch. | threaten s.o. with sth. |
| menacer de faire qch. | threaten to do sth. |
| se mettre à qch. | begin, start sth. |
| se mettre à faire qch. | begin, start doing sth. |
| mettre (deux heures) à faire qch. | take (two hours) to do sth. |
| mettre fin à qch. | put an end to sth. |
| se munir de qch. | equip, provide oneself with sth. |
| | |
| négliger qch. | overlook, neglect sth. |
| négliger de faire qch. | neglect, not bother to do sth. |
| nuire à qch./qn | harm sth./s.o. |

| | |
|---|---|
| obéir à qn | obey s.o. |
| obliger qn à faire qch. | compel, oblige s.o. to do sth., |
| être obligé de faire qch. | be compelled to, obliged to do sth. |
| s'occuper de qch./qn | attend to, look after sth/s.o., be in charge of, deal with sth. |
| s'occuper de faire qch. | see about, set about doing sth. |
| offrir qch. à qn | offer, give s.o. sth. |
| offrir de faire qch. | offer to do sth. |
| s'offusquer de qch./qn | be offended at *or* by sth./s.o. |
| s'opposer à qch./qn | conflict with, oppose sth./s.o. |
| s'opposer à ce que qn fasse qch. | oppose s.o. doing sth. |
| ordonner à qn de faire qch. | order s.o. to do sth. (*see* 16.7) |
| ôter qch. à qn | take sth. away from s.o. (*see also* verbs in 19.8a) |
| oublier de faire qch. | forget to do sth. |
| s'ouvrir à qch. | become aware of, open one's mind to sth. |
| | |
| pardonner qch. à qn | forgive s.o. for sth. |
| pardonner à qn d'avoir fait qch. | forgive s.o. for doing sth. (*see* 16.7) |
| parler de qch./qn | talk about, speak about sth./s.o. |
| parler de faire qch. | talk about, speak about doing sth. |
| participer à qch. | take part in, participate in sth. |
| partir faire | leave, set off to do sth. |
| parvenir à faire qch. | succeed in doing sth., manage to do sth. |
| passer du temps à faire qch. | spend time doing sth. |
| payer qch. | pay for sth. |
| se pencher sur qch. | be interested in, examine sth. |
| penser faire qch. | be thinking of doing sth., intend to do sth. |
| penser à qch./qn | think about *or* of sth./s.o. (*see* 19.3) |
| penser de qch./qn | think of, have an opinion of sth./s.o. |
| perdre du temps à faire qch. | waste time doing sth. |
| permettre (à qn) de faire qch. | allow, permit (s.o.) to do sth. (*see* 16.7) |
| permettre qch. à qn | allow s.o. sth. |
| persister à faire qch. | persist in doing sth. |
| se plaindre (à qn) de qch./qn | complain (to s.o.) about sth./s.o. |
| plaire à qn | be liked by s.o. (*see* 3.6) |
| porter atteinte à qch. | undermine sth. |
| porter sur qch. | be about, concern sth. |
| poser une question à qn | ask s.o. a question |
| pouvoir faire qch. | be able to, can, may do sth. (*see* 22.2 *and* 5) |
| préférer faire qch. | prefer to do sth. |
| prendre qch. à qn | take sth. from s.o. (*see* 19.8a) |
| prendre qch./qn au sérieux | take sth./s.o. seriously |
| prendre qch./qn en charge | take charge of sth./s.o., take care of sth./s.o. |
| prendre conscience de qch. | become aware of, realise sth. |
| prendre part à qch. | take part in sth. |
| se préoccuper de qch./qn | be worried about, give one's attention to sth./s.o. |
| se présenter à qch. | sit, take (exam, etc.), apply for (job), stand at (election) |
| prêter assistance à qn | help s.o., go to s.o.'s aid |
| prévoir de faire qch. | plan on doing, plan to do sth. |
| prier qn de faire qch. | request, invite, beg s.o. to do sth. |
| procéder à qch. | set up, carry out, initiate sth. |
| profiter de qch./qn | take advantage of sth./s.o., make the most of sth. |
| promettre qch. à qn | promise s.o. sth. |
| promettre à qn de faire qch. | promise s.o. that one will do sth. (*see* 16.8) |
| promettre de faire qch. | promise to do sth. |

| | |
|---|---|
| proposer à qn de faire qch. | offer to do sth., suggest that s.o. does sth. |
| proposer de faire qch. | offer to do sth. suggest doing sth. |
| | |
| raconter qch. à qn | tell s.o. sth. |
| se rappeler qch. | remember sth. |
| rappeler qch. à qn | remind s.o. of sth. |
| recommander à qn de faire qch. | recommend that s.o. does sth., advise s.o. to do sth. |
| réfléchir à qch. | think about, consider sth. |
| refuser qch. à qn | refuse s.o. sth. |
| refuser de faire qch. | refuse to do sth. |
| regarder qch./qn | look at, watch sth./s.o. |
| regarder qn faire qch. | look at, watch s.o. doing sth. |
| regretter d'avoir fait qch. | regret doing sth. |
| remercier qn de qch. | thank s.o. for sth. |
| remercier qn d'avoir fait qch. | thank s.o. for doing sth. |
| remettre qch. en cause | question sth. |
| s'en remettre à qn | leave it up to s.o., leave the matter in s.o.'s hands |
| se rendre compte de qch. | be aware of, realise sth. |
| renoncer à qch. | give up, abandon sth. |
| se renseigner sur qch./qn | make enquiries about, find out about sth./s.o. |
| répondre à qch./qn | answer sth./s.o. |
| se résigner à faire qch. | resign oneself to doing sth. |
| résister à qch. | hold out against, resist sth. |
| se résoudre à faire qch. | resign oneself to doing sth., resolve to do sth., make up one's mind to do sth. |
| ressembler à qn | look like, resemble s.o. |
| se résumer à qch. | amount to, to come down to sth. |
| retirer qch. à qn | take off *or* away, remove sth. from s.o. (*see* 19.8a) |
| réussir qch. | make a success of sth. |
| réussir à faire qch. | succeed in doing sth. |
| réussir à (un examen) | pass (exam) |
| rêver de qch./qn | dream of sth./s.o. |
| rêver de faire qch. | dream of doing sth. |
| rêver à qch. | hope for sth. |
| rire de qch./qn | laugh at sth./s.o. |
| risquer de faire qch. | be likely to do sth., might well do sth., risk doing sth. |
| savoir faire qch. | know how to do sth., can do sth. |
| sembler faire qch. | seem to do sth. |
| servir à qch. | be used for sth. |
| servir à faire qch. | be used to do sth. |
| se servir de qch. | use sth., make use of sth. |
| songer à qch. | think about, consider sth. |
| songer à faire qch. | think about, consider doing sth. |
| soigner qn/qch. | look after s.o./sth., take care over sth. |
| souhaiter qch. | wish for, want sth. |
| souhaiter faire qch. | wish to, want to do sth. |
| soumettre qn à qch., qch. à qn | subject s.o. to sth., submit sth. to s.o. |
| se soumettre à qch. | submit to sth. |
| se souvenir de qch./qn | remember sth./s.o. |
| se souvenir d'avoir fait qch. | remember doing sth. |
| suffire (à qn pour faire qch.) | be enough (for s.o. to do sth.) |
| suffire: il suffit de faire qch. | it is enough, sufficient to do sth. (*see* 25.5a) |
| suggérer à qn. de faire qch. | suggest that s.o. does sth. |

| | |
|---|---|
| téléphoner à qn | telephone, call s.o. |
| tenir à qch. | value sth. |
| tenir à faire qch. | be anxious to, keen to do sth. |
| tenir compte de qch. | take sth. into account, into consideration |
| tenter de faire qch. | attempt to, try to do sth. |
| tirer sur qch./qn | fire at, shoot sth./s.o. |
| tomber amoureux de qn | fall in love with s.o. |
| se tourner vers qch./qn | turn to sth./s.o. |
| | |
| user de qch. | make use of, use sth. |
| | |
| valoir: il vaut mieux faire qch. | it is better to do sth. |
| venir faire qch. | come and do sth., come to do sth. |
| venir de faire qch. | have just done sth. (*see* 4.10) |
| viser qch./qn | have sth. as one's aim, be intended for |
| viser à qch./qn | aim at *or* for sth. |
| viser à faire qch. | aim to do sth. |
| vivre qch. | live through, experience sth. |
| vivre de qch. | live on *or* off sth. |
| voir qn faire qch. | see s.o. doing sth. |
| se voir faire qch. | *see* 23.6b |
| voler qch. à qn | steal sth. from s.o. (*see* 19.8a) |
| vouloir faire qch. | want to, wish to do sth. (*see* 22.3 *and* 5) |
| en vouloir à qn | bear a grudge against, hold it against s.o. |

# Some adjectives and their constructions

| | |
|---|---|
| accompagné de qn | accompanied by s.o. |
| adapté à qch. | suited to, suitable for sth. |
| approprié à qch. | appropriate for, suitable for sth. |
| assuré de qch. | confident of, sure of sth. |
| | |
| capable de faire qch. | capable of doing sth. |
| censé faire qch. | supposed to do sth. |
| certain de qch. | certain of, convinced of sth. |
| certain de faire qch. | certain to do sth. |
| chargé de faire qch. | responsible for doing sth. |
| chargé de qch. | in charge of sth., loaded with sth. |
| conforme à qch. | in keeping with, in accordance with sth. |
| content de faire qch. | pleased to, happy to do sth. |
| content de qch./qn | pleased with, happy with sth./s.o. |
| contraint de faire qch. | forced to, compelled to do sth. |
| coupé de qch. | cut off from sth. |
| couvert de qch. | covered with sth. |
| curieux de faire qch. | curious to, interested to, keen to do sth. |
| | |
| décidé à faire qch. | determined to do sth. |
| défavorable à qch. | against sth. |
| désireux de faire qch. | wanting to, anxious to do sth. |
| destiné à qch./qn | intended for sth./s.o. |
| destiné à faire qch. | intended to, meant to do sth. |
| déterminé à faire qch. | resolved to, determined to do sth. |
| différent de qch./qn | different from sth./s.o. |
| difficile à faire | difficult to do |
|   il est difficile de faire qch. | it is difficult to do sth. (*see* 21.4c) |
| disposé à faire qch. | inclined to do sth. |
| dur à faire | hard to do |
|   il est dur de faire qch. | it is hard to do sth. (*see* 21.4c) |
| | |
| enchanté de qch./qn | enchanted by, delighted with sth./s.o. |
| enchanté de faire qch. | delighted to, pleased to do sth. |
| exclu de qch. | excluded from sth. |
| | |
| facile à faire | easy to do |
|   il est facile de faire qch. | it is easy to do sth. (*see* 21.4c) |
| favorable à qch. | in favour of sth. |
| fier de qch. | proud of sth. |
| | |
| heureux de faire qch. | happy to do sth. |
| impossible à faire | impossible to do |
|   il est impossible de faire qch. | it is impossible to do sth. (*see* 21.4c) |
| impressionné de faire qch. | impressed at doing sth. |
| incapable de (faire) qch. | incapable of (doing) sth. |
| inconscient de qch. | unaware of sth. |
| inquiet de qch. | worried about sth. |
| inutile de faire qch. | useless to do sth. |
| | |
| lent à faire qch. | slow to do sth. |
| long à faire qch. | a long time doing sth. |
| | |
| mécontent de qch. | dissatisfied with sth. |
| | |
| nécessaire à qch. | necessary for sth. |

**obligé de faire qch.**

compelled to, obliged to do sth.

**prédisposé à qch.**
**préférable à qch.**
**préjudiciable à qch./qn**
**pressé de faire qch.**
**prêt à faire qch.**
**propre à qch.**
**propre à faire qch.**

prone to sth.
preferable to sth.
detrimental to, harmful to sth./s.o.
in a hurry to do sth.
ready to do sth.
appropriate for, suitable for sth.
suited to do sth.

**ravi de faire qch.**
**responsable de qch./qn**
**ridicule de faire qch.**

delighted to do sth.
responsible for sth./s.o.
ridiculous to do sth.

**satisfait de qch./qn**
**seul à faire qch.**
**soucieux de qch.**
**soucieux de faire qch.**
**souhaitable de faire qch.**
**stupéfait de faire qch.**
**sûr de qch./qn**
**sûr de faire qch.**
**susceptible à qch.**
**susceptible de faire qch.**

satisfied with sth./s.o.
only one to do sth.
concerned with *or* about sth.
anxious to do sth.
desirable to do sth.
amazed to, astounded to do sth.
sure of sth./so., assured of sth.
sure of doing sth.
susceptible to sth.
liable to, likely to do sth., capable of doing sth.

**utopique de faire qch.**

utopian to, unrealistic to do sth.

# English-French vocabulary for translation exercises

able (effective) **bon**
abnormality **une anomalie**
about **à props de, sur, concernant**; to be –
 to do **être sur le point de faire**
above all **avant tout**
abroad, to go – **partir à l'étranger**
absence **une absence**
to accept **accepter**
access **un accès**
according to **selon, en fonction de**
accuracy **l'exactitude** (*fem.*)
to achieve **atteindre**
active **actif**
activity **une activité**
actor **un acteur**
to adapt to **s'adapter à**
adman **le publicitaire**
administrative **administratif**
administrator **le gestionnaire**
to admit **admettre**
adolescence **l'adolescence** (*fem.*)
adolescent **un adolescent**
to adopt **adopter**
adult **un adulte**
advance, well in – **longtemps à l'avance**
advertising (*noun*) **la publicité**, (*adj.*)
 **publicitaire**; – industry **la publicité**
advice **les conseils** (*masc.*)
advisable **recommandé**
to affect **toucher**
affected **sinistré**
afflicted by **touché par**
afraid, to be – **avoir peur** (*see grammar
 index*)
after **après** (*see grammar index*)
again **de nouveau**
against **contre**
age **l'âge** (*masc.*)
ago, six months – **il y a six mois**
aid **l'aide** (*fem.*)
AIDS **le SIDA**
aim **un objectif**
airport **un aéroport**
all **tout** (*see grammar index*); – the more
 **d'autant plus**
also **également**
alternative (*noun*) **une alternative**,
 (*adj.*) **alternatif**
although **bien que** (*see grammar index*)
amazing **étonnant**
another **un nouveau, un autre**
anxiety **l'inquiétude** (*fem.*)
anywhere, nowhere **nulle part** (*see grammar
 index*)

to apply, the same applies to **c'est la même
 chose pour**; to – to (person, organisation)
 **s'adresser à**; to – for (document) **faire une
 demande de**
to approach (issue) **aborder**
to argue that . . . **affirmer que. . .**
as **comme, en tant que**; – long –, for –
 long – **tant que** (*see grammar index*)
to ask: to – for sth. **demander qch.**; to – s.o.
 to do **demander à qn de faire**
attitude **une attitude**
August **août**
authority, local – **la commune**
authorisation **l'autorisation** (*fem.*)
available **disponible**
average **moyen**
to avoid doing **éviter de faire**
to award s.o. sth. **accorder qch. à qn**

balance, a sense of – **un équilibre**
bank **la banque**
bankrupty **la faillite**
barrier **la barrière**
based on **fondé sur**
because **parce que**; – of **à cause de**
to become **devenir**
before **avant** (*see grammar index*)
Belgium **la Belgique**
to believe **croire**
to belong to **faire partie de**
between **entre**
birth **la natalité**
black **noir**
body (organisation) **un organisme**
bomb attack **un attentat à la bombe**
book **le livre**; to – (flight) **faire une réservation**;
 – keeping **la comptabilité**
booking **la réservation**
to bore **ennuyer**
brandy **le cognac**
breakdown (car) **la panne**; – van **la
 camionnette de dépannage**
Britain (Great – ) **la Grande Bretagne**
British **Britannique**
to broadcast **diffuser**
budget **le budget**
bulletin **le bulletin**
by **par**; – . . .ing **en . . . ant** (*see grammar
 index*)

to call s.o. in **faire appel à qn**
to calm **tranquilliser**
camp **le camp**; to – **camper**
campaign **la campagne**

to cancel **annuler**
to carry **porter**; to – out **effectuer**
  cartoonist **le dessinateur humoristique**
  case, in – of **en cas de**
  cash dispenser **le distributeur de billets**
  casualty **le blessé**
  cause **la cause**; to – **causer**; caused by **dû à**
  censorship **la censure**
  cereal **la céréale**
  certain **certain**
  Chad **le Tchad**
  chain **la chaîne**
  Chamber of Commerce **la Chambre de Commerce**
  championship match **le match de championnat**
  chances **les chances** (*fem.*)
  change **la transformation**; to – (replace) sth. **changer de qch.**
  channel (TV) **la chaîne**
  cheaper **moins cher**
to check **vérifier**; to – in (luggage) **faire enregistrer**
  chemical (*adj.*) **chimique**
  child **un enfant**
  childhood **l'enfance** (*fem.*)
  childish **puéril**
  China **la Chine**
to choose to do sth. **choisir de faire qch.**
  claim **une demande de remboursement**; to – that **affirmer que**
  clarity **la clarté**
  clear **clair**
  client **le client**
  cloud **le nuage**
  coach **le car**
to combat sth. **lutter contre qch.**
to combine **allier**
  comic strip **la bande dessinée**
  committee **le comité**
  commodity **la denrée**
  Common Agricultural Policy **la politique agricole commune**
  Common Market **le Marché commun**
  company **une entreprise, une société**; – director **le chef d'entreprise**
  competition (sport) **la compétition**
  competitive **compétitif**
  competitiveness **la compétitivité**
  competitor **le concurrent**
  complex **complexe**
  computerised book-keeping **la comptabilité informatisée**
to conceal **cacher** (*see grammar index*)
  concern **l'inquiétude** (*fem*); to give cause for – **susciter des inquiétudes**
to concern (to be about) **porter sur**
  concerned **concerné**; as far as . . . is – **en ce qui concerne. . .**
  condition **la condition**; – s (living) **les conditions** (*fem.*) **(de vie)**
  conference **la conférence**
  confidential **confidentiel**
to consider **considérer**
to construct **construire**
  consulate **le consulat**
  consumer **le consommateur**
  contrary, on the – **au contraire**
to contribute **contribuer**
  contribution **la cotisation**
  conviction **la conviction**
to convince **convaincre**
  cooking **la cuisine**
  cooperation **la coopération**
  correspondent **le correspondant**
  Council of Ministers **le conseil des ministres**
  country **le pays**
  couple **le couple**
  courage **le courage**
to create **créer**; to – happiness **faire le bonheur**
  creative **créatif**
  crew **un équipage**
  criminal **le criminel**
  critic **le critique**
  crop **la culture**
  cruise **la croisière**
  cultural **culturel**
to cure **guérir**
  currency, foreign – **les devises** (*fem.*)
  current affairs **les actualités** (*fem.*)

  daily newspaper **le quotidien**
to damage **endommager**
  day: – to – **au jour le jour**; all – long **toute la journée**
  deal, a great – **beaucoup** (*see grammar index*)
to debate **débattre**
  December **décembre**
to decide to do sth. **décider de faire qch.**
  decision **la décision**; to take the – to **prendre la décision de**
  definitely **certainement**
  departure **le départ**
  deposit **déposer**
  depressed **déprimé**
  designed to **visant à**
  desirable **souhaitable**
  desire **une envie**
to destroy **détruire**
  details **les informations** (*fem.*)
to deteriorate **se détériorer**
  determined **décidé**
to devastate **dévaster**
to develop **développer**; – (policy) **poursuivre**
  dialogue **le dialogue**

to die **mourir**
diet, to go on a – **se mettre au régime**
to differ **différer**
different from **différent de**
difficult **difficile**; to find it – to **avoir du mal
à, avoir de la peine à**
difficulty, in case of – **en cas de difficulté**
diplomatic **diplomatique**
to disclose **divulguer**
to disconcert **décontenancer**
discount **la réduction**
discouraging **décourageant**
discovery **la découverte**
to discuss **discuter**
disease **la maladie**
dish **le plat**
divorced **divorcé**
document **le document**
dozen **une douzaine de**
to drink **boire**
to drive **conduire**
driving licence **le permis de conduire**
drought **la sécheresse**
drug **la drogue;** – addict **le toxicomane;** –
trafficking **le trafic de la drogue**
during **pendant** (*see grammar index*)
Dutch **hollandais**

each **chaque**
early **tôt**
to earn **gagner**
Easter **Pâques**
ecologist **un écologiste**
economic **économique**
editor, general editor **le rédacteur en chef**
Education, – Minister **le ministre de
l'Education**
efficient **efficace**
elder (son) **aîné**
electoral **électoral**
electronics **l'électronique** (*fem.*)
to eliminate **éliminer**
embryo **un embryon**
employee **un employé, un salarié**
to enable s.o. to do **permettre à qn de faire**
to encourage s.o. to do **encourager qn à faire**
energy **l'énergie** (*fem.*)
engine (aeroplane) **le réacteur**
English **anglais**
to enjoy **apprécier**
to enrol **s'inscrire**
enthusiasm **l'enthousiasme** (*masc.*)
entitled, to be – to **avoir droit à**
entry **une entrée**
environment **l'environnement** (*masc.*)
Environment, Ministry for the – **le ministère
de l'Environnement**
ethical **éthique**

EUREKA **Eurêka**
European **européen**
evacuation **une évacuation**
even if **même si**
even (indeed) **voire**
evening **le soir**
every **chaque;** – other week **tous les quinze
jours**
everything **tout** (*see grammar index*)
exchange **un échange;** to – **échanger**
to exhaust **épuiser**
exhibition **une exposition**
to exist **exister**
existence, to be in – **exister**
exotic **exotique**
expected, as – **comme prévu**
experience **une expérience;** to – (know)
**connaître**
to explain **expliquer**
to explode **exploser**
to exploit **exploiter**
explosion **une explosion**
extreme **extrême**

factory **une usine**
facts **les informations** (*fem.*)
fail, not to – to **ne pas manquer de**
to fall in love with **tomber amoureux de**
family **la famille**
far from **loin de**
favour, in – of **favorable à;** to be in – of
**être en faveur de**
favourite **favori**
to fear **craindre**
feature film **le long métrage**
festival **le festival**
fight **la lutte;** to – sth. **lutter contre qch.**
film **le film**
finally **finalement**
to find **trouver;** to – out sth. **apprendre qch.**
fireman **le sapeur-pompier**
firm (*noun*) **une entreprise**
first (*adj.*) **premier**
fist **le poing**
flat **un appartement**
flood **une inondation**
to follow **suivre**
following **à la suite de, suivant**
forbidden **illicite**
to force s.o. to do **obliger qn à faire**
Foreign Affairs **les Relations extérieures**
foreman **le contre-maître**
to forget **oublier**
fortnight **quinze jours**
fossil fuel **le combustible fossile**
France **la France**
free of charge **gratuitement**
freedom **la liberté**

freely available **en vente libre**
French **français**
fresh **frais**
from (coming – ) **en provenance de**
frozen meal **le plat surgelé**
fun (*adj.*) **amusant**

gain (victory) **la conquête**
general (*noun*) **le général**; – public **le grand public**
genetic **génétique**
German **allemand**
to get about **se déplacer**
to give s.o. sth. **donner qch. à qn**
given **étant donné**; to be – off **se dégager**
to go away **partir**
to go out **sortir**
Government **le gouvernement**
gradually **progressivement**
grandchildren **les petits-enfants**
to grant s.o. sth. **accorder qch. à qn**
great **grand**; a – many **bon nombre (de)**; – ly **considérablement**
group **le groupe**
growth **la croissance**
guaranteed **garanti**

half **la moitié**
to happen **arriver**
hard **dur**
hardened **endurci**
to hate **détester**
head of state **le chef d'Etat**
to hear **entendre**
heavy **fort**
to help s.o. (to do) **aider qn (à faire)**
here **ici**
high, it is – time **il est grand temps**
to hire **louer**
holiday **le séjour, les vacances** (*fem.*)
homeopath **l'homéopathe** (*masc./fem.*)
homosexual (**un**) **homosexuel**
homosexuality **l'homosexualité** (*fem.*)
to hope **espérer**
housewife **la ménagère**
however **cependant**
humanitarian agency **une agence humanitaire**
humiliation **une humiliation**
hunger **la faim**
husband **le mari**
hurdle **un obstacle**

ice cream **la glace**
idea **une idée**
illusion, it is an – to **il est illusoire de**
illustration **une illustration**
to imagine **imaginer**
immediate **immédiat**; – ly **aussitôt**

imperative **impératif**
to implement sth. **mettre qch. en place**
to improve **s'améliorer**; to – sth. **améliorer qch.**
included, to be – in **figurer sur**
increase **une augmentation**
independent **indépendant**
individual (*noun*) **un individu** – (*adj.*) **individuel**
induction course **les cours** (*masc.*) **d'initiation**
industrial **industriel**
industry **une industrie**
inflation **l'inflation** (*fem.*)
to inform **informer**; to – s.o. about **informer qn de**
information **l'information, les informations** (*fem.*)
inhabitant **un habitant**
initiated by **dû à l'initiative de**
initiative **l'initiative** (*fem.*)
to injure **blesser**
injury **la blessure**
to inquire **demander**
inquiry **une enquête**
to insist (that) **insister (pour que)**
instance, for – **par exemple**
instead of **au lieu de**
institute **un institut**
insurance policy **une assurance**
to integrate **intégrer**
intended for **destiné à**
intensive **intensif**
intention **une intention**
interest **un intérêt**; – (personal) **le centre d'intérêt**; to – **intéresser**
interested, to be – in **s'intéresser à**
international **international**
introduction **une introduction**
invaluable **indispensable**
to invest funds **investir**
irresponsible **irresponsable**
issue **la question**
Italy **l'Italie** (*fem.*)

Japan **le Japon**
job **un emploi**
journalist **le journaliste**

to keep (maintain) **maintenir** (*noun*: **le maintien**)
to kill **tuer**
to know (facts) **savoir**; to – (people and places) **connaître**

laboratory material **le matériel de laboratoire**
lack **une absence, un manque**
to land (aeroplane) **atterrir**
landscape **le paysage**
large **grand**

to last **durer**
last (*adj.*) **dernier** (*see grammar index*)
to launder **blanchir**
to launch **lancer**
laws (of country) **la législation**
to lead s.o. to do **amener qn à faire**
leader **le leader**
leak **la fuite**
to learn to do sth. **apprendre à faire qch.**
least, at – **du moins**
to leave **partir**; to – for (some where) **partir
pour**; to – school **quitter l'école**; to – sth.
**laisser qch.**
lecture **le cours**
leg injury **la blessure à la jambe**
less than **moins de** (*see grammar index*)
life **la vie**
light, in a positive – **sous un angle positif**
to like **aimer**
likely, to be – to **avoir tendance à**; to be –
to succeed **avoir des chances de réussir**
to live **vivre**
long (*adv.*) **longtemps**
to look for **chercher**; to – (search) **rechercher**
to lose **perdre**; to – weight **perdre du poids**
loss **la perte**
low **bas**

magnificent **magnifique**
main **principal**
major **déterminant**
majority **la majorité**
to make (+ adj.) **rendre** (*see grammar index*)
make-up **le maquillage**
to manage to do **parvenir à, réussir à faire**
management **la direction**, (finance) **la
gestion**; – consultant **le conseiller en
management**, (finance) **le conseiller en
gestion**
manager **le directeur**
managing director **le PDG** (**président-
directeur général**)
manipulation **la manipulation**
many **beaucoup de** (*see grammar index*); –
**de nombreux**; – **nombre de**
meal **le repas**; frozen – **le plat surgelé**
measure **la mesure**
medal **la médaille**
medicine **la médecine**
to meet **se réunir**; to – s.o. **voir, rencontrer qn**
member **le membre**
Member of Parliament **le député**
mid, mid eighties **vers le milieu des années
80**
minister **le ministre**
ministry **le ministère**
mistake **une erreur**
monsoon **la mousson**

month **le mois**
morning **le matin**
most **la plupart** (*see grammar index*); – of
them **la plupart d'entre eux/elles**
motorway **une autoroute**
must (*verb*) **falloir** (*see grammar index*)
mutual **mutuel**

name, to put one's – down for **s'inscrire à**
national **national**; – insurance **la Sécurité
sociale**
nature **la nature**
to need **avoir besoin de**
neighbour **le voisin**
nervous **anxieux**
new **nouveau** (*see grammar index*)
news **l'information** (*fem.*)
next **prochain** (*see grammar index*)
next to one another, adjoining **attenant**
to nibble **grignoter**
nobody **personne** (*see grammar index*)
none **aucun** (*see grammar index*)
normal **normal**
north east **le nord-est**
notes, in small – **en petites coupures**
to notice (discover) **découvrir**
noticeably **sensiblement**
to notify **informer**
now **de nos jours, maintenant**
nuclear, – policy **la politique en matière
d'energie**; – power **le nucléaire**
number **le nombre**; a – of **nombre de**

obsession **une obsession**
to obtain information from **se renseigner
auprès de**
occasion, on two – s **à deux reprises**
to offer **offrir**
official (*adj.*) **officiel**
often **souvent**
on . . .ing **en** (*see grammar index*)
on average **en moyenne**
once (as soon as) **dès que** (*see grammar
index*)
only **seul** (*see grammar index*)
open **ouvert**
opinion **un avis**; – poll **le sondage d'opinion**
opponent **un adversaire**
to oppose sth. **s'opposer à qch.**
opposition **l'opposition** (*fem.*)
order, in – to **pour**
other **autre**; – than **autre que**
others **d'autres**; the – **les autres**
over, more **plus de** (*see grammar index*)
overwhelming **débordant**
own **propre** (*see grammar index*)
own, on his/her – **seul** (*see grammar
index*)

to own **posséder**
owner **le patron, le propriétaire**

parents **les parents** (*masc.*)
parking ticket **la contravention**
Parliament **le Parlement**
particularly **surtout**
partly **en partie**
partner **le partenaire**
party (group) **le groupe**; – (political) **le parti**
passenger **le passager**
passport **le passeport**
to patrol **patrouiller**
people **les gens** (*masc.*)
person **la personne**
personal **personnel**
petty thief **le petit voleur**
phenomenon **le phénomène**
Philippines **les Philippines** (*fem.*)
photo **la photo**
photographer **le photographe**
pilot **le commandant de bord**
place **un endroit**
plan **le plan, le projet**; to – **projeter**
to plan to **prévoir de**
plane (aeroplane) **un avion**
to point out **souligner**
police **la gendarmerie, la police**
policy **la politique**
political **politique**
politician **un homme politique**
politics **la politique**
pollution **la pollution**
position **la position**
power **le pouvoir**
to predict **prévoir**
prepared to do **prêt à faire**
prerecorded **préenregistré**
present (*adj.*) **actuel**
present (to be –) **présent**
to preside over **présider**
President **le président**
press (*noun*) **la presse**; – conference **la conférence de presse**
to prevail **prévaloir**
to prevent s.o. from doing **empêcher qn de faire**
Prime Minister **le premier ministre**
prison **la prison**
problem **le problème**
procedures **les mesures** (*fem.*)
product **le produit**
production **la production**
productivity **la productivité**
professional **professionnel**
profitable **rémunérateur**
programme **le programme**; – (TV) **une émission**

to prohibit **interdire**
project **le projet**
promise, to keep a – **tenir une promesse**
to propose **proposer**
to protect **protéger**
to prove ineffectual **se révéler inefficace**
public (*noun*) **le public**
to publish **publier**
to punish **punir**

qualification **le diplôme**
quality **la qualité**
question **la question**; to – **interroger**
quickly **rapidement**

racing driver **le pilote de course**
radio **le poste de radio**; on the – **à la radio**
rain **la pluie**
rate **le taux**
to reach **atteindre**
to read **lire**
reader **le lecteur**
to realise **se rendre compte**
reason **la raison**
to reassure **rassurer**
to receive **recevoir**
recent **récent**; – ly **récemment**
recognition **la reconnaissance**
recording studio **le studio d'enregistrement**
recovery (economic) **la reprise**
reduced, to be – to **être ramené à**
to reexamine **réexaminer**
refugee **le réfugié**
to refuse to do **refuser de faire**
to reject **rejeter**
relations (relationships) **les relations** (*fem.*)
relative (*adj.*) **relatif**
to remember **se rappeler**
to remind s.o. **rappeler à qn**
to remove **supprimer**
rent **le loyer**; to – **louer**
repeatedly **à plusieurs reprises**
report **le reportage**
to represent **représenter**
research **la recherche**
resolution **la résolution**
resources **les ressources** (*fem.*)
respect **le respect**
responsible for **responsable de**
restriction **la contrainte**
result, as a – **il en résulte que**; as a – of **à la suite de**
to resume (relations) **renouer**
to retire from sth. **se retirer de qch.**
return **le retour**; to – **rentrer**
right (*noun*) **le droit**; to be – to **avoir raison de**; to be all – **aller bien**; – -wing **de droite**
rise, to give – to **susciter**

risk, at – **en danger**
river pollution **la pollution des rivières**
role **le rôle**
rule, as a – **en général**
rumour **la rumeur**
to run (direct) **diriger**
rush hour **les heures** (*fem.*) **de pointe**

safety **la sécurité**; – check **le contrôle de sécurité**
salaried **salarié**
salary **le salaire**
satellite **le satellite**
to save money **économiser de l'argent**
to say **déclarer**
season **la saison**; out of – **hors saison**
second (*noun*) **la seconde**
secret **secret**
to seem **paraître**
to select **sélectionner**
semi-skilled worker **l'OS** (*masc./fem.*)
    **(ouvrier spécialisé)**
to send **envoyer**
sensible **raisonnable**
September **septembre**
serious **profond**
services **les services** (*masc.*)
to set up **créer**; to – an inquiry **ouvrir une enquête**
several **plusieurs**
sexual **sexuel**
to share **partager**
shareholder **un actionnaire**
to show **indiquer**; to – (evidence of) sth.
    **faire preuve de qch.**
since **depuis** (*see grammar index*)
to sit an exam paper **passer une épreuve d'examen**
situation **la situation**
sixties **les années soixante** (**les annés 60**)
to ski **faire du ski**
slight **léger**
smoke **la fumée**
so **tellement, si**; – much **tant de** (*see grammar index*)
social **social**
social security **l'assurance-chômage** (*fem.*)
society **la société**
soldier **le soldat**
to solve **résoudre**
some **certain**
some **du, etc.** (*see grammar index*); –
    (before a number) **quelque**; – of **quelques-uns, quelques-unes de**
sometimes **parfois**
son **le fils**
soon **bientôt**
sort **la sorte**

source **la source**
Spaniard **un Espagnol**
spokesman **le porte-parole**
spontaneous **spontané**
staff **le personnel**
star (film, rock, etc.) **la vedette**
to start **commencer**
statement **la déclaration**
station (railway) **la gare**
to stay **rester**; to – on (at school) **poursuivre ses études**
still, to be – doing **continuer à faire**
stimulating **stimulant**
to stop **arrêter, s'arrêter**
strawberry **la fraise**
to strengthen **renforcer**
strengthening (*noun*) **le renforcement**
strongly **vivement**
student **un étudiant**
subject (school) **la matière**
subject, on this – **sur ce point, à ce sujet**
to succeed in doing **réussir à faire**
successful, to be – **réussir**
such a **un tel, une telle**
sufficient **suffisant**
summer **un été** (*masc.*)
superficial **superficiel**
supermarket **le supermarché**
supermarket, large – **la grande surface**
to support **soutenir**
supposed to do **censé faire**
surprising **surprenant**
survey **le sondage**
to survive **survivre**
to swim **se baigner**
swimming costume **le maillot de bain**

to take **prendre**; to – away **retirer**; to – off
    (aeroplane) **décoller**; to – s.o. to. . .
    **emmener qn à. . .**
to talk about sth. **parler de qch.**
tank **le réservoir**; – (milit.) **le tank**
target **la cible**
to teach sth. to s.o. **enseigner qch. à qn**
team **une équipe**
technique **la technique**
telecommunications **les télécommunications** (*fem.*)
television, – set **le téléviseur**; on – **à la télévision**
to tell s.o. about sth. **parler à qn de qch.**
test, driving – **le permis (de conduire)**
text **le texte**
thanks to **grâce à**
theft **le vol**
there is/are **il y a, il existe**
therefore **donc, par conséquent**
thief **le voleur**

to think **réfléchir**; to – about sth. **penser à qch.,**
   **réfléchir à qch.**; to – of doing **penser faire**
third (fraction) **le tiers**
Third World **le tiers monde**
through **grâce à**
time, at that – **à cette époque-là**; for a long
   – **longtemps**
to, in order – **afin de, pour**
today **aujourd'hui**
too **trop** (*see grammar index*)
top, the – of **le plafond de**
total **total**
tourist **le touriste**
toxic **toxique**
trade (trading) **le commerce**
traditional **traditionnel**
traffic jam **un embouteillage**
trafficker **le trafiquant**
train, by – **par le train**
trainer **un entraîneur**
training **la formation**; – course **le stage de
   formation**
to travel **voyager**; to – by coach **faire le voyage
   en car**
travel agency **une agence de voyage**
to treat **traiter**
trip (journey) **le voyage**
to try to do **essayer de faire**
type **le type**

to understand **comprendre**
unemployed person **le chômeur**
union (trade –) **le syndicat**; to be a –
   member **être syndiqué**
United States **les Etats-Unis** (*masc.*)
unity **l'unité** (*fem.*)
unless **à moins que** (*see grammar index*)
until **jusqu'à** (*see grammar index*)
use (*noun*) **l'utilisation** (*fem.*); to make – of
   sth. **se servir de qch.**; to – **utiliser**
usually **en général**

variety **la variété**; – show **une émission de
   variétés**
various **divers**
vehicle **le véhicule**
video **la vidéo**; – recorder **le magnétoscope**;
   – club **le vidéo club**
viewer **le téléspectateur**

vigorous **virulent**
village **le village**
visa **le visa**
to visit **visiter**
to voice **exprimer**
voter **un électeur**

wage (salary) **le salaire**
to wait **attendre** (*see grammar index*)
to walk in **entrer**
way **la façon**; on the – to **en allant à**
to weaken **affaiblir**
to wear **porter**
week **la semaine**; – end **le week-end**; – ly
   magazine **un hebdomadaire**
well-known **célèbre**
Western **occidental**
when **lorsque, quand**
while **pendant** (*see grammar index*); –
   . . . .ing **en . . . ant** (*see grammar index*)
why **pourquoi**
wife **la femme**
to win **gagner**
winter **un hiver**
withdrawal, to make a – **retirer de l'argent**
without **sans, sans que** (*see grammar index*)
witness **le témoin**
woman **la femme**
women's magazines **les magazines féminins**
   (*masc.*)
to wonder **se demander**
work (*noun*) **le travail**; cash-paid – **le travail
   au noir**; to – **travailler**; to – with (police)
   **coopérer avec**
working 'on the side' **le travail au noir**; –
   population **la population active**
world **le monde**
to write **écrire**
wrong, to be – **avoir tort**

year **un an, une année**; every – **tous les ans**;
   in the – 2000 **en l'an 2 000**; last – **l'an
   dernier** (*masc.*); next – **l'année
   prochaine**; the following – **l'année suivante**
   (*fem.*); this – **cette année**
yet **encore**; – another **encore un**
young people **les jeunes**
youth festival **le festival des jeunes**

# Grammar index

**Acknowledgements**
Our sincere thanks to Marie-Christine Press, Glasford Rock and Natasha Talyarkhan for their comments on the manuscript.

We are indebted to Société Nouvelle de Presse et de Communication (S.N.P.C.) for permission to reproduce the articles 'Les quatre évadés de la prison de Caen retrouvés' and 'L'avocat d'un expulsé turc met en cause le Front National' from *Libération* 24.8.87.


Cover: *Abstract, light* Photo: Images Colour Library.

Addison Wesley Longman Limited
*Edinburgh Gate, Harlow, Essex CM20 2JE, England*
*and Associated Companies throughout the World.*

© Longman Group UK Limited 1990

First published 1990
Twelfth impression 1996
ISBN 0 582 00430 6
*Set in 10/12 Times (Linotron)*

Produced by Longman Singapore Publishers Pte Ltd
Printed in Singapore

The publisher's policy is to use paper manufactured from sustainable forests.